D0854665

Het cadeau uit Berlijn

Lucette ter Borg
Het cadeau uit Berlijn

Cossee
Amsterdam

Dit boek werd mede mogelijk gemaakt door een subsidie van het
Fonds Bijzondere Journalistieke Projecten

Omslagillustratie Stuart Redler/Photonica/Image Store
Boekverzorging Marry van Baar
Foto auteur Bert Nienhuis
Druk Hooiberg, Epe

isbn 90 5936 039 7 | nur 301

Ich lebe mein Leben in wachsenden Ringen,
die sich über die Dinge zieh'n.
Ich werde den letzten vielleicht nicht vollbringen,
aber versuchen will ich ihn.

Ich kreise um Gott, um den uralten Turm,
und ich kreise jahrtausendelang;
und ich weiß noch nicht: bin ich ein Falke, ein Sturm,
oder ein großer Gesang.

RAINER MARIA RILKE

DEEL EEN

De stilte

I

Hij moest heel graag willen.

Hij liet zich medisch keuren en stuurde de resultaten op naar de Canadese ambassade in Bonn. Zesenzeventig jaar ziektegeschiedenis moest hij toevoegen.

Hij moest een verklaring opstellen dat hij zich zonder hulp kon aan- en uitkleden, zijn veters kon strikken, zich kon wassen, zelf zijn eten kon koken en boodschappen doen.

Hij moest naar een psychiater, die hem uithoorde over de relatie die hij met zijn vader en moeder had gehad, met zijn broer en zussen, zijn kinderen. De psychiater maakte aantekeningen in een dik schrift. Hij probeerde te lezen wat er aan de andere kant van de tafel werd opgeschreven. Hij las op de kop: 'Misschien een typisch geval van' – en dat was dan weer alles wat hij zag.

Hij moest verklaren dat hij in Canada van niemand financieel afhankelijk zou zijn en als bewijs al zijn financiële gegevens overleggen: de opbrengst van de verkoop van Rothenburg (honderdvijftigduizend mark), een deel van de inboedel (antiek en schilderijen ter waarde van negentigduizend mark), zijn pensioeninkomsten, de alimentatie die hij Hannelore betaalde.

'Als je financiële situatie goed is,' zei zijn zoon, 'komt alles in orde.'

En alles kwam in orde.

Toen hij in februari 1977 officieel toestemming ontving

om te emigreren, huilde hij. Hij schreef op de buitenkant van de envelop: 'Mijn emigratie naar Canada! Godzijdank!'

Hij stelde een lijst op met daarop alles wat per se mee moest. Na een maand turven, selecteren en weggooien hield hij vier volgetypte velletjes over.

Op de eerste twee vellen stonden:

Bechstein

Pianokruk

Spullen Elisabeth (juwelen, meisjesboeken, bril, gehoorapparaat)

Bureau

Bed (1 tweepersoons, 2 eenpersoons)

Dekbedden (5 stuks)

Dekens

Overtrekken en hoeslakens

Matrassen

Secretaire

Schwäbische kast

Frankfurter kast

Chesterfields (4 stuks)

Boekenkasten (10 stuks)

Rode en groene sofa

Theetafel

Eettafel met stoelen (6 stuks)

Lage tafel

Perzische tapijten

Boheems kristal

Meissen-servies

Geëmailleerd bronzen snuifflesje

Vijzels

Gewichten

Barometer

Bronzen klok (Hauenstein)

Schilderijen en etsen

Gordijnen

Jachthoorn

Wasmachine
Droger
Stofzuiger
Huishoudelijk: diversen (borden, pannen, bestek, mixer
et cetera – keukenkasten links en rechts)
Twee platenspelers met boxen (8 stuks), versterkers
Radio
Televisie
Langspeelplaten
Boeken
Muziekboeken
Grasmaaier
Kettingzaag
Hark
Snoeischaren
Schoffel
Schop
Klopboor
Schuurmachine
Draaibank
Gereedschap, diversen (2 hamers, 2 handzagen,
waterpomptang, nijptang – tuinhuisje)
Geweren (Sauer en R 93)
Ski's
Tenten en toebehoren (groot, klein)
Slaapzakken (3 stuks)

Op de andere blaadjes had hij zijn lievelingsgrammofoon-
platen, -boeken en muziekboeken gespecificeerd. Kleren
sloeg hij over. Daar had hij geen lijst voor nodig. Hij nam
toch alleen mee wat in zijn rugzak paste.

Hij probeerde niet vol te schieten als hij in zijn peignoir
door het huis slofte, door de serre met witte, roze en paarse
amaryllissen, de muziekkamer met de vleugel, waarover-
heen altijd liefkozend even zijn hand ging, de woonkamer
met de perzen, de schapenvachten in dikke lagen over el-

kaar voor de open haard, de eetkamer met haar frutsels.

Nadat Elisabeth was gestopt met haar podiumcarrière deed ze haar avondtoiletten, diamanten oorbellen en grote hoeden met veren aan de kant en schafte loden rokken en vesten met leren knopen aan. Met hetzelfde vuur waarmee ze vroeger toonladders had ingestudeerd, stortte ze zich op het verzamelen van koekoeksklokken, poppen in klederdracht en kleedjes van kant. Mevrouw Baches, de huishoudster, haalde altijd diep adem als de eetkamer aan de beurt was. Ze schudde haar schouderbladen los alsof ze zich klaarmaakte voor een duik van tien meter onder water, en ging dan pas naar binnen.

Hij probeerde het hoofd koel te houden en niet te denken aan hoe hij twintig jaar geleden hand in hand met Elisabeth het behang ging uitkiezen, en de tegels voor de badkamer en de gordijnen. Hij probeerde te vergeten hoe ze sindsdien nog zes keer hand in hand waren wezen kiezen, want dat wilde zij, om de zoveel jaar een heel nieuw kleurenpalet in huis. Zo noemde ze dat en hij schraapte zijn keel.

'Kom, wees streng,' zei hij wel honderd keer bij zichzelf. En soms hielp het. Dan gooide hij op één middag alle kopjes met een hap eruit in de vuilnisbak, en Elisabeths kleren en kleedjes stopte hij in zakken voor het Leger des Heils.

Alleen het meest functionele nam hij mee. Alleen wat hij anders in Canada toch weer moest aanschaffen. Alleen waar hij niet zonder kon.

Toen de sneeuw rond Rothenburg allang was gesmolten, de bermen blauw zagen van de ereprijs, en de zwaluwen hun nesten weer hadden opgezocht in de tot carport verbouwde koeienstal van de buren, had hij het grootste deel van de spullen verkocht en was het huis van de kelder tot de zolder schoongemaakt.

'Ik zal wel stofzuigen,' had hij tegen mevrouw Baches gezegd, want dat deed hij graag. 'Als u dan de kasten doet en de badkamers.' Hij spande een elastieken zweetband om

zijn voorhoofd en twee om zijn polsen, zoals hij John
McEnroe op Wimbledon zag dragen. Hij zoog twee dagen
aan een stuk. Toen waren alle kamers, alle vensterbanken,
de gang bij de entree, de overlopen, trappen en zelfs alle
moeilijke plekjes achter de radiatoren brandschoon. Hij
klapte de stofzuiger open en haalde er een dikke volle zak
uit. Hij liep naar buiten en smeet de zak met een grote
zwaai in de vuilcontainer.

Zo werd het 12 mei 1977. Op die dag draaiden drie verhuizers in twee vrachtwagens het steile weggetje naar zijn huis
op. De wielen van de wagens vraten gaten in de bermen. De
twee Friese paarden die in de wei tegenover zijn huis stonden gingen er met opgestoken staarten vandoor.

Maar dat was meteen het laatste opmerkelijke wat er op
die zonnige dag gebeurde. In drie uur tijd was alles ingeladen, het huis leeggehaald. Samen met de verhuizers dronk
hij nog een glas bier op het terras en toen ging het in colon-
ne naar Antwerpen. Daar, in dok 406, werd het huisraad in-
gescheept in drie signaalrode zeecontainers op een schip
van de Conti Lines, bestemming Vancouver.

Veronika bracht hem naar het vliegveld van Frankfurt. Ze
reden met de auto vanaf Karlsruhe, en de hele rit zweeg ze.
De avond daarvoor, ja, toen had ze gepraat en later ook geschreeuwd met een vol glas wijn in haar hand. Dat hij gek
was om uit Duitsland weg te gaan. Dat hij zich nooit, maar
dan ook nooit ergens thuis wilde voelen – en als het bijna
zover was, ging hij ervandoor. Dat het bezopen was om al
zijn bezittingen te verkopen en zich met zijn geld in een onbekend avontuur aan de andere kant van de wereld te storten. Dat hij een egoïst was die alleen maar aan zichzelf
dacht – en niet aan haar, zijn dochter, die hem toch ook nodig had. Het was altijd alleen maar Wolfgang, hè, Wolfgang
het engeltje, Wolfgang de levensgenieter die nooit iets fout
deed, Wolfgang het kind dat altijd precies deed wat hij wilde. Nooit eens de dochter, altijd alleen maar die ene zoon.

Hij had geprotesteerd: 'Maar Veronikaatje, zo is het toch helemaal niet? Je weet best waarom...' Hij brak zijn zin af en draaide zich om.

Op het vliegveld, vlak voordat hij moest inchecken, huilde Veronika, en hij deed zijn best om haar tranen niet te zien. Hij geneerde zich. Ze was nu toch al over de dertig. Kon hij er wat aan doen dat ze het niet had getroffen met die man van haar, die te veel dronk? Ze moest nu niet meer troost zoeken op vaders knie.

Veronika pakte een zakdoek en een pakje brieven uit haar tas. Die brieven duwde ze in zijn hand. Hij borg ze op in een zijvakje van zijn rugzak, en vergat ze toen – één, twee, drie, vier, heel veel jaren lang.

Hij zei: 'Dag. Ik moet nu echt door. Toe, huil niet meer. Met mij komt alles goed.'

Toen ze elf uur later een tussenlanding in Calgary maakten en over de startbaan naar de gate taxieden, zag Andreas voor het eerst de Rocky Mountains. Blauw op de flanken en met steeds meer witte stippels daartussen. Hoe hoger hij keek, hoe verblindender het wit. Hij drukte zijn gloeiende voorhoofd tegen het koude vliegtuigraam en sloot zijn ogen.

Naast hem zat een meisje van een jaar of achttien te huilen. Ze keek de hele vlucht alleen maar in het fotoalbum op haar schoot. Soms was ze even stil, maar dan sloeg ze een bladzijde om, vouwde een brief open en begon het gesnotter opnieuw.

Alweer tranen, dacht Andreas. Hij wist niet of hij het als een goed of een slecht teken moest zien.

2

Het was een aardedonkere nacht vol regen, en Andreas groef als een hond. Met zijn blote handen schepte hij rottend blad, klonten aarde en zachte, kleverige dingen omhoog waarvan hij liever niet wist wat het was, zo vies voelde het aan. Soms stootte hij op iets hards, en dan was het alsof alles in hem licht werd en van zilverpapier. Daar is het, dacht hij dan, en hij voelde plotseling zoveel vreugde in zich opborrelen dat het op kokhalzen leek.

Maar steeds was het niet wat hij zocht. Hij vond een platte steen, een stuk vermolmd hout en het skelet van een kat. Hij hijgde, hij veegde met zijn bemodderde handen het haar uit zijn ogen. Hij keek nog eens om zich heen, mat de stappen van de paardekastanje naar de plek waar hij nu zat, en tekende in gedachten een driehoek: daar het huis, rechts de kastanje, links de beek – dan moeten hier ongeveer de rododendrons hebben gestaan.

Tegen zijn zoon Benno, die zwijgend naast hem groef, zei hij: 'Ik weet toch zeker dat ik het hier heb begraven.' Hij wist dat zijn stem wanhopig klonk, steeds wanhopiger naarmate de nacht verstreek en de lucht aan de hemel lichter werd. Hij schudde zijn hoofd: 'Alles is zo veranderd. Ik begrijp het niet. Alleen de kastanje staat er nog, maar verder...'

Op de plaats waar vroeger rododendrons hadden gegroeid, stonden nu brandnetels en manshoog de braamstruiken. Alles in de tuin was wild geworden. Zelfs het huis, zíjn mooie Fremdenhaus met de vakwerkmuren, de balkons met bloembakken, de torentjes en de duiventillen, was verwilderd, was niet meer van hem. Wat verderop in het veld stond was een afgetrapt huurhuis, bewoond door een stel schooiers die er niet om maalden dat de muren barstten, het hout niet geschilderd werd en wegrotte, dat er gaten in het dak zaten, waardoorheen de regen naar binnen stroomde.

Benno hing met zijn hoofd in een kuil. 'Ik zou het niet weten, vader, ik zou niet weten waar de struiken stonden en hoever het precies was.'

Nee, Benno had geen idee. Andreas was destijds met Friedrich geweest, de oudste, en ook toen had het geregend. Op hun knieën hadden ze over de drassige bodem onder de rododendrons gekropen, terwijl het water in hun nek liep. Om de andere struik gaf hij de jongen een teken. Hij groef en Friedrich gaf aan. De opscheplepels, de messen, de vorken, de juwelen, het Chinese mokkaservies van zijn moeder, haar gouden reiswekker, de koperen vijzels en gewichten, alle spullen die ze bijna een jaar lang op zolder voor de Russen en de Tsjechen hadden weten te verstoppen, verdwenen stuk voor stuk, gewikkeld in oliedoeken en kranten, onder de grond.

Andreas had de kuil vol aarde geschept en de vers omgewoelde grond afgedekt met bladeren en twijgjes. Zo, geen haan die ernaar kraaide. De bolsjewieken zouden hém niet kaal roven. Op Hauenstein zou het niet toegaan zoals hij op andere plaatsen in de omgeving had gezien.

Over een paar jaar kom ik terug, dacht hij toen. Als al deze onzin voorbij is.

Hij kwam kreunend overeind en klopte de modder van zijn broek. 'Laten we gaan,' zei hij tegen Benno.

Ze liepen langs de ingestorte bakkerij, langs de gotische kapel waar alle beelden van de sokkels waren geslagen en het leisteen van het dak onder hun voeten knarste. Ze klommen omhoog langs de plek waar Andreas dacht dat vroeger de terrassen lagen, met de bomen die hij helemaal uit Siberië had gehaald, uit de Himalaya en uit Amerika. Hij had ze geplant samen met nog een heleboel bijzondere bomen en struiken bij elkaar. De tuinen van Hauenstein waren beroemd, vanuit Praag en Dresden kwamen de mensen op zondag kijken.

Maar nu was er van een tuin geen sprake. De sierbomen waren omgehakt, één voor één in de kachel verdwenen. Bospest was ervoor in de plaats gegroeid. Hij sperde zijn ogen open om het nachtlicht op zijn netvlies te vangen. Opeens zag hij het kasteel door de takken.

Ga jij maar alleen verder, was zijn eerste impuls. Hij wilde zijn zoon een duw geven en zodra deze uit het zicht was zou hij zich omdraaien. Weglopen. Het bos in. Languit achterover in het gras of in de varens, met zijn armen naast zich. Wat maakte het ook uit? Vergaan. Kevers die over zijn gezicht kropen, zijn neusgaten in, zijn keel. Hij zou nat worden en koud, en dat zijn jas onder de modder of de koeienvla kwam kon hem niets schelen. Hij wilde omhoog kijken, recht de regen tegemoet die nog steeds in bellenblazende stralen naar beneden kwam vallen. Hij zou zichzelf dwingen om zijn ogen open te houden, ook al deed dat pijn, die koude, kristalharde druppels, die recht in zijn ogen vielen. Het was niks vergeleken bij de pijn die hij voelde toen hij Hauenstein zag.

De toegangspoort was verdwenen, al het hout uit de muren gesloopt, de deuren en de ramen weg. Hij liep door tot waar vroeger de ontvangstzaal was geweest, met de wapenschilden en de geweien aan de muren en de schouw met marmer uit een Italiaanse groeve. Hij zag hoe het water naar beneden droop. Hij zag puin met mos en planten erop. Hij zag geen torens meer, geen kantelen, alleen vogelpoep en resten van vuurtjes die in de hoeken waren gestookt.

Hij holde wild weg, zijn jas fladderend achter zich aan, takken die in zijn gezicht striemden. Elke stap dreunde in zijn hoofd. Dertig jaar. De Tsjech had het voor mekaar.

Schandvlek. Vandaal. In één ding goed en dat was stukma-
ken.

Vlak bij de auto struikelde hij. Hij viel, en toen zag hij
het. Het was de klok. De bronzen klok van Hauenstein, die
in de klokkentoren had gehangen en die hij bij speciale ge-
legenheden had geluid – op de verjaardag van de graaf, en
ook die keer dat er brand was geweest op de Keilberg en alle
klokken op alle boerderijen en kerken in de omgeving op
hun hardst geluid hadden.

Groen uitgeslagen was de klok en gebutst aan alle kanten. Met een beetje spuug veegde hij de rand schoon. Er
kwamen letters te voorschijn, woorden, een hele zin. 'Gott,
bewahre dieses Haus und die da gehen ein und aus.'

Samen met Benno wrikte hij de klok los uit de aarde en
het gras, en tilde haar in de kofferbak van de auto. Hij klapte
de klep dicht, stapte in. In de verte begon een hond te
blaffen. Hij had alles gezien wat er te zien viel. Voordat de
gezinnen in zijn oude huis naast hun bed zouden staan en
hun schoenen bij elkaar hadden geraapt, waren hij en Benno allang weer op weg naar Karlsbad, en vandaar in de richting van de grens. Er mag hier dan niks meer van mij zijn
van vroeger, dacht hij, de klok neem ik mee, de klok pakken
ze me niet meer af. Wee degene die dat probeert.

Dat was in 1974 geweest. De kranten stonden bol van het
schandaal in Bonn, en Willy Brandt moest aftreden. Het
gleed van hem af, zoals het wereldkampioenschap voetbal van
hem af gleed. Toen Benno belde om te zeggen dat hij de televisie moest aanzetten omdat Duitsland in de finale zat, antwoordde hij: 'Nou en? Het is toch niet míjn elftal dat speelt.'

In die zomer was alleen de exotische, maar door en door
Duitse Vicky Leandros onvermijdelijk.

Waar hij ook kwam, in de supermarkt, het restaurant
waar hij zondags na de mis met Elisabeth ging eten, de auto
als hij de radio aanzette – overal schalde 'Theo, wir fahr'n
nach Lodz!'

'Het is geen Brahms of Schubert,' zei Elisabeth, 'maar in zijn genre lang niet slecht.' En samen zongen ze mee in de vlotte vierkwartsmaat, zij de hoge en hij zo goed mogelijk de lage registers, met de ramen van de portieren open, hun ellebogen naar buiten en hun hoofd wiegend op de maat: 'Steh auf, du altes Murmeltier, bevor ich die Geduld verlier, Theo, wir fahr'n nach Lodz!'

Hij voelde zich vief en tot alles in staat. Het was het jaar dat er nog niks aan de hand was, het jaar dat Elisabeth nog opgewekt zei: 'Ga jij nou maar met je zoon naar jouw Heimat, dat is leuk voor jou en voor hem.' Zij bleef liever thuis, bij haar rozen.

Daarom belde hij Benno op en zong als Vicky Leandros: 'Be-nnóóó, wir fahr'n nach Böhmen!'

Het was voor het eerst dat hij voet zette op de bodem van zijn oude vaderland. Hij telde die keer in de winter van 1947 niet mee, toen hij zo'n heimwee had dat hij te voet naar de grens bij Annaberg ging, maar niet verder kon omdat er een rood-witte slagboom bij de grenspost in het bos stond. Hij kon alleen maar kijken, want hij mocht er niet langs. 'Maak dat je wegkomt, smerig Duits zwijn!' riepen de Tsjechische douaniers. Ze stampten met hun laarzen, spuugden op de grond en ontgrendelden hun geweer.

Hij telde ook die keer niet mee toen hij zijn jongste zus Monika tien jaar na de verdrijving voor het eerst terugzag en ze wel twintig jaar ouder leek te zijn geworden, nog ouder dan hij, haar haren grijs, haar gezicht opgeblazen van het vette eten.

'Die schoften hebben alles van onze muis afgepakt,' snikte Leonore. Andreas knikte, want zo ging het, dat was de regel. Hoe meer je bezat, hoe meer je schuldig was.

Andreas kon Monika in 1956 alleen met de vingertoppen begroeten, want er zat een hek van gaas tussen haar en hem. Ze lachten en huilden tegelijk – om de bewakers met hun bespottelijke machinegeweren, om al het grijs in het haar van Monika, om de plastic Karstadt-tassen met koffie, chocolade en panty's die hij had meegenomen maar die hij haar niet kon geven. Want cadeaus geven was verboden, en een kus geven ook.

Een flinke, dappere man noemden de buren in Rothenburg hem. Flink en dapper, want ze zeiden: 'Hoe oud bent u nou eigenlijk, meneer Landewee, zesenzeventig jaar al, en dan nog naar een ver land, naar het hoge noorden helemaal?' En de mensen schudden hun hoofd. 'Zou u dat wel doen op uw leeftijd wat doet u als u ziek wordt of iets breekt is er een supermarkt in de buurt en geen stromend water zegt u geen bakker en geen groenteboer en telefoon is er ook niet hoe komt u dan in een ziekenhuis stel dat?'

Maar hij gaf er niet om. Hij was blij.

Waarom niet een nieuw thuis opbouwen? Waarom niet voor de laatste keer de krachten verenen en zeggen: Kijk, dit heb ik met deze twee handen hier gebouwd, ik heb me niet laten kisten, en is het niet mooi geworden?

Hij schrok niet terug van een beetje fysieke inspanning. Op zijn vijftigste had hij het Deutsche Sportabzeichen nog gehaald en hij kende al zijn scores uit zijn hoofd. Hij zwom 300 meter in vijftien minuten. Hij sprong over een lat van 1 meter 35. Hij liep de 400 meter in 65,9 seconden. En bij het gewichtheffen trok hij 56,25 kilo. Hij won de gouden medaille in de categorie Mannen boven de veertig, maar als het aan hem lag had hij bij de jongens meegedaan.

Ja, hij was ijzersterk, en Elisabeth had hij toch al verloren. Daarbij stilstaan, in zijn eentje in het huis tussen de rozenstruiken, waar hij achter een bord met eten aan de keukentafel... – nee, hij zou er ziek van worden in zijn hoofd.

Toen hij van zijn Heimatreisje terugkwam, lag ze op bed. Hij dacht eerst dat Elisabeth er niet was, zo stil was het in huis. 'Joehoe, liefste! Ik ben er weer!' Het geluid kaatste door de gang, ketste tegen de koperen pannen en glimmende lepels die aan haken in de keuken hingen, en stierf weg toen de koekoeksklokken begonnen te slaan. Het was vier uur in de middag. Er dreven stapelwolken aan de hemel, de duiven koerden slaperig in de coniferen, hoog in de verte zoemde een vliegtuig. Een zomers hogedrukgebied was in aantocht.

Hij krabde op zijn hoofd. Wat kon hij doen? Eerst alvast de bagage naar binnen brengen. Het stelde hem gerust dat Elisabeth de deur uit was, dan hoefde hij niet meteen haar vragen te beantwoorden.

Hoe was de reis, schat? Heb je goed gegeten? En hoe was het daar? Was alles er nog? Dat soort dingen.

Nee, zou hij moeten antwoorden. Nee, ik heb alleen maar buikspek met augurken en witte kool gegeten – mijn darmen zijn er nog overstuur van – want vlees, echt draadjesvlees van een koe of een goede ribkarbonade van een varken, dat is daar niet te krijgen.

Nee, zou hij moeten zeggen. De Tsjechen en de Slovaken die ze na onze verdrijving naar het Ertsgebergte hebben gestuurd, zijn zo snel mogelijk teruggegaan naar de plekken waar ze vandaan kwamen en waar elektrische lantaarnpalen langs de weg staan die het ook doen als het sneeuwt, waar ze huizen hebben met warm en koud stromend water, waar ze 's winters niet met bevroren vingers het ijs uit de put moeten hakken en smelten in een pan op het fornuis.

Sonnenberg staat leeg. Hauenstein staat leeg. Alles is verlaten en staat op instorten, en als er nog iemand woont in zo'n hoop stenen, kun je dat zien aan de mesthopen. Want die liggen tot ver op straat.

Nee, zou hij dus zeggen. Het was niet leuk.

Hij wilde er niet aan denken. Hij dacht: als ik maar iets om handen had.

De koffer zette hij beneden aan de trap. De stenen die hij langs de beek in de tuin van Hauenstein had gevonden, droeg hij naar de tuin. Hij legde ze in een cirkel om de voet van de Japanse kers. Van de achterbank van de auto haalde hij de zakken met planten die hij had uitgegraven in het bos – voorzichtig, anders beschadigde hij de wortelstelsels – en legde ze op een koele plaats in de kelder. Als laatste tilde hij de klok uit de kofferbak en droeg hem naar de werkplaats.

Hij bestudeerde de geoxideerde korsten op het brons en piekerde hoe hij die het best kon verwijderen. Eerst met een borstel het vuil eraf, en dan weken in een badje van soda, glycerine en gedestilleerd water. Ja, dat was een goed idee.

Hij vulde een grote wasteil met steeds tien delen huishoudsoda, vier delen glycerine en 100 delen gedestilleerd water. Hij had zijn mouwen tot boven zijn ellebogen opgerold en was druk bezig met afpassen, toen hij een geluid hoorde. Het kwam van boven in het huis. Alsof er een vogel tegen het raam vloog of de kat een haarbal opbraakte. Hij luisterde scherper en hoorde toen haar stem.

Hij wist niet hoe snel hij zijn klok, zijn flessen en zijn teil in de steek moest laten. Met zijn paarse rubberhandschoenen aan rende hij de werkplaats uit, stormde het huis binnen, de trap op, de hoek om, de slaapkamer in. Ze lag op bed en probeerde overeind te komen, maar zakte opzij. Ze greep naar haar buik en zei: 'Zo'n pijn.' Dat was het enige wat ze zei, voordat ze haar gezicht wegstopte in de gele, roze en paarse bottelrozen die de slopen van haar kussens versierden.

Een week later wisten ze allebei wat het betekende als het lichaam in 'alarmfase vijf' zat. Een week later namen ze met een vanzelfsprekendheid alsof ze nooit anders hadden gedaan woorden in de mond die ze nog nooit in de mond hadden genomen. Woorden die ze oppikten in ziekenhuisgangen, bij overvolle afspraakbalies en in onderzoekskamers, waar ze meer uren van de dag doorbrachten dan dat er gedachten door hun hoofd konden spoken.

Er werd een kwaadaardige tumor in de endeldarm gevonden. Elisabeths lymfeklieren waren aangetast en ze had uitzaaiingen in de lever. Ze had eigenlijk alles wat je niet moest hebben, bloedarmoede, misselijkheid, pijn in haar buik, verstopping.

Zij die altijd zo preuts was en als ze naar de wc moest zei dat er een kleine boodschap te doen was, zij kreeg een klysma, moest op haar buik op een onderzoekstafel, rok uit, kousen uit, onderbroek uit.

'Eigenlijk vormen ook wij tweetjes een duet,' zei de arts in een poging om haar op haar gemak te stellen. Hij knikte naar zijn assistente, die met een slangetje klaarstond. 'Ontspant u zich maar, mevrouw Landewee. Niet met uw billen knijpen, nee, zo gaat het heel goed.'

Andreas en Elisabeth lachten om dat duet, na het onderzoek in haar ziekenhuiskamer. Maar eigenlijk hadden ze allebei liever willen huilen. Want de zaken stonden er niet goed voor. De artsen konden alleen nog maar opereren om het gezwel te verkleinen.

'U bent laat bij ons gekomen,' zei de internist. 'U had al eerder klachten, last van uw buik, bloed in uw ontlasting.'

De man zweeg. Andreas zweeg. Elisabeth zweeg.

'Begrijpt u wat ik zeg?'

Andreas greep Elisabeths hand.

Een paar maanden na haar dood kreeg hij een pakketje uit Canada. Het was bruin, met touw eromheen, stempels erop, cijfers in verschillende handschriften. Hij las een paar keer '6/12', twee keer zijn adres in Rothenburg. En dan de postzegels: hij telde drie ijsberen in de sneeuw, hun witte vacht stak af tegen een kobaltblauwe hemel. Hij zag een rode vos tussen het groen, een struik vol bramen, een vuurtoren en een blauwe zee, spiegelglad op de achtergrond.

Dat was Canada. Helder zag het eruit, onbedorven, als bronwater zo fris en doorzichtig.

Wolfgang schreef dat hij in het binnenland van British Columbia een verlaten goudzoekersdorp had gevonden. Vier kleine huizen met veranda's en één groot houten huis

– allang niet meer in gebruik. Daken en fundering in redelijke staat, ramen allemaal stuk. Stallen en schuren half ingestort onder het gewicht van een omgevallen boom. Het hout op andere plekken aangevreten. Een bron bij het huis. Drie hectaren overwoekerd weiland, een verwilderde moestuin, een verroeste graanmolen, een paar zeisen en een oud frame van een fiets. Dat was Black Creek.

Wolfgang schreef: 'Verder het mooiste landschap dat je je kunt voorstellen. Denk aan de etudes van Liszt en stel je dan een brede rivierbedding voor met bergen eromheen, sparren en dennen waar je maar kijkt. En geen mens in de omtrek te zien.'

Wolfgang stuurde in de envelop een kolossale sparappel mee, met de zaden er nog in. Hij stuurde een verdroogd stuk hout, dat eruitzag als een damesrevolver. En hij stuurde ansichtkaarten – van een beer die zalm vangt aan de oever van een rivier, van een verschrikte eland tussen bemoste stammen, van een kajak op een ontzettend groot meer.

Wolfgang schreef: 'Black Creek kost omgerekend veertigduizend mark. Dat is geen geld, pappa. Waarom kom je niet hierheen? Dan kunnen we hier samen iets moois bouwen.'

Andreas zag door het taxiraam de wolkenkrabbers van Vancouver en een stralend blauwe lucht met windveren daarboven. Hij zag zee en een kustlijn met bergen in de verte. Hij zag jongens met kano's op hun schouders, mannen in korte broek met surfplanken tussen hen in, meisjes met paardenstaarten op rolschaatsen – ze schoten als tennisballen de weg over, vlak voor de taxi langs en eromheen – zijn taxichauffeur vloekte en gebaarde met zijn handen: 'Wegwezen, jullie!' Hij zag oude vrouwen trimmen, ze droegen t-shirtjes zonder mouwen, en toen de auto remde voor een stoplicht, zag hij hun armen en borsten kwabbelen. Hij las borden met daarop 'Please, don't feed the raccoons!' en met symbolische aanwijzingen voor surfers, kanovaarders en skaters. Hij bedacht dat een land waar de mensen zoveel buiten waren en aan sport deden, wel een gezond en vrolijk land moest zijn.

In zijn hotelkamer kleedde hij zich direct uit, hoewel het nog vroeg in de middag was. Hij strekte zich uit op het zachte bed met geparfumeerde roze lakens, stopte de frambozenbonbon die op zijn kussen lag in zijn mond en viel in slaap.

Hij droomde van vliegtuigen en treinstations. Er was lawaai, hij haastte zich achter Elisabeth aan, de grote wijzer van de stationsklok sprong bijna op twaalf. Elisabeth drukte haar witte hoed met pauwenveren op haar hoofd en riep: 'Schiet op, schat! De trein vertrekt! Die coupé achteraan!' Hij rende zo snel hij kon met twee koffers die tegen zijn knieën aan bonkten langs de wagons. In iedere coupé zat wel een bekende. Hij vertraagde zijn pas, wat een toeval! Mamma, tante Anna? Leonore, Veronika en op het laatst ook Elisabeth – ze hadden zich allemaal allang geïnstalleerd, ze riepen dat hij moest opschieten, hij kwam te laat, ze klopten, ze tikten tegen de raampjes.

Hij werd wakker van het geluid van een scheepstoeter. Zijn tong lag als een zoetzure lap in zijn mond, maar het gesuis in zijn oren was weg. Hij dronk twee glazen water en tastte in het donker naar het raam van zijn kamer.

Hij schoof de gordijnen opzij en zag lichtjes buiten bewegen, van groot naar klein in de verte. Als hij er maar lang genoeg naar keek verdwenen ze op een gegeven moment wel weer. Hij hoorde scheepshoorns loeien en bedacht dat dit de veerboten waren en de vrachtschepen die op weg gingen naar het noorden, misschien wel naar Alaska. Dat gaf hem een vreemd gevoel van opwinding. Het was alsof hij voor een zwart gat stond. De aarde was plat en donker. Hij zag niet waar hij liep en viel ervan af.

Hij dacht: ik heb een rugzak met spullen, dat is genoeg. Als ik maar wil, kan ik alles worden.

Geen sterveling die me hier zal vinden.

Zijn maag knorde. Het laatste dat hij had gegeten waren

de boterhammen die Veronika thuis voor hem had ingepakt. Het eten dat de stewardess hem in het vliegtuig had
willen serveren, had hij geweigerd.

Hij draaide het nummer van de roomservice en bestelde
pannenkoeken met spek en een flesje bier. Alles kon en
mocht, al was het middernacht.

3

De vrouw achter de balie van de Forest Service legde haar breiwerk neer toen Wolfgang binnenkwam. Uit de radio klonk: 'Here Comes That Rainy Day Feeling Again.'

'Bless you,' zei de vrouw, ''t is mijn vierde trui dit seizoen. Een mens moet wat om handen hebben, nietwaar?'

De vrouw schoof een melkglas en een plastic zakje met daarop twee half opgegeten boterhammen opzij. Ze sloeg een grote, zwarte ordner open. 'Yes sir?' zei ze, 'wat is de klacht?'

'Ik heb geen klacht,' zei hij. 'Ik ben op zoek naar een kamer, iets eenvoudigs om de winter door te brengen, iets om te huren. Het mag best ver van alles vandaan liggen, zonder buren of andere mensen, met een stuk grond eromheen dat ik kan onderhouden.'

De vrouw duwde zich omhoog van haar stoel en liep naar een enorme landkaart die met punaises aan de schrootjesmuur was geprikt. Sret srot sret srot deden haar slippers. 'Kijk,' zei ze, en drukte haar potlood midden in een kruispunt van dikke rode wegen. 'Als u vanaf hier naar Horsefly rijdt en dan verder richting Quesnel Lake, dan hebben we daar,' – haar potlood maakte een sprong over een groot stuk met blauwe vertakkingen, waarvan hij aannam dat het water was – 'een prachtige jachthut die 's zomers én 's winters bewoond moet worden.'

De kaart hing vier meter van Wolfgang af, en de vrouw

nodigde hem niet uit om achter haar balie te komen. Dus leunde hij zo ver mogelijk naar voren en zocht naar hoogtelijnen, haarspeldbochten, en überhaupt – of er wegen waren.

''s Zomers zal er wel eens iemand van kantoor op de Wilderness Lodge langs komen – en dan zou het aardig zijn als u hem een slaapplaats aanbiedt of hem door de bergen gidst. Maar 's winters bent u er alleen.'

Ergens in een hoek van het bureau begon een telefoon te rinkelen. Even stonden ze allebei verstijfd. Toen zei de vrouw: 'One moment, dear,' en liep terug naar haar bureau. Ze rommelde wat tussen tijdschriften en papieren, vond een draad, een telefoon, en nam de hoorn van de haak.

'Hi Evelyn. Hoe is het vandaag?'

Er volgde een gesprek over een apotheek en pillen.

Wolfgang keek het kantoortje rond. Op een tafeltje langs de muur lagen stapels met folders van bedrijven en clubs uit de streek. De jaarlijkse Williams Lake-stampede met barn dance, pony chucks, barbecue en top dog-wedstrijden had hij net gemist. Maar voor de zalmtrek in september was hij wel op tijd. Hij bestudeerde een foldertje met een foto van een indiaan in een afgeknipte spijkerbroek. De indiaan schepte met een visnet twee spartelende zalmen uit een woeste stroomversnelling. Wolfgang kon het gezicht van de man niet zien, niet zien of het zwaar werk was, want de ondergaande zon op de achtergrond dompelde alles in oranje waterijsjeslicht. Wolfgang zag alleen contouren, wel dat de haren en verentooi van de man nat waren, maar geen ogen en geen mond.

'Sorry, dear.' De vrouw kwam terug naar de balie. Hij legde de folders weer netjes op hun stapeltjes. Ze pakte haar potlood. 'Oh ja – u woont er dus zes maanden per jaar alleen. Met sneeuw wordt de weg over de pas onbegaanbaar, en over het ijs zou ik me niet wagen. Bij de Wilderness Lodge kan geen helikopter landen, geen sneeuwscooter het meer over, want de wind drijft het pakijs op en maakt het zo onbetrouwbaar als, als...' Ze onderdrukte een geeuw en zei opnieuw: 'Sorry'.

Ze liep naar een ladenkast. Om haar kleine teen, merkte Wolfgang, droeg ze een grote zwarte likdoornpleister, die half had losgelaten. Bij iedere stap flapte de pleister open en kwam er een glanzend geel oog te voorschijn, dat hem aanstaarde.

De vrouw pakte een stapeltje foto's uit een map en reikte hem die aan. Hij zag een rood geschilderd houten huisje aan de oever van een meer. De toegangsdeur zat precies in het midden en aan weerszijden was een kamer. De ramen hadden witte luiken en er was een groot overhangend dak. Verder zag hij een aanlegsteiger, een botenhuis, een schuur. Om het huis was een veranda gebouwd, waar een paar rieten tuinstoelen en een rieten schommelbank stonden. Hij draaide de foto's om en las de datum die de ontwikkelmachine op de achterkant van het papier had achtergelaten: 08-07-68. De foto's waren meer dan vijf jaar oud.

'Het lijkt me er heerlijk,' zei hij.

Hij legde zijn getuigschriften op de balie en ondertekende het contract voor de Wilderness Lodge voor onbepaalde tijd. Hij zou het allemaal wel zien, dacht hij. Hij dacht ook: als pappa me nu eens kon zien. Dan zou hij trots zijn.

Hij hoefde geen huur te betalen, omdat het bewonen van het jachthuis een dienst was die hij de Forest Service verleende. Zo zei de vrouw het.

Ze pakte een sleutel van een haak en gaf die aan hem. Toen pakte ze haar breiwerk weer op, telde de steken en begon weer: één rechts, één averechts. Al snel was alleen nog het getik van de breipennen te horen.

Wolfgang trok zijn jas aan, hees zijn rugzak op zijn rug en wilde net 'bedankt en tot ziens' zeggen, toen de vrouw mompelde: 'O ja, nog één ding. Er is één nadeel aan de Wilderness Lodge. In geval van nood,' en zonder hem aan te kijken somde ze op, 'gebroken been, gat in uw hoofd of wat dan ook, kunt u niet om hulp bellen. Er is geen telefoon in de Wilderness Lodge. De enige verbinding gaat via een Radio Phone – en die heeft alleen ontvangst midden op het meer.'

Wolfgang vloekte toen hij de deur van de Wilderness Lodge uitstapte en de striemende westenwind in zijn gezicht voelde slaan. Hij rilde en zette de kraag van zijn jopper omhoog. Het was hondenweer, maar hij had met zijn vader afgesproken dat hij vanmiddag precies om twaalf uur zou bellen over het nieuwe grondgebied, het verlaten goudzoekersdorp Black Creek, dat hij op een paar uur rijden van de Wilderness Lodge had gevonden. Om twaalf uur moest Wolfgang daarom met de boot midden op het meer zijn, dat was de afspraak. Anders kreeg hij zijn vader niet aan de lijn.

Hij snoerde zijn zwemvest over zijn jas vast en pakte twee roeispanen. Terwijl het schuim van het water in zijn haar, zijn baard en zijn ogen spatte, schoof hij de boot over de kiezelstenen het water in. Bij het afduwen al merkte hij hoe sterk de stroom en de wind waren.

'Jezus allemachtig, godverdrie nog an toe.' Hij rukte als een bezetene aan de riemen. Hij telde: één, twee, drie. Eén was insteken, twee was trekken en drie was omhooghalen. Hij beet op zijn lippen tot het pijn deed en hij op koers kwam.

Natuurbeschermers van binnen en buiten British Columbia prezen Quesnel Lake. Het was het diepste zoetwatermeer ter wereld en een van de langste van British Columbia. Maar niemand, voor zover Wolfgang wist, had dat ooit echt nagemeten. Er kon midden in de zomer een storm opsteken die de golven zo hoog opjoeg dat het leek alsof je op open zee zat en niet op een meer vol zoetwatervissen. In de winter was het ijs nooit betrouwbaar: stromingen zorgden ervoor dat het relatief warme water van de bodem van het meer naar de oppervlakte kolkte, zodat van de ene dag op de andere het ijs boterzacht kon worden.

In het begin vond hij alles schitterend aan de oever van

het meer. Hij genoot van de stilte in zijn hoofd als hij aard-appels rooide in de moestuin, appels plukte in de verwilder-de boomgaard en er op zijn eenpits-gasfornuisje jam en ap-pelmoes van maakte. Hij voelde zich klein en groot tegelijk – klein als hij naar de ruimte om zich heen keek, groot als hij zijn handen zag. Ik doe het toch maar mooi alleen met jullie twee.

De eerste winter maakte hij een verkeerde inschatting van de hoeveelheid hout die hij de volgende maanden nodig had. Ten minste een berk, een den en een spar, dacht hij. De berk voor het aanmaakhout, de andere twee bomen voor de warmte. Het was veel te weinig. De Wilderness Lodge tochtte en het bleek dat er twintig bomen nodig waren voor één winter.

Hij hing een borsttuig om en maakte dat vast aan de slee. Verderop langs de oever van het meer was een beekje. Daar waren de hellingen minder steil en klom hij omhoog, het bos in. Soms klom hij twee uur over bemoste stenen voordat hij de juiste boom op de juiste plek had gevonden. Hij zocht een boom die niet te groot en niet te klein was, een boom met weinig knoesten en een rechte stam, precies zoals zijn vader het hem vroeger had geleerd.

'Een toekomstboom, jongen, dat zijn de beste,' zei zijn vader. Van hem moest je er zuinig op zijn, op die bomen. In British Columbia wemelde het ervan.

Hij zocht een plek die makkelijk met de slee bereikbaar was, waar hij veilig de omgehakte stam tot hakblokken kon verwerken, en die hij ook weer veilig met een slee vol kon verlaten. Hij moest oppassen: een gekneusde enkel, een verkeerd gevelde boom die langs zijn schouder schampte, een zware slee die van de helling af tegen zijn knieholten botste: het stomste ongelukje kon het einde betekenen.

Van zonsopgang tot zonsondergang was hij in de weer met zijn winterhout, twee weken lang, en ondertussen wer-den de dagen kouder. Behalve het gedreun van de bijl en het gekerm van de zaag hoorde hij alleen af en toe een kraai wild krassen tussen de bomen of zag hij een buizerd op jacht. Verder bewoog er niets.

Aan het eind van de dag keerde hij doodmoe terug naar huis, met de zware slee achter zich aan en met pijnlijke schouders en armen van het zagen, hakken en tillen van de blokken. Af en toe schoot de gedachte door hem heen dat het fijn zou zijn als er nu iemand achter het fornuis zou staan wanneer hij thuiskwam. Maar dan hoorde hij de scherpe stem van zijn ex-vrouw Karin in zijn hoofd, die zei dat als hij de dingen op zíjn manier deed, de boel zeker in het honderd zou lopen.

's Avonds spoot hij bijtend, elastisch verband op de bla- ren bij zijn schouders en op zijn handen. 's Avonds nam hij een blad schetspapier en tekende herten en wolven, in aller- lei standen van aanval en vlucht. En als hij tevreden was over het resultaat, rekte hij zich uit, stond van tafel op, liep naar de veranda en jankte als een wolf naar de maan boven het meer.

Hij liet zijn haar groeien, zijn baard staan. Zijn kleren verstelde hij in de zomer, als hij naar de stad ging. De han- den die hij als vormgever op de redactie van de *Schifferkno- ten* zo zorgvuldig met olie en zachte zeep had verzorgd, wer- den grof, kwamen vol scheuren en kloven te zitten. Soms legde hij ze op tafel en sneed er met een aardappelmesje plakken eelt van af – en als hij zin had, deed hij zijn voeten meteen ook. Raakte hij leven, dan hield hij zijn adem in en liet het mes een paar seconden rusten totdat de pijn weg- trok. De schilletjes gooide hij in het vuur, het knetterde en stonk naar verbrand haar.

Raar, dacht hij in het begin, dat de Forest Service nie- mand had kunnen vinden die in de Wilderness Lodge had willen wonen. Hij vond het geweldig om in z'n eentje in de wildernis te leven. Hij kreeg er een grotere kick van dan van die keer dat hij met 210 kilometer per uur van München naar Stuttgart was gereden en bijna uit de bocht gevlogen.

Hij dacht aan zijn vader, boterhammen etend in het gras

langs de kant van de weg, de motor verderop tegen een boom geparkeerd: 'Zorg dat je voor jezelf kunt zorgen later.'

Zijn vader, een hondenkop kervend in de handgreep van zijn wandelstok: 'Op anderen leunen, jongen – dat is het ergste wat er bestaat.'

Maar nu had hij Black Creek gevonden, voor hen samen. Nu zou ook hij binnenkort weggaan bij het meer. Het jachthuis zou weer leeg komen te staan. Maanden, jaren – totdat op een dag het dak zou instorten onder het gewicht van de sneeuw, het onkruid naar binnen zou groeien, een beer op zoek zou gaan naar eten. Uiteindelijk zouden alle sporen van menselijke aanwezigheid zijn weggewist.

De eenzaamheid, die draaide je hier de nek om, uiteindelijk. Hij was er rare dingen van gaan zien en soms hoorde hij geluiden waarvan hij wist dat ze er niet waren. Stemmen van mensen die aan tafel met hun bestek rammelden en over dingen praatten waarvan hij nog nooit had gehoord.

's Avonds draaide hij op zijn platenspeler heel hard *Satisfaction* van de Rolling Stones en sprong op de maat van de muziek door de kamer. Hij schreeuwde zo hard hij kon: 'I can't get no, no satisfaction.' En als hij een poos had meegezongen en gedanst, kroop hij hijgend in bed en trok de dekens over zijn hoofd met het kussen daar weer bovenop. Hij wilde de stilte niet meer horen, duizend keer liever nog het gebonk van zijn hartslag in zijn oren.

Aan de weinige studievrienden en zijn oud-collega's van het ontwerpbureau in München vertelde hij over Williams Lake, de grootste plaats in de omtrek, honderdvijftig kilometer verderop – daar zou zijn vader over een paar weken arriveren en vanaf daar zouden ze samen naar Black Creek rijden. Het zei de mensen in Duitsland toch allemaal niets, en dat kon ook moeilijk anders, want op de landkaart van British Columbia had die honderdvijftig kilometer tussen de jachthut aan Quesnel Lake en Williams Lake de dikte van een draad.

In Williams Lake was een station. Langs Williams Lake

liep de Transcanada Highway, die Vancouver en Calgary met Alaska verbond. Een uur buiten Williams Lake lag het vliegveld. Je hoefde niet in een kristallen bol te kunnen kijken om te weten dat er meer mensen uit Williams Lake weggingen dan dat er aankwamen.

Zijn vader kwam over de Transcanada Highway, met de Greyhound bus.

'Dat is het goedkoopst en het snelst!' schreeuwde Wolfgang door de Radio Phone. Hij hield met één hand de twee roeispanen vast en omklemde met de andere de telefoon. De wind schuierde de regen vanaf de donkere bergkammen uit over de golven. Hij moest zich met zijn ellebogen en zijn knieën in evenwicht houden, zo schommelde de roeiboot. 'De rit duurt maar negen uur, pappa!' schreeuwde hij. 'Dat is vier uur sneller dan de trein!'

Alleen de allernoodzakelijkste informatie wisselden hij en zijn vader uit. Toen werd de verbinding verbroken en roeide hij over het asgrauwe water terug naar huis. Maar nu met de wind mee, vijf kwartier lang.

Voor het eerst in vijf jaar tijd schafte hij zich een agenda aan. Het op zichzelf wonen had hem het besef van tijd doen verliezen. Eén uur, twee uur, zes uur: als maat zei het hem niks. Hij zag hoe het licht van de hemel veranderde en dan wist hij: het wordt avond. Hij luisterde hoe de dieren stil werden: tijd om naar huis te gaan. Soms zat hij een hele ochtend in een boom te wachten op een prooi die hij kon schieten, of hij reed naar Horsefly om zijn post op te halen en wachtte vier uur in de snackbar van Priscilla Steinvert op de vertraagde bode uit Williams Lake. Nooit werd hij ongedurig of onaardig tegen Priscilla als zij zijn kartonnen beker nog eens volschonk met slappe koffie. Wachten hoorde er gewoon bij, zoals de wind bij de Wilderness Lodge had gehoord.

Maar nu had hij drie afspraken op een rij, met data en uren erbij die hij niet mocht vergeten. Op 7 juli, rond halfvijf 's middags, zou zijn vader in Williams Lake aankomen. Op 24 juli zou de vleugel arriveren. De inboedel uit Rothenburg kwam op 1 augustus.

Vóór 7 juli moest Black Creek in ieder geval leefbaar zijn. Hij maakte het grote huis schoon, repareerde de vloer, zette glas in de ramen en sloot twee kachels en een fornuis aan. Bij een thrift store in Williams Lake schafte hij een tafel, twee stoelen en twee spiraalmatrassen aan. Op de veemarkt bij het rodeoterrein kocht hij voor drieduizend dollar twee stevige paarden, niet te groot, niet te klein, vierkant gebouwd, met een flinke borstkas en droog op de benen. Hammerhead heette de bruine en Cloud de bonte. Hij rasterde een stuk grasland op Black Creek af en zette de dieren daarin.

Alle uitgaven die hij deed schreef hij nauwgezet in een kasboek, zodat zijn vader kon controleren wat er met het geld op zijn bankrekening was gebeurd.

Nu zijn vader zo dichtbij was, viel het wachten Wolfgang nog moeilijker dan voorheen. Overdag ging het nog wel, maar 's avonds kropen de uren voorbij. En ook als hij het niet druk had met timmeren, zagen en schoonmaken, dan dééd hij wel druk.

Friedrich, zijn oudste broer, Benno en Veronika schreven hem. Friedrich was vooral boos dat al het geld nu naar Canada verdween. 'Ik heb weliswaar twintig jaar geleden alle contacten met de man die zich mijn vader noemt verbroken, maar mijn rechten blijven juridisch geldig.'

Friedrich verweet hem niks – althans, dat schreef hij. Maar tussen de regels door voelde Wolfgang de woede. Friedrich had thuis altijd aan het kortste eind getrokken en als moeder sloeg, dan waren de hardste klappen altijd voor hem. Maar wat kon hij daaraan doen?

Tweelingbroer Benno gooide het over een andere boeg. Hij schreef hoe fijn hij het voor Wolfgang vond dat hij vader nu helemaal voor zichzelf had. 'Eindelijk heb je bereikt wat je altijd hebt willen zijn,' zei Benno, 'en dat is enig kind. Je hebt altijd precies aangevoeld hoe je die ouwe moest krijgen waar je hem hebben wilde. Vroeger al, toen je altijd een zielige kop trok als hij en moeder in de buurt waren. Nou, geniet ervan. Als je maar weet dat je niet bij mij hoeft aan te kloppen als er rottigheid tussen jullie uitbreekt.'

Wolfgang zag Benno zitten terwijl hij die woorden aan de keukentafel bij hem thuis in de Harz opschreef. Zijn broer spuugde naast zich op het zeil, met opgetrokken schouders en een kromme rug. Net als vroeger, als hij huilde omdat Benno hem had gestompt.

Veronika was vooral bezorgd. 'Hoe haal je het in je hoofd om zo'n oude man daarheen te lokken? Sta je helemaal niet stil bij wat er kan gebeuren?'

Nee, dat deed hij niet. Met Black Creek wilde hij zijn vader iets teruggeven. Daar dachten zijn broers en zijn zus namelijk nooit aan – dat je ook eens iets terug kon doen; dat het niet altijd alleen maar om jezelf draaide, om hoeveel of hoe weinig pappa van jou hield, hoe vaak hij naar je omkeek en hoeveel cadeaus hij je gaf.

Hij en ik, dacht hij, toen hij zijn handtekening onder het koopcontract zette. We zullen het geweldig krijgen. Een hoop dieren erbij, grandioze natuur om ons heen, mooier dan het paradijs.

4

Om vijf uur 's ochtends checkte Andreas uit in zijn hotel. De drie koude pannenkoeken die over waren van het feestmaal van die nacht, rolde hij op en stopte hij in zijn rugzak. In de badkamer vulde hij een fles water. De nachtportier van het hotel belde een taxi die stipt om kwart over vijf voorreed. Op straat hing mist van zee. Het was katterig koud. Vanachter het stuur van de taxi kwam een brede, pokdalige Indiër te voorschijn die een grote, witte tulband droeg. De man hielp hem met het tillen van zijn rugzak in de achterbak.

Waar de reis naartoe ging, vroeg de chauffeur in keurig Engels, en hij zette de taximeter aan.

'Greyhound station,' antwoordde Andreas met een zwaar accent.

Achter in de auto staarde hij naar de achterkant van de tulband. Hoe rolde je zo'n ding eigenlijk op? Hoe vaak waste je hem? En ging je hoofd er niet afschuwelijk van zweten en jeuken?

Onwillekeurig krabde Andreas op zijn hoofd. Het was warm in de taxi en hij knoopte zijn das en jas los.

'Op familiebezoek?' vroeg de chauffeur.

'Mmm,' knikte Andreas. 'Bij Flyhorse, eh pardon, Horsefly,' verbeterde hij.

De chauffeur keek in zijn achteruitkijkspiegel. 'Horsefly?' vroeg hij verbaasd. 'Dat kén ik. Daar ga ik in september altijd jagen.'

De chauffeur sloeg zo hard met zijn ene hand op het stuur dat zijn tulband ervan trilde. 'Beren!' riep hij. 'We hebben er al drie omgelegd de afgelopen twee jaar, waaronder één grizzly.'

'Grizzly's?' zei Andreas. 'Ik dacht dat daar een jachtverbod op bestond.'

De taxichauffeur lachte nog harder. 'Nee hoor, daar niet,' en hij knipoogde in de achteruitkijkspiegel naar Andreas.

Andreas zag één gouden voortand schitteren. 'Beren,' zei de chauffeur, 'zijn het echte werk. Een man die geen beer omlegt is geen echte man.'

Andreas kneep zijn lippen op elkaar. Wat dacht die rijstvreter wel niet? Alsof een echte man zo gek was om met een tulband op zijn hoofd rond te lopen.

Op het busstation kocht hij een enkele reis naar Williams Lake en koffie. Hij ging op de hem toegewezen plaats aan het raam zitten en warmde zijn handen aan de beker. Buiten hing nog steeds een dichte mist.

Pas toen de bus het centrum verliet en de buitenwijken in reed, werd het een beetje lichter en zag hij rechte straten met allemaal dezelfde huizen met veranda's en een voortuintje met een schommel. Allemaal zakdoekje-leggen naast elkaar en wie won kreeg een auto.

Hij verlangde opeens hevig naar ruimte en frisse lucht om zich heen. Zijn neus jeukte van de ventilatie in de bus, hij nieste tegen het raam. Hij verlangde naar iemand met wie hij Duits kon praten zonder dat deze naar hem staarde alsof hij Lazarus was die uit zijn graf verrees.

Veronika had gelijk. Wolfgang was zijn lievelingskind, dat was altijd zo geweest, en waarom dat zo was? Omdat hij de nageboorte was? De tweede helft van de tweeling, eerst Benno en toen hij?

Benno was sterk en flink, hij verdrong zijn broertje bij de persweeën. Benno had een kop vol zwart steil haar dat recht overeind stond. Hij zette een keel van jewelste op. Alle ogen waren gericht op Benno en toen kwam zijn broertje, een stil fragiel mannetje met blauwe ogen en zacht blond haar.

Benno kon het moeilijkst leren van de twee, en zijn moeder Hannelore, die schooljuffrouw was geweest, had weinig geduld. Als jongetje van zeven zei Benno: 'Als ik later groot ben, word ik soldaat en schiet ik jullie allemaal dood.' Of onder het broodeten: 'Morgen loop ik weg en kom nooit meer terug.'

Niemand aan tafel besteedde daar serieus aandacht aan. Alleen Hannelore zei: 'Goed, dan moet je extra eten. Hier heb je nog een snee. Als je die ophebt, zal ik je de koffer helpen inpakken.'

Toen Benno volwassen was, kreeg hij een aanstelling als jachtopziener op een landgoed van kennissen in de Harz – dat was een zegen, vond Andreas, want waar deugde die jongen anders voor? Op dat landgoed mocht Benno zich uitleven wat hij wilde, zoveel wild schieten als hij kon. Alles wat vier poten en zo'n wit staartje had was trofee.

In één jaar schoot Benno zesentwintig hertenschedels bij elkaar. Hij hing ze op in de woonkamer, in de slaapkamer en op het terras. En 's avonds at hij daar in zijn eentje koude aardappelsalade met worst, en hij dronk er een pul bier bij met een schuimkraag waarin hij kon bijten. Hij had niemand nodig, zei hij bij zichzelf. Hij leefde voor de jacht en de jacht alleen.

Daarom toonde hij geen spoortje verdriet of berouw toen zijn vrouw bij hem wegliep omdat ze het zat was, en ze de duurste spullen meenam, zoveel als ze dragen kon. Benno was alleen maar woedend. Hij zei dat zijn ex het niet moest wagen ooit nog terug te komen, want dat hij haar van zijn erf zou schieten. Die belofte hield hij niet alleen de eerste zes weken vol, hij herhaalde hem nog jaren later.

Wolfgang was anders. Wolfgang was een scharminkeltje, dat al kinkhoest kreeg toen hij nog maar drie weken oud was, en daarna kreeg hij keelonsteking en longontsteking. Midden in de nacht werden Andreas en Hannelore wakker van gerochel uit de wieg. Hannelore ging kijken en riep: 'Hij stikt! Man, doe wat, het kind gaat dood!' Andreas pakte de baby en rende naar de badkamer, waar hij een heet bad met eucalyptusblad vol liet lopen. Hij nam een stoel en ging met Wolfgang op schoot naast dat dampende bad zitten met de deuren en de ramen potdicht.

Zo brachten ze met zijn tweeën de nacht door, in hun zwetende nakies, net zolang totdat de benauwdheid wegtrok en het gezicht van Wolfgang in plaats van lichtblauw weer gewoon roze was. Tegen die tijd waren de vogels buiten in het bos allang wakker en hoefde Andreas geen liedjes meer voor de baby te fluiten, want dat deden de vogels wel.

Andreas koesterde zijn jongste zoals je een beginnend vlammetje van een open haard koestert. Hij koesterde Wolfgang totdat deze voor niets meer bang was, met hem en Benno de bergen in kon, en wanneer het pijn deed of als hij moe werd, zei hij: 'Tanden op mekaar. Je gaat toch niet huilen? Dat deed pappa ook niet, hoor.' En zelfs de geur van bloed tijdens de jacht stond de jongen op den duur niet meer tegen. Andreas moedigde hem aan. 'Zet 'm op. Recht in het vizier. Nu. Vuur.' En: 'Goed zo, jij bent mijn vent. Als je maar goed oefent, kun je uiteindelijk alles.'

Het was vol in de bus en bij elke opstapplaats werd het voller. Studenten uit Vancouver die naar huis gingen voor de zomervakantie. Obers en kamermeisjes die voor een bijbaantje naar de toeristenstadjes in de Rocky Mountains trokken. Gezinnen met jengelende kinderen op vakantie.

Andreas negeerde zijn mede-passagiers en keek naar buiten. Langzaam werd het landschap ruwer, de bergen hoger, de rivier die aan zijn rechterhand liep smaller. Hij zag borden bij kruisingen staan met namen waarover hij zijn tong brak: Chilliwack, Sasquatch, Choate, Similkameen. Bij het plaatsje Hope las hij op een billboard: 'Put Hope in your future!' Daaronder stond een telefoonnummer en een foto van de burgemeester van Hope, die lachend zei: 'Call me!'

Waarom zou ik die kerel bellen? dacht Andreas en soesde weg.

Hij werd wakker doordat zijn hoofd tegen het raam bonsde.

'Hell's Gate!' riep de buschauffeur door de microfoon. 'Tijd om de vissen te voeren!'

De man gaf lachend een ruk aan het stuur, de bus zwenkte richting vangrail en weer terug. Andreas hoorde vrouwen achterin gillen, maar de man die naast hem zat, zei traag: 'Relax. Dit kunstje flikt hij iedere rit. Het is niet gevaarlijk, het is Mike's manier om niet in slaap te vallen.'

'Hell's Gate,' vervolgde de man, 'zeven jaar geleden zijn hier vier mensen verongelukt. Een man en een vrouw met twee meiskes van acht en tien. De rots brak onder hun voeten af en ze stortten in de rivier beneden hen. Niemand heeft ze ooit teruggevonden. Sindsdien is uitstappen verboden.'

Hij zag Andreas kijken en porde met zijn elleboog. 'Wat denkt u? Dat u ze nog kunt zien of zo?'

Andreas zweeg. Hij staarde naar de rotsen en het water in de diepte onder hem. Waren de zilvergrijze schaduwen die hij in het water zag, vissen?

Wolfgang stond hem met een fototoestel in de aanslag op te wachten op de parkeerplaats van het wegrestaurant. Toen de bus de parkeerplaats opreed, begon hij te fotograferen. Hij hield pas weer op toen Andreas voor zijn neus stond. Ze omhelsden elkaar en klopten elkaar op de rug: 'Endlich bin ich da,' zei Andreas.

Wolfgang pakte de rugzak uit de bus en legde hem achter in de auto. Hij opende het portier en kroop achter het stuur. Hij knikte naar zijn vader: 'Kom je nog? We gaan naar huis.'

Ze reden een stuk over de highway, tot aan een winkel met een benzinepomp ervoor die 150 Mile House heette. Daar sloegen ze links de weg naar Horsefly in. Het waren namen die Andreas helemaal niets zeiden, alleen maar vreemd klonken, mysteries die hij later zou ontrafelen.

Plotseling remde Wolfgang. Hij wees: 'Kijk, daar bij de bosrand,' en hij gaf zijn vader een verrekijker die op het dashboard lag. 'Twee coyotes.'

Andreas zette de kijker aan zijn ogen: 'Een wijfje en een mannetje,' zei hij. 'Mooie beesten. Net vossen. Zitten er veel?'

Wolfgang knikte. 'Jagen heeft geen zin,' zei hij. 'Hoe meer je er afschiet hoe meer welpen de wijfjes werpen.'

'Kijk, kijk, kijk, wie hebben we daar?' zei Andreas. 'Dat mannetje heeft lef, hij komt gewoon naar ons toe.'

'Wat is er, kerel?' zei hij tegen de coyote, 'kogeltje proeven?'

Wolfgang lachte en ze trokken weer op. Toen de eerste sterren aan de hemel verschenen en het om hen heen donker werd, passeerden ze een verlicht bordje: 'Horsefly'. Bij een lantaarnpaal draaide Wolfgang een onverharde weg op.

'Zo, dit was Horsefly,' zei hij, terwijl de banden van de auto over een houten bruggetje roffelden. 'En dat is de rivier. Als het morgen licht is, laat ik je de zalmen zien. Nu is het nog maar een klein uurtje.'

Later herinnerde Andreas zich vooral zijn verbazing: was dit Horsefly? Er was niks te zien. Geen lamp, geen huis, geen mens op de weg.

De eerste dagen deed Andreas niets anders dan rondlopen. Langs de *cabins* en het grote houten huis dat Wolfgang bewoonbaar had gemaakt. Hij inspecteerde de schuren, de bomen, het weiland. Hij beklom de daken en prikte in de balken. Rotte plekken noteerde hij met potlood in een kladblok. Hij liep naar de bron en berekende hoe hij een pompinstallatie moest aanleggen voor stromend water. Hij dacht aan zonnepanelen op het dak, aan een beerput onder aan de weg, aan elektriciteit die er niet was maar moest komen, hij dacht aan de duizend-en-een dingen die deze zomer buitenshuis gedaan moesten worden.

Hij liep de heuvel af naar de moestuin, over een smal modderig pad dat overwoekerd was met distels, brandnetels en berenklauwen. De planten groeiden tot aan zijn middel, een steenharde doorn stak dwars door zijn laarzen en sok heen in zijn hiel. Hij onderdrukte een vloek. Tegen dit onkruid konden de paarden Cloud en Hammerhead niet op grazen. Schapen hadden ze nodig, die vraten het land in een wip kaal.

Voor het avondeten schreef hij zijn ervaringen in zijn dagboek. Hij wilde niets van wat hij zag vergeten. 'Oorverdovend gekwaak van kikkers.' 'Olijfgroene iepen in het moeras.' 'Vanmiddag een paarse libelle zo groot als een voetbalschoen op mijn hand.' 'Zwarte beer in een appelboom.' En: 'Martelende muggen.'

Daarna vergat hij de details. 'Nevellandschap als op de hoogvlakte bij Sonnenberg. Grasland. Struikgewas. Losse groepjes bomen met ineens een schitterende oude eik. Ik schat honderdvijftig jaar oud. Bosranden.'

Hij zag Elisabeth in Rothenburg, en zichzelf op dienstreis naar het Schwarzwald. 'Mijn ware,' had ze in een brief aan hem geschreven, 'hoe kan ik slapen als jij niet bij mij bent? Mijn ogen zijn moe van verlangen naar jou. Lang, lang stond ik voor het raam van onze slaapkamer en keek over de bergen de donkere nacht in.'

Op een schoon blaadje tekende hij Elisabeth zoals ze was die laatste dag thuis op bed, haar mond een dikke streep van de pijn, rimpels en levervlekken overal, haar haren kort en stug als de borstels waarmee mevrouw Baches de vloer deed. Maar voor hem was ze mooi en rein, ook al hadden ze haar in het ziekenhuis een stoma gegeven en zaten haar armen onder de bloeduitstortingen van de naalden die erin staken. Hij trok haar een witte nachtjapon aan met pofmouwtjes van kant en een wit strikje om haar hals. Net alsof ze weer zeven jaar oud was en haar eerste communie deed. Hij gaf haar een kus en fluisterde in haar oor: 'Ewig bist du.'

Ze had geglimlacht, want dat was de tekst geweest die ze

lang geleden in Berlijn onder de galafoto's voor haar fans schreef en die Andreas in een plakboek bewaarde: 'Ewig bin ich, ewig war ich.' Toen was ze nog 'die große Dramatische' – als ze zong ging het licht aan. Net als bij Brünnhilde in *Siegfried*.

Hij dacht aan de Bechstein en aan hoe zij zingend naast hem stond, haar hand op zijn schouder. Het was zondagochtend na het ontbijt, Elisabeth hoefde niet op te treden of les te geven. De deuren naar de tuin stonden open en de zoete lucht van de rozen waaide naar binnen. 'Du Rose, kannst ihr sagen / Wie ich in Lieb' erglüh' / Wie ich um sie muss klagen / Und weinen spät und früh.'

Met Elisabeth aan zijn zijde werden de pianotoetsen even bekend terrein als de bossen waar hij altijd zijn weg vond. Zijn handen roetsjten van links naar rechts, ze sprongen, hinkelden, hij ging van vrolijk en snel naar verdrietig en langzaam. Hij haalde alles wat hij in huis had onbeschroomd te voorschijn – en het deerde hem niets dat hij de ene keer olifant was, de andere keer muis, leeuw of kievit, slang en soms zelfs slak.

Hij schreef naast zijn tekening: 'God heeft mij een mens geschonken: dat was Elisabeth. Groot in alles. In gebed, in gezang, in de omgang met haar naasten, in innerlijkheid, vrijgevigheid en ook in het lijden. Voor alles heeft zij betaald – ook voor haar dood. Niets werd haar gegeven. Alles was werk en streven om het juiste te doen, of dat nu de grote meesters in de muziek betrof of een vriendendienst van niks. Ze was kinderlijk in haar wijze eenvoud en heel groot in alle menselijke bereiken. Ze was altijd op weg naar God. Liefste Elisabeth, ik stuur je een groet van hier door de ogen van mijn ziel.'

Hij drukte een kus op het papier en schroefde de dop op zijn vulpen.

Na het avondeten zat hij met Wolfgang op de veranda voor het grote huis, met een wollen muts op zijn hoofd tegen de kou, een olielamp en een muggenverjager op tafel.

Hij hoorde coyotes huilen in de verte, hij hoorde geritsel van nachtdieren en zag ontelbare sterren boven zijn hoofd.

'De wereld is diep, en dieper dan de dag dacht,' had Elisabeth wel eens gezegd. Maar hij vond: nee, niet de wereld maar de natuur is diep, onverbiddelijk mooi en gevaarlijk. Ze is bodem en bodemloos tegelijk.

Hij draaide zijn hoofd naar Wolfgang om iets te zeggen, toen hij zag dat deze al sliep. Plotseling was hij diep geroerd, het overviel hem zoals een voorjaarsregen je kan overvallen – onaangekondigd, plotseling prikt het overal op je blote huid. Hij zag zijn zoon naast zich in 1946, slapend op een laag vies stro. Het mannetje had nooit geklaagd, zag alleen maar overal het avontuur van in, hoe slecht ze er ook voor stonden, hoe koud het ook was 's nachts op de bevroren aardappelvelden, hoe ver weg hun huis. Wolfi was altijd vrolijk gebleven.

Zijn zoon dichtbij.

Hij boog opzij, raakte Wolfgangs schouder aan en schudde hem wakker met woorden die hij al meer dan dertig jaar niet meer had gebruikt – alsof Wolfgang weer een jongen van vijf was en niet al een man met grijze haren in zijn baard, vouwen in zijn gezicht en een scheiding achter de rug.

Voor het eerste telefoontje naar Veronika moest hij twee uur rijden. Wolfgang had vaag met zijn arm gezwaaid en gemompeld: 'O, richting Horsefly en dan een paar kilometer naar links' – alsof een kind de was kon doen. Maar zo makkelijk was het niet. Want de paar kilometer werden er zeker vijftien, en bij Horsefly had Andreas niet naar links maar naar rechts moeten afslaan.

Toen Andreas eindelijk de telefooncel vond – meer een telefoon aan een paal dan een hokje waar hij beschermd tegen de wind en de regen bellen kon – was zijn stemming in mineur. Hij had tien dollar aan muntjes bij zich en gooide die in het apparaat. Maar wat hij ook deed, langzaam de muntjes in de sleuf laten glijden, met kracht gooien, een klap erachteraan – verbinding met Duitsland kreeg hij niet. Hij moest het via een telefoniste proberen.

Veronika zat op de rand van haar bed haar teennagels te knippen, toen haar telefoon, een poes met een rugzakje op zijn rug, begon te rinkelen. Traag knipte ze verder, als in trance. Pas bij de achtste keer overgaan kwam ze in beweging. Ze legde de schaar weg en nam, met de hoornen afknipsels in haar ene hand, de haak van de telefoon.

'Goedemorgen mevrouw,' hoorde ze een vreemde stem in het Engels zeggen. 'Ik heb een collect call uit Canada voor u. Wilt u de kosten voor dit gesprek accepteren?'

Veronika antwoordde niet meteen. Ze staarde naar de overkant van de kamer, waar zich nog maar kort geleden een kogel in het behang had geboord, midden in een tuiltje rozen. Ze had de overtrek gewassen en het dekbed naar de stomerij gebracht. Het kussen had ze weggedaan – ze kon de gedachte niet verdragen dat daar ooit nog een ander hoofd op zou liggen. Achter in de tuin had ze een vuur gemaakt en daar had ze de kleren, het kussen en ook een enkel schilderij opgestookt. Het had vreselijk gestonken, maar de buren hadden niet geklaagd. Nee, die waren juist omzichtig met haar omgesprongen en langs geweest met een stuk taart en een pannetje soep, en als ze gezelschap nodig had dan stond hun deur altijd voor haar open.

Alleen één ding brachten ze niet ter sprake, en Veronika deed dat evenmin. Dat was Rudiger. Wat Rudiger betrof hing er een grote stilte in haar hoofd sinds hij twee dagen geleden in een dronken bui had gedreigd haar een kogel door het hoofd te schieten.

Dus antwoordde ze: 'Nee.' En nog harder: 'Nee operator, het spijt me, ik ben niet van plan om deze collect call te betalen.' Ze wist dat het haar vader in Canada was, daar onder de knop van de telefoon – en als ze in één iemand geen zin had vanavond, dan was het wel haar vader. Hij wist altijd precies hoe de mensen in elkaar staken en zeker Rudiger. Pappa zou zeggen dat hij het altijd al had gezegd. Dat Rudiger nooit had gedeugd, vanaf het begin al niet, toen hij hem en Elisabeth een keer om drie uur 's middags in pyjama, met vette haren en een kegel van jewelste had ontvangen.

Ze wist zeker dat de stilte in haar hoofd door het getier van haar vader zou verdwijnen en dat die kogel in het behang dan niet het einde van de storm zou betekenen maar het begin.

Veronika gooide de afgeknipte teennagels in de asbak naast de telefoon en legde de hoorn terug op de haak. Ze zou het later wel schrijven.

En zo zat Andreas na een minuut of twee alweer achter het stuur. Hij had boos kunnen worden, maar hij werd het niet. De telefoniste had hem beleefd medegedeeld: 'Het spijt me meneer, de dame aan de andere kant van de lijn wil de gesprekskosten niet betalen. Dank u wel dat u met BC TELL heeft gebeld. Prettige dag verder.'

Wat, vroeg hij zich af, was er in godsnaam aan de hand? Wat was er aan de hand met zijn koninginnetje, de knapste en liefste van het hele huis?

5

Na vijftien dagen op Black Creek werd Andreas zwijgzaam.
Onder het eten plukte hij haar uit zijn hoofd en als hij Wolfgang hielp met een boom vellen in het bos, kon hij soms ineens ophouden met hakken en glazig in de verte staren.

Wolfgang raadde wat er aan de hand was. Zijn vader was
niet moe. Zijn vader wachtte.

Hij wachtte op zijn spullen, maar vooral op de Bechstein. Voor de vleugel had hij een gespecialiseerd verhuisbe-
drijf in de arm genomen. Hij zou het zichzelf niet vergeven
als er op weg van Rothenburg naar Antwerpen, op zee, of
tussen Vancouver en Black Creek iets gebeurde. Dat de
vleugel ontstemd zou raken, calculeerde hij in bij de verhuizing naar een plek met andere luchtcondities. Maar meer
schade weigerde hij voor lief te nemen, nog geen krasje.

Als de Bechstein kwam, de dingen waar Elisabeth van had
gehouden, de dozen met knipsels en foto's, het gehoorapparaat, de brillenkoker, de inlegzolen, de aan elkaar gekoekte
keelpastilles en de vieze zakdoek met de roze E erop gebor-
duurd, dan kon het leven hier in al zijn omvang beginnen.

Ter afleiding stelde Wolfgang een uitstapje voor naar het
Eureka-massief. Hij duwde zijn vader een rood brandblus-
apparaatje in zijn handen. Dat moest hij aan zijn broekriem
koppelen en dus niet in een zijvakje van zijn rugzak weg-
bergen, zoals hij aanvankelijk deed. Andreas dacht dat zijn
zoon een grap maakte, maar Wolfgang was bloedserieus.

'Wat doe je als er ineens een grizzly met jong voor je neus opduikt? Je rugzak openen en rustig de bearspray eruit halen? Beren zijn onberekenbaar en komen als een sneltrein achter je aan.'

Dat was zijn belangrijkste les: altijd bearspray aan je broekriem als je op pad gaat, al was het maar een kippeneindje, bijvoorbeeld naar Joseph, de buurman die een paar kilometer verderop woonde.

Ze stapten in de gele pick-up. In Duitsland had Andreas nooit in een auto gezeten waar hij zo hoog over de weg uitkeek en die zoveel paardenkrachten onder de motorkap had. Maar Wolfgang reed rustig, hij liet de motor niet loeien zoals de koeienboeren uit de buurt.

Andreas had ze bezig gezien langs de weg naar Williams Lake. Ze produceerden een berg stof en kwamen slippend tot stilstand bij Annie's ijskraam in Horsefly. Ze tikten aan hun breedgerande hoed en riepen door het raam van hun portier: 'Hi Annie, how're you today? Doe voor ons maar een giant in alle smaken, met nootjes en gesuikerde confetti erop.' Ze pakten hun onvoorstelbaar grote ijsjes aan en reden weer weg in hun 4wheeldrive, zonder dankjewel te zeggen, lachend en met alleen oog voor elkaar.

De vanzelfsprekendheid waarmee die mannen lawaai maakten vond hij walgelijk. Maar hij benijdde ze ook, om het gemak waarmee ze Annie's ijskraam en de hele omgeving voor zich opeisten, om die totale tevredenheid met zichzelf, nooit een spoortje twijfel, alles altijd ja of nee en daarmee afgelopen. Niets van de boordevolle afstand daartussen.

Wolfgang stuurde beheerst over het gras de oprit af, langs de houtwerkplaats, de garage, de cabins, onder de poort door waar hij nog een mooie spreuk op wilde schilderen, alleen wist hij niet welke. Onder aan het pad maakte hij een scherpe bocht naar links de smalle grindweg op.

Ze volgden de rivier stroomopwaarts. Soms zag Andreas alleen een glimp van het water in de diepte tussen de spar-

49

renbomen, wit opspattend schuim. Het ravijn begon vlak onder zijn portier. Ze passeerden haarspeldbochten en houten borden met daarop de woorden 'Extreme Danger! Avalanches'. Op zijn passagiersstoel maakte Andreas berekeningen: hoe groot is de kans dat er een rots op de auto valt?

Ze gingen naar een groot meer in de bergen. Wolfgang zei: 'Hier stoppen we even.'

Wolfgang wees naar het glasheldere spiegelbeeld van puntige bergkammen, blauwe hemel en spierwitte wolken daarboven.

'Zie je in het water het damhert op dat stukje bergflank lopen?'

En als hij goed keek zag Andreas inderdaad een bruin stipje bewegen.

'Hallucinerend, hè,' zei Wolfgang. 'Twee schilderijen op één stuk linnen. Welke van de twee vind jij het mooist?'

Hij wist het antwoord niet een-twee-drie. 'Schoonheid is geen wedstrijd,' zei hij. 'Het mooiste, ach jongen, wat doet dat ertoe? Bergen zijn mooi, maar muziek ook.'

'Kijk, hoe diep het water is,' zei Wolfgang, 'en toch kun je tot op de bodem kijken.'

Hij gaf zijn vader een plastic fles. 'Heb je dorst? Hier, vul de fles, dit water is zuiverder dan kraanwater.'

En Wolfgang vertelde over Mike, een Canadese vriend van hem die lange-afstandszwemmer was en die een jaar geleden in de zomer dit hele meer was overgezwommen, vijfentwintig kilometer lang, van de westelijke oever waar zij nu stonden naar het oosten. Mike had er negen uur over gedaan, Wolfgang was in een kajak met hem meegepeddeld, non-stop.

'Onderweg,' zei Wolfgang, 'hoefde Mike alleen maar zijn mond open te doen als hij dorst had. Hij kon het water gewoon naar binnen laten lopen.'

Dat was nog eens wat anders dan die Duitse lange-afstandszwemster over wie Andreas in de krant had gelezen dat ze bij het overzwemmen van de Wannsee ziek was geworden, zo vuil was het water dat ze onder het zwemmen naar binnen had gekregen.

Andreas liep langs de oever, tot waar de kant rotsig werd en ruw. Daar ging hij zitten. Hij keek hoe het water van kleur veranderde. Eerst was het zwart, alleen maar inktzwart. Maar naderhand zag hij ook andere kleuren, er kwam diepblauw en paars te voorschijn, en als de zon door de wolken scheen, lichtte alles ineens op als een zilveren dienblad in een donkere kast, dan nam het water alle kleuren van de wereld eromheen aan.

Hij dwaalde van dichtbij naar heel ver, totdat zijn oog opeens bleef haken aan iets dat schitterde, niet ver van hem vandaan, een kleine ovale steen. De steen lag op de vloedlijn, met zijn bovenkant net boven water. Het water stijgt en daalt, het kabbelt bij rustig weer en raast bij storm. Al die gesteldheden, die wisselende getijden hadden hun merkteken op de steen nagelaten: Andreas zag zilveren ringen van kristal op die steen getekend.

Wolfgang deed zijn schoenen en sokken uit, stroopte zijn broekspijpen op en liep op blote voeten het ijskoude water in. 'Ik pak hem voor je, vader,' zei hij, 'want dat is een bijzondere steen. Wie die steen vindt, mag een wens doen – dat zeggen de indianen hier. Jij hebt hem gezien, jij hebt hem gevonden, als jij met je vinger over een van die ringen wrijft en een wens doet, komt die wens uit.'

Andreas pakte de steen aan en streelde zachtjes met zijn duim over een van de natte ringen. Hij dacht aan een heleboel dingen van lang geleden. Die dingen voelden niet als een wens, eerder als een mijmering.

Hij zag een jongen in korte broek op bed naast zijn moeder. Hij huilde, want zijn vader foeterde hem uit. 'Je bent een nul,' zei zijn vader. 'Het is echt niet om aan te horen wat jij achter de piano fabriceert. Een schande voor ons orkest.' Zijn moeder troostte hem: 'Luister maar niet naar je vader. Je hebt zilveren handjes.'

Hij herinnerde zich een jongen van zestien jaar oud. De

jongen stond stram in de houding en had zijn jagerskostuum aan. Een van zijn ogen ging schuil achter een lok haar, in het andere oog brandden tranen. Zijn drie zussen Gabriele, Leonore en Monika wachtten op hem bij de fotograaf in Komotau en zeiden: 'Stel je niet aan. Tuurlijk sta je er knap op, en die pukkels op je kin ziet niemand. Ieder meisje wil jou. Zo knap als jij is er niet een.'

Hij zag zichzelf met de kleine Benno en Wolfgang voor en achter zich op zijn ski's. Hij zag kil gewroet tussen de lakens, en hij zag een andere vrouw die over haar schouder naar hem lachte. Ze vroeg: 'Zal ik wat voor jou zingen, mi amore, en wil jij me dan begeleiden op de piano?' Zij wel, dacht hij, zíj vond dat ik het kon.

DEEL TWEE

Wild gezoem

6

Andreas zat in de keuken geluidloos te huilen. Hij perste zijn lippen zo hard op elkaar dat zijn hoofd ervan trilde. Tante Anna was met zijn zussen Gabriele en Leonore aan de afwas. Dekschalen, koekenpannen, braadsleden, grote pannen, kleine pannen voor de saus, schalen voor drie soorten groenten, alle vierentwintig delen van het mooie servies, koffiekopjes, wijn- en waterglazen en glazen voor de schnaps werden door het hete sop gehaald. Op het fornuis stonden vier ketels met heet water, de deksels klepperden, uit de tuiten sloeg stoom. Het grote granieten aanrecht, de spoelbakken met de rood-witte tegels, de keukentafel, de buffetkast, zelfs de vloer van de keuken stond vol met vieze vaat.

De laatste begrafenisgasten waren vertrokken, met zware buiken, en hoofden wiebelig van het bier en de zoete wijn. Een dankjewel kon er nog net af, toen tante Anna ze met zachte doch besliste hand de deur uit werkte. Ze waggelden, de ooms en tantes Landewee, dronkenlappen en lolbroeken. Ze brulden een groet naar Walter, die aan tafel in slaap was gevallen. Twee ooms kokhalsden in de bosjes. ''t Is al goed,' wenkte tante Anna de mannen ongeduldig. 'Laat maar liggen, ja, het was gezellig. Jaha! God hebbe haar ziel.'

Het was allemaal netjes begonnen, zoals elke feestmaaltijd bij hen thuis. De schoolmeestersfamilie van Andreas' moeder aan de ene kant van de rouwtafel, de Landewese's aan de andere kant. De gezichten stonden meelevend, er werd gedempt gesproken – gottegottegot, zo jong nog, en o zeker, Katharina lag er mooi bij, op een goed plekje met uitzicht over het hele dal en nog verder, tot aan Praag kon ze kijken –, en ondertussen gingen de schaaltjes met kleine hapjes beleefd van hand tot hand. Er was nog geen glas omgevallen, nog geen varkenskluif, geen rode kool in het tapijt getrapt, geen mouw door de jus gegaan en afgeveegd aan buurvrouws schone goed. Er was nog geen onvertogen woord gevallen.

Dat kwam pas later, toen Andreas' vader de beenham aansneed en Hilde Ölfaß, de volslanke nicht van Katharina zei waar het op stond. Dat deed Hilde altijd na één glas wijn, want van meer werd ze dronken.

Hilde schetterde over tafel: 'Gut, Walter, je was er vroeg bij, hè?'

Andreas' vader keek op van de druipende ham, draaide zijn snor in twee zwierige punten en grijnslachte. 'Wat bedoel je, schoonheidsprinses?'

Hilde, peuterend aan de fluwelen knoopjes van haar mouw: 'Het heeft me altijd verbaasd, lieve neef. Jouw onnozelheid. Echt of geveinsd? Charmant of puur bot?'

Hilde keek naar links en naar rechts, maar iedereen naast haar keek strak voor zich uit. Andreas hoestte, oom Norbert verslikte zich in zijn drank, gesprekken verstomden. Hilde lachte en haar lach klonk als een gongslag.

'Je kon niet wachten,' zei ze, 'en waarom niet? Moest je nou per se een nieuwe vrouw, nog voordat de oude onder de zoden lag?'

Tante Anna ging rond met de schaal gebakken aardappels. 'Hilde, geef je bord eens aan. Toe, niet nu. Niet waar de kinderen bij zijn.'

Maar Hilde was niet te remmen. 'Hoezo kinderen?' en ze wees op Andreas en Leonore. 'Noem je dat nog kinderen? Dat loopt al tegen de dertig en nog steeds niet getrouwd. Nog steeds niet op eigen benen.'

Vanaf dat ogenblik was het niet meer gezellig geweest

aan tafel. Mathilde, Walters nieuwe vrouw, barstte in snikken uit. Walter ontstak in drift en sloeg op tafel zodat alle glazen rinkelden en iedereen zijn stoel een stukje naar achteren schoof voor het geval dat. Uiteindelijk was er alleen door het schenken van heel veel wijn en bier weer een beetje rust in de tent gekomen. Maar goed kwam het niet meer.

Tante Anna had haar armbanden en haar ringen afgedaan, een schort omgeknoopt, de mouwen van haar zwarte jurk opgestroopt. Ze zweette. Ze vroeg: 'De Tafelspitz was toch niet te zout, hè?'

'Nee hoor,' zei Gabriele, 'precies goed, alles even lekker. U zag toch hoe pappa overal van smulde?'

Anna glimlachte. 'Jullie vader is een beste eter, altijd al geweest. Hij zal een goed maal nooit versmaden. Wat jij, Andreas?'

Ze draaide zich om. 'Hemeltjelief,' zei ze. 'Kijk dat nou eens zitten, dat zit me daar te huilen als een kind.'

Ze liet het hete sop voor wat het was, veegde met haar hand de pieken haar uit het gezicht en liep op Andreas af. Ze knielde, ook al was hij een man van vierentwintig en niet langer meer een jongetje van vijf dat zijn knieën had opengehaald aan de braamstruiken. Anna streelde het trillende hoofd en legde haar arm om zijn schouder. Ze zei: 'Huil maar, jongen, toe maar. Nee, je hoeft je niet in te houden, iedereen is weg.'

En op het moment dat ze dat zei barstte Andreas in snikken uit, zijn handen voor zijn gezicht, zijn ellebogen op zijn knieën.

Tante Anna aaide over zijn rug en staarde naar het gestolde varkensvet in de braadslee, die voor haar op de grond stond. Ze prevelde: 'Jaja, jullie moeder, ze ligt er mooi bij, zo tussen Franz Schuster en de bakker in. Jullie moeder. Weinig bleef haar bespaard.'

Een hele familie wilde zwijnen schoot hij af, beer, zeug en biggen, acht in totaal. Hij richtte voor de kop want die beesten konden sneller lopen dan zijn kogel uit de geweerloop vloog. Allemaal raak, allemaal dood, keurige gaatjes met straaltjes bloed, sidderende lijven en gebroken ogen op het mos. Dat was niet zielig, zo was de natuur, hij was de snelste, en de sterkste zal winnen.

Mamma, dat was pas zielig.

Andreas' vader deed er smiespelend over. 'Je moeder voelt zich niet goed, jongen, ze voelt zich steeds minder goed, iets inwendigs, ik weet niet wat, en ik wil het eigenlijk ook niet weten.'

Want zieke mensen, daar kon hij niet tegen, die róken namelijk zo.

Maar tante Anna zei het recht voor zijn raap: 'Jullie moeder gaat dood. Kanker in haar binnenste, net als bospest, maar dan erger.' En bij dat laatste gooide ze de deegballen die ze aan het draaien was met een harde klap op het met bloem bestoven aanrecht en maakte een gebaar langs haar keel. Tsjak, dood.

Andreas' moeder werd dunner en dunner, en toen weer dikker. Ze zwol op van de medicijnen die dokter Langer haar voorschreef, op het laatst was ze net een soufflé, als je erin prikte was je bang dat ze knapte en leegliep.

Zijn vader keek wel drie keer uit. Hij was niet van plan om zich om een zieke vrouw te bekommeren. Po's legen, voorhoofden afvegen, braaksel opruimen, lakens verschonen, pap voeren. Mamma hield op het laatst niets meer binnen, het stroomde er aan alle kanten uit, boven en onder. Het was één godvergeten kliederboel, daarboven in dat bed.

Walter ging er gewoon op uit, zoals hij er al zijn hele leven op uit ging, achter de vrouwen aan. 'Vogeltjes voeren,' noemde hij dat. En zo zat plotseling een jonge blozende Mathilde, een snolletje uit het orkest met bovenarmen als van een man, bij hen aan tafel en liet zich de Klößchen met bosbessenjam van tante Anna goed smaken. Ondertussen lag Katharina op haar kamer dood te gaan, alleen de morfine, dozen vol ampullen met morfine, brachten op het laatst nog verlichting.

Andreas dacht toen hij jong was, dat hij nooit iemand zou kunnen haten. Je moest altijd vergeven, zei pastoor Huber, en als er iemand was die jou kwetste of beledigde, dan moest je hem de wang toekeren zoals in de Klaagliederen staat, 'geve zijn wang dien, die hem slaat,' en dan zou alles goed komen.

Maar die tijd was voorbij. Hij wist wel beter. Het komt niet goed, en je kunt heel best haten zonder dat de hemel op je hoofd valt.

Als het concertseizoen ten einde liep, eind juni, ruiste het door zijn hoofd. Hij was een bromtol die nooit stopte, het zoemde door hem heen, hij fluisterde het de wolfshond Peter in zijn warme puntoren en jubelde het uit, in het bos waar niemand hem zag: 'Straks komt ze! Straks komt ze weer thuis!'

Zijn moeder dus.

Hij schepte kilo's kolen voor de haard en hakte hout totdat de armen van zijn lijf vielen. Hij liep om het hardst met de andere jongens en mannen uit het dorp. Hij liep de vijf kilometer in zestien minuten en vijfendertig seconden, en het rondje om de markt, vierhonderd meter, in krap tweeënhalve minuut. Hij won de Ertsberg-bokaal als wisseltrofee, niet één zomer, maar iedere zomer opnieuw.

En als hij hijgend en zwetend voor haar voeten stopte, lachte hij: 'Weet je nog, mamma, jij en ik, toen in de kliniek in Cuxhaven?'

Allemaal voor haar.

Soms riep ze hem 's avonds boven in haar kamer om haar te helpen de spelden en linten uit haar opgestoken haar te halen. Als de dikke donkere strengen door zijn handen gleden, een karrenvracht die naar beneden spoelde, werd zijn rug warm van geluk.

Ze zei dat hij echt een hand met vrouwen had. 'Zo zacht en fijn, daar houden vrouwen van. Jij zult later precies het goede doen, let maar op.'

Of ze vroeg: 'Wees eens lief en speel een stukje Liszt voor me.'

Dan koos hij *Un Sospiro* – haar lievelingsetude – en ach jee, wat deed hij zijn best. Hij vloog van forte naar pianissimo en weer terug, precies zoals in het pianoboek stond aangegeven. Zijn polsen, zijn vingers, zijn rechtervoet die naar het pedaal greep – hij liet Liszt's melodie stromen als water. Hij speelde in opperste concentratie en tegelijkertijd losjes uit de pols. Kijk mamma, kijk dan naar mij, mamma, hoe mooi ik alles doe.

Zijn moeder op de roodfluwelen sofa, met kussens in haar rug, haar ogen dicht, een boek op haar schoot. Hij achter de vleugel, zweetdruppels op zijn bovenlip.

We zitten samen in een boom, mamma, jij en ik, samen op een tak die beweegt in de wind, en niemand in de hele wereld die ons kan pakken. Pak ons, pak ons dan als je kan.

Leonore zag het anders. Als Leonore in een goed humeur was, plaagde ze. Dan deed ze het gekoer na van de twee houtduiven die onder het dak op zolder nestelden en zei ze: 'Ach so, zit mijn tortelduifje weer te aanbidden?'

Maar als ze in een rotbui was, kon ze driftig worden. Haar mond vertrok tot een streep, vlekken lichtten op in haar hals als schimmel op een natte aardbei. Ze zette haar handen in haar zij. 'Zeg, wat denken jullie eigenlijk dat wíj aan het doen zijn? Ook de hele middag op de bank liggen kletsen, boekjes lezen en een stukje spelen? Daar hebben tante Anna, Gabi, Monika en ik geen tijd voor. Denken jullie dat wij sukkels zijn, goed om de boel schoon te houden, de was te doen, de moestuin bij te houden en ook nog het eten te koken?'

Leonore stampvoette, sloeg met de deuren, en dan hoorden Andreas en zijn moeder een groot kabaal, een schilderij dat van de muur viel, een schoen, een bezem en een rek met flessen die door de gang werden geschopt, en als er niets brak mochten ze van geluk spreken.

Daartussendoor de bezwerende stem van Monika, één grote sussende cirkel. 'Liefje, wat doe je nou? Wat maak je het jezelf toch moeilijk, Leotje-lepelaar van me, Leonore toch, tuurlijk heb je gelijk, shhhttt, stil nu maar, kom mee naar de keuken, ik heb koekjes gebakken en ik weet niet zeker of ze wel gelukt zijn, wil je proeven? Kom.'

Katharina bleef liggen waar ze lag, op de sofa met de kanten kussens in haar rug.

'Laat de boeren maar dorsen,' zei ze en wuifde met haar hand. 'Toe schatje, trek het je niet aan, je kent Leonore toch. Speel nou maar door, engeltje van me, mamma komt helemaal tot rust zo. Dankzij jouw handen is mamma allang niet meer hier, maar zweeft ergens ver weg.'

Leonore liet het er niet bij zitten, Leonore nam wraak. Toen hij 's avonds in de schuur hout moest halen voor het vuur en in de bijkeuken zijn schoenen wilde aantrekken, kwam er een rare lucht uit. Jasses, hij rook, hij kon die vieze geur helemaal niet thuisbrengen, hij rook nog een keer, aan de zolen van zijn schoenen, met zijn neus de binnenkant in, en plotseling wist hij wat hij rook: Leonore had poep van de hond in zijn schoenen gestopt.

Toen hij naar bed wilde gaan die avond en de dekens terugsloeg om vanaf het koude zeil snel erin te springen, zag hij dat alles drijfnat was. Een halve kan water had ze in zijn bed uitgegoten en snel het beddengoed eroverheen geslagen.

Toen hij zijn zus riep en zei: 'Moet je zien wat een rotstreek. Heb jij dat gedaan?' hield ze zich van de domme.

'Poep in je schoen? En ook nog water in je bed? Daar weet ik niets van hoor.' Leonore draaide zich om, liep zijn kamer uit en liet de deur wijd open staan, zodat hij haar in haar eigen kamer, aan de andere kant van de muur, met Gabriele hoorde lachen: 'Dat krijg je met moederskindjes, hahaha, die blijven nog heel lang in hun bed plassen.'

Er kleefde maar één nadeel aan de thuiskomst van zijn moeder, en dat is dat híj meekwam.

Andreas miste zijn vader nooit, geen seconde van de dag. 's Zomers, op het dorp, droeg Walter witte broeken en gleufhoeden – één flinke windvlaag en de hoed waaide in een gierput, één drassig pad en de broek was naar de knoppen. Zijn vader zag er gewoon bespottelijk uit tussen hun knickerbockers en loden jassen, alsof hij ging kuren in Karlsbad of Baden-Baden, maar op weg daarheen de verkeerde afslag had genomen.

Walter was dik, opgeblazen. Zijn gezicht glom als de pommade die hij in zijn haar en zijn snor smeerde, zijn buik boerde over zijn broekbanden heen, zelfs zijn oogleden waren opgezet van het schransen dat hij deed in de herbergen en de hotels en op de Donaustoomboten onderweg.

Als Andreas hem tegenover zich aan tafel zag eten, hoefde hij zelf niet meer. Niet één, niet twee, maar drie keer schepte zijn vader soep met ballen en een vette mergpijp op, dan de aardappels of Knödel, een berg vol groente met jus erover, en het grootste stuk vlees dat in de pan lag.

'Er kan er maar een de kapitein op het schip zijn,' zei tante Anna met de opscheplepel in haar hand, 'en die kapitein moet goed eten. Nog wat, Waltertje?'

Walter was een gelukkige eter. Hij slurpte, smakte, praatte met open mond door iedereen heen, het voedsel zag je in stukken op zijn tong glanzen, en hij liet na het eten altijd een boer. Niemand die er wat van durfde te zeggen.

Andreas zag het zo: het lijf van zijn vader was hem volkomen de baas. Het zei: ik wil vreten.

'Je moeder is niet zaligmakend,' zei zijn vader. 'Fysiek, ja fysiek kan ze nog best mee, die moeder van je, al is de rek er een beetje uit na vijf kinderen, een heel nest krijsers en slurpers en aandachttrekkers.'

Hij gooide zijn hoofd in zijn nek, gaf Andreas een knipoog en kneep hem in de wang. 'Wij mannen kunnen best leven zonder vrouw,' zei hij. 'Want vrouwen, zie je, vrouwen zijn er te kust en te keur, ze zijn niet uniek of zeldzaam. Waar je maar komt in ons mooie keizerrijk, bieden ze zich aan, dringen zich aan je op, met hun buiken, hun geurtjes en gebaartjes. Oorlogsweduwen, jonge vrijsters, oude vrijsters – als de sprinkhanen uit de Openbaring, zo komen de vrouwen uit de rook boven de slagvelden te voorschijn en storten zich op ons, overlevers, de mannen.'

Zijn vader greep naar zijn hart: 'Muziek daarentegen, jongen, échte muziek, dat is een ander ding, een hemelse schat. Daar kunnen geen borsten, geen billen, geen zwoele oogopslag tegenop. Muziek, da's de grondstof van je rikketik.'

'Nur Musik,' zei Walter en daarmee was alles gezegd. Zonder muziek geen leven, zonder muziek geen bestaan.

Zogenaamd dan.

Zijn vader wist het mooi te brengen, maar in de praktijk betekende het een draai om je oren voor iedere valse noot, voor iedere verkeerde aanslag. En ook zonder fouten was het nooit goed genoeg.

'Het lijkt wel alsof je hout hakt,' riep hij als Andreas een sonate van Beethoven voorspeelde. 'Is dat Beethoven? Goddomme!' En hij wees naar de deur: 'Maak dat je wegkomt van die kruk. Laat Gabi maar in jouw plaats.'

Als hij in een goede bui was, sloop hij de kamer binnen waar Andreas aan het studeren was, en bonkte ineens met zijn wandelstok op het parket. Voor de grap natuurlijk. En – natuurlijk – Andreas schrok van dat geluid, soms viel hij van zijn stoel van schrik.

Diep en diep tevreden was zijn vader op zulke momenten: 'Zie je, je zit veel te gespannen te spelen. Zo zul je nooit een goede aanslag krijgen.' Hij pakte Andreas' polsen en schudde ze los. Hij greep hem bij de schouders en rammelde die door elkaar – zo hard dat Andreas 's avonds laat bij het uitkleden de tien vingers van zijn vader in zijn vel zag staan.

Hij smeet zijn broek en zijn hemd over een stoel.

'Nooit zo'n zwijn,' zei hij en stompte met zijn vuist tegen zijn voorhoofd. 'Nooit, nooit, nooit!'

Hij stond in zijn onderbroek voor de passpiegel en spande zijn spieren. Hij zakte door zijn knieën en zette met twee
benen af voor een sprong. Hij bokste tegen zes onzichtbare
tegenstanders, die hij met zes reusachtige klappen buiten
westen sloeg. Hij wierp speren en zwaaide met hamers. Hij
hield pas op toen zijn hele lijf glom van het zweet. Hij hijgde en stond stil: hij schudde een lok haar naar voren en
klemde zijn kaken op elkaar.

Zo ziet een Übermensch eruit, dacht hij. Een bliksem
ben ik, een waanzin.

Het doel was duidelijk: een hoger soort mens te worden
dan wat daar beneden aan het uitbuiken was. Geen kudde-
dier, geen hondengepeupel, maar een vrije geest, een lachen-
de storm. Voor haar. Zijn moeder.

'Ka-tha-ri-na' – hij sprak haar naam zachtjes uit, alsof het
een gedicht was, met een pauze na iedere lettergreep en de
klemtoon op de een-na-laatste. 'Ka-tha-ri-na.' Voorzichtig.
Niemand mocht hem horen. Zijn zussen zouden zich gek
lachen.

7

'Allemachtig, Katharina, schiet nou eens op!' Katharina aar-
zelde. Vestje wel aan, niet aan? Het was zo bloedheet, dus
misschien maar beter van niet. Maar ja, die wanstaltig dikke
buik. Ze wendde zich af van haar spiegelbeeld. Afgrijselijk,
wat een walvis. Toch maar een vestje.

Zo, parels om, tasje erbij, en dan... Ze gilde.

Lauwwarm klotste het water tussen haar benen door,
haar lichtblauwe pumps binnen. Wat? De vliezen? Nu al?
De baby was pas over veertien dagen uitgerekend. Veertien
dagen waarin Katharina had gehoopt, had gebeden, dat het
weer zou afkoelen. Want het was niet gewoon, die hitte in
dit vreselijke Jekaterinoslav.

Alle deuren en ramen van de huizen in de stad stonden
wagenwijd open, en ook de balkondeuren van haar hotelkamer waren zo ver mogelijk opengezet. Geen kind jankte,
geen kar ratelde over de keien, geen hond blafte. Zelfs de
herrieschoppende kolonie spreeuwen die onder de bruggen
van de Dnjepr nestelde, hield zich koest.

Nu al, dacht Katharina, als dat maar een blijvertje wordt.
Ze belde om haar man, maar de piccolo zei: 'Meneer is te
druk om nog naar boven te komen. Wat dacht u dan, mevrouw? Het orkest is al aan het stemmen beneden, de eerste
gasten druppelen binnen, luister maar.'

Katharina mopperde: 'Altijd hetzelfde, als puntje bij
paaltje komt, heb ik niets aan hem. Goed, dan de vroed-

vrouw, haal onmiddellijk de vroedvrouw, en breng warm water, veel warm water.' Ze liep naar de badkamer, schopte haar schoenen uit, wurmde zich uit haar feestjurk en lapte daarmee haar dijen droog.

Beneden werden de violen, celli en contrabassen afgestemd op de A van de hobo. Gehoest, gekras, gepiep van een stoelpoot over de vloer. Walter tikte af. Het concert begon, met de lang aangehouden inleidingsmaten, meer een wild gezoem dan muziek.

Tegen Katharina had hij gezegd: 'Je moest eens weten hoeveel hoofdbrekens het me heeft gekost om de symfonie zo te herschrijven dat de thema's ook met een kleinere bezetting bewaard blijven. Die vervloekte eerste violist, hoornist en paukenist. Zo maar op het laatste moment de boel in de steek laten. Zo maar van tralala, we gaan naar Odessa toe.'

'Dat zal me niet nog eens overkomen,' zei Walter, 'zeker niet als de kinderen groot zijn.'

Hij zag het voor zich: Leonore op de viool, Gabriele op de piano, en wie weet wat er vanavond geboren werd, dat ging op de cello. Ha, dan was het Landewee-orkest echt zijn orkest, met familie waar je maar kijken kon, met musici op wie je kon bouwen en die niet zomaar de brui eraan gaven als ze dat wilden.

Katharina lag in een oud nachthemd, want dat mocht vies worden, een dun flodderig geval dat zo wijd was dat haar buik en benen niet in de knel kwamen. Ze wachtte de weeën geduldig af en neuriede ondertussen mee met de muziek van de 'hemelse Ludwig'.

Walter dirigeerde het orkest van het allegro naar het scherzo naar het adagio, en hoe verder de symfonie, hoe heviger de pijn in de buik van Katharina werd. Aan zingen kwam ze niet meer toe.

Wegademen, wist ze. Zolang ze nog niet mocht persen, moest ze iets hebben om de pijn op weg te ademen. Ze verwierp de zin die haar moeder haar leerde: 'Lief-kind-jekomt-er-aan' (te zoet). Ze verwierp het advies van dokter Kirchner uit Sonnenberg: 'Tellen, mevrouw Landewee, stug doortellen, een, twee, drie, vier – en dan weer opnieuw.' Ze keek naar de Oekraïense vroedvrouw, die bij iedere wee alleen nog maar 'Ja! Ja! Ja!' had geschreeuwd – het enige Duits dat de vrouw machtig was – en besefte dat van die kant weinig hulp te verwachten viel.

Toen koos ze, omdat dat het enige was dat haar op dat moment te binnen schoot, voor Schillers *Ode an die Freude*. Waarom niet 'Al-le-Men-schen-wer-den-Brü-der'? Er waren per slot van rekening slechtere teksten om op geboren te worden.

Ze noemden hem Andreas, naar Katharina's vader. Hij was het vierde kind Landewee – na Oskar, Gabriele en Leonore – en daarom riep Katharina niet meer: 'Jasses!' toen de vroedvrouw het glibberige diertje op haar buik legde. De vroedvrouw rolde hem in een wollen doek en legde hem aan Katharina's borst.

Drie dagen later stonden ze met zijn allen in de rooms-katholieke kerk van Jekaterinoslav. Andreas droeg een doopjurk van Boheems kant, dezelfde jurk waarin ook zijn zussen en broer waren gedoopt. De priester druppelde wijwater op zijn voorhoofd. Hij krijste moord en brand.

Maar Katharina was tevreden. 'Ziezo,' vertelde ze later. 'Nu heeft ook Andreas Gods paspoort op zak. Deze kleine Landewee gaat niet dwalen in het voorgeborchte, waar alle ongedoopte kinderen ronddwalen.'

De doopakte werd in het Russisch opgesteld en kostte zestig kopeken. In grote sierlijke krulletters stond er: 'Op bevel van zijne keizerlijke hoogheid Nikolaj Aleksandrovitsj, alleenheerser van alle Russen en hun nazaten en hun nazaten en hun nazaten... is in het jaar 1900, op 17 september, een kind met de naam Andreas door pastoor Desch onder alle sacramenten gedoopt.' Bij het kopje nationaliteit vulden Walter en Katharina 'Oostenrijks' in. De dekaan van de parochie zette zijn handtekening onder de akte, en drukte dwars daaroverheen een paarse stempel van een kerk met drie torens. Even blazen, en zoef – droog was de inkt.

Katharina vroeg zich niet eens af hoe grondig je een hekel kunt hebben aan je eigen kind. Ze had er gewoon een hekel aan, daar begon het mee.

Want de baby had gegeten, had geen krampjes, was warm aangekleed, mocht zoveel slapen als hij wilde, maar toch bleef hij maar schreeuwen. Het eerste uur ging nog wel: Katharina wiegde wat en suste van je wolleke-polleke-hupsakee. Een vrolijk gezicht trekken lukte ook nog wel, want ze dacht: het houdt vast zo op.

Maar het hield niet op, en na een uur vielen haar armen van haar lijf, waren haar spieren verkrampt en bad ze tot de Maagd Maria om kracht, wijsheid en eindeloos veel geduld.

's Nachts was alles nog drie, vier keer zo erg. 's Nachts besloot de baby om helemaal niet te slapen. Ze kon er de klok op gelijk zetten: het kind deed zijn ogen open zodra Katharina haar bedslippers uitschopte en de lakens terugsloeg om in bed te stappen.

'Ha, da's een wakker mannetje,' lachte Walter de eerste week nog, maar dat lachen verging hem snel.

Andreas' gejammer maakte iedereen stapeldol. Week in week uit ging het door, en als Katharina het gejank niet langer kon verdragen en de jongen uit wanhoop maar weer de borst gaf, klauwde hij met krasharde nagels in haar vel en knauwde met zijn mond zonder tanden haar tepels stuk. Dat vertelde ze.

Katharina had geen idee waar die woede van haar zoon vandaan kwam. Alleen haar zus Anna had een vermoeden. Zij wist hoe je een kind onder zijn vel moest kijken om te zien wat zich daar in dat donkere binnenste allemaal afspeelde, en dat het dan een kwestie van geven en nemen is.

'Had je maar een beetje meer van je broer en zussen,' zei zijn moeder. 'Die hielden zich braaf aan ten minste twee van de drie R's: Rust en Regelmaat. Reinheid was een ander verhaal.' Maar hij niet. Hoe dat kon?

Andreas dacht later: misschien omdat de wieg van Oskar, Gabriele en Leonore fijn thuis stond, lekker warm bij de kachel en met tante Anna altijd om ze heen. Hij daarentegen was nog maar krap een maand oud toen ze Jekaterinoslav alweer verlieten op weg naar de volgende stad waar het Landewee-orkest een engagement had.

Ze reisden oostwaarts via de nieuwe Jekaterina-lijn, die in 1894 voor een stuk was klaargekomen en die de Dnjepr in een glorieuze toekomst moest verbinden met de Don en de Wolga. Het orkest van Walter boemelde over die lijn in een slaapverwekkend tempo naar het plaatsje Avdejevka, honderdvijftig kilometer verderop in de modder. Zompig land zo ver je kon kijken. Vanaf Avdejevka ging het verder per koets richting Wolgograd. En daar hadden ze pech. De veerboot die stroomopwaarts de winter tegemoet ging, was al weg.

Walter vloekte tegen iedereen die hij tegenkwam, Rus of Duitser. 'Godsamme, eerst die krijser die voor een maand oponthoud zorgt, en nu dit weer.'

Walter maakte zich zorgen, want de volgende boot kwam pas over een week en ze hadden haast. Hoe langer het oponthoud, hoe groter de kans dat ze vast kwamen te zitten in het ijs, dat oprukte.

Oktober en november op reis in Rusland, de Oeral over, tot aan Jekaterinenburg, want daar speelde het orkest met kerst. En dus werd Andreas van top tot teen ingepakt, een mummie, geen stukje vel mocht aan de vrieslucht worden blootgesteld, hij had een onafzienbare rij hemdjes en truitjes en maillots aan en een broek daaroverheen en de pijpen van die broek weer in sokken, en schapenwollen sloffen aan zijn voeten en daaroverheen weer windsels. Al die kleren en lappen gingen broeien, hij kreeg pukkels, op zijn billen en rug, zijn benen, zijn armen. Jeuk, brandende plekken, soms bloed van het krabben.

Katharina zei: 'Je vader werd helemaal gek van jou. Daar-

om stuurde hij jou en mij zo vaak als maar kon uit wandelen, weer of geen weer.'

'Wat moet ik anders, Katharina?' vroeg hij. 'Dat kind
krijst bij iedere maat die ik speel.'

'Maar ik wist wel beter,' zei zij. 'Zodra jij en ik uit het
zicht waren, had je vader zijn handen vrij om met het orkest
te repeteren, zijn eigen dwarsfluitsolo's in te studeren, of
wie weet vond hij gelegenheid om achter dat nieuwe meisje
in het orkest aan te zitten.'

Katharina wist precies wat zich achter haar rug om afspeelde, maar wat kon ze ertegen doen? Zo was nu eenmaal
de man met wie ze getrouwd was en die haar had verlost
van het schoolmeestershuis in een gat in Noordwest-Bohemen. Walter was de eerste man die Katharina tegenkwam
die het vertikte om in de streek te leven waar hij was geboren. Walter Landewee wilde geen armzalig bestaan als kant-
klosser, bosbouwer, keuterboer, en zelfs niet als directeur
van een school, zoals Katharina's vader was geweest. Daarom richtte hij in 1894 een eigen orkest op, waarmee hij op
tournee ging, en Katharina ging mee – kriskras door de hele
Donau-monarchie en verder. Van Caïro tot Hamburg trokken ze, van Dresden tot en met de Oekraïne. Als het maar
weg was van hier.

'Wij Landewees zijn gezegend met talent en een goed
verstand,' zei Walter, 'en dus trekken we eropuit.' En dan
noemde hij garnizoenssteden als Olmütz, Brünn en Kronstadt in Transsylvanië, of beter nog, de keizerlijke en ko-
ninklijke concertzalen in Praag, Boedapest en Wenen.

'Daar gaan we heen, Katharinaatje,' zei hij en hij lachte
kuiltjes in zijn wangen. 'Van die namen gaat je bloed toch
stromen, of niet soms? Krijg je er geen mooie fantasieën
van? Nou?' En hij porde haar met zijn elleboog in haar zij.

Maar nu was het zes jaar later en sjouwde Katharina rond
met Andreas in een houten karretje op wieltjes of trok hem
voort in een slee. Zij die zich erop liet voorstaan nooit voor

zichzelf te koken, nooit haar eigen kleren te wassen en de verzorging van haar andere drie kinderen aan haar zus Anna uit te besteden, zeulde als een pakpaard door Rusland met luiers en flessen en met klodders speeksel achter haar oren. Ze ging naar dansende beren kijken, ze kriebelde de jongen met blaadjes onder zijn kin, en al die tijd bleef hij haar somber aankijken.

'Tjonge jonge,' zei ze, 'wat hebben wij het gezellig samen.'

Eén keer schold ze hem uit voor rotzak. 'Ga slapen, laat me met rust, rotzak, wanneer houd je nu eens voor één seconde je mond?'

Er was één liedje, ontdekte ze, waar Andreas op reageerde. Niet zo'n zijïg kinderliedje over lammetjes of kabouters op paddestoelen, maar een Oekraïens soldatenlied, dat gezongen werd als de Oekraïeners van hun dagmarsen terugkeerden in de kazerne, een weemoedig lied over de keizerin van Oostenrijk, die in haar kasteel wacht op de keizer.

'O, onze keizer is een goede, brave man,
En onze meesteresse is zijn vrouw, de keizerin
Hij rijdt altijd bij zijn ulanen vooraan
En zij blijft alleen in het slot
En zij wacht op hem,
Op de keizer wacht zij, de keizerin...'

Alleen bij dit lied viel Andreas stil. Zijn moeder had een donkere, zuivere stem. Ze betoverde hem. Haar stem was een jas die hij om zich heen trok, met lange mouwen tot over zijn handen en een zachte dikke kraag tot aan zijn kin.

'Ja, ja,' knikte Katharina, 'als ik zong was je lief en staarde me aan met je beukennoot-bruine ogen, alsof je me voor het eerst in je leven zag. Maar ik kon toch moeilijk de hele dag voor je zingen?'

Ze wachtten de lente af en trokken vanaf Jekaterinenburg alleen nog maar kleine stukjes, van het ene landgoed naar het andere, in een cirkel om de stad heen. Toen aan het eind van de lente de sneeuw was gesmolten en de ergste modder was verdwenen, pakten ze hun koffers, laadden de instrumenten op karren en trokken weer in omgekeerde richting. Terug naar het westen. Eerst de Oeral over, over de glooiende bergen met dennen-, dennen- en nog eens dennenbomen zover je kon kijken, en als je je hoofd omdraaide en achter je keek, zag je een weg die kaarsrecht door de bossen liep helemaal tot aan Siberië toe.

'Huuh,' rilde Katharina.

Maar Walter was dik tevreden. Hij zat als een vorst op het dek van de boot die hen naar de Zwarte Zee zou varen, en vandaar ging het naar Odessa, en dan waren ze alweer bijna thuis.

Walter zat in een rood-wit gestreepte dekstoel met het kasboek op schoot en een potlood in zijn hand. 'We hebben goed geboerd in Rusland, dankzij die goede oude Ludwig.' Hij klopte tevreden op zijn buik. 'Misschien moeten we over een jaar of twee weer eens hiernaartoe, duifje, wat vind jij?'

Ze moest er niet aan denken. Ze had genoeg van die bruine drab die in Rusland voor sneeuw doorging, ze had haar buik vol van de kou, en als die eindelijk wegtrok ging het regenen. Ze wilde iets met zon en vrolijkheid, geen holle koppen meer met twee zwarte gaten – blauw, groen, grijs of bruin bestond daar helemaal niet meer, van de honger. Ze wilde geen vieze herbergen meer waar ze zich niet kon keren en waar het plafond zo laag zat dat ze altijd haar hoofd wel aan een balk stootte. Ze wilde niet langer de *Negende* op het repertoire, maar iets dat past en niet schuurt in je ziel. Léhar, walsen van Strauss, zoiets. Maar het meeste van alles wilde ze naar huis, naar Anna. 'Thuis zal zij mij verlossen van jou.' Dat zei ze letterlijk zo.

En zo ging het Landewee-orkest naar huis, zoals iedereen in de vroege zomer in het keizerrijk naar huis ging. Groot verlof. Van Bozen in Zuid-Tirol tot aan Lemberg in

Galicië, van Krakau tot aan Kiev en Mostar liepen de garnizoenen leeg. De officieren reden op hun paarden naar de stations, de soldaten gingen te voet, met zijn allen zingend: 'Wie van zijn vaderland houdt zoals jij en ik, vergeet haar nooit en te nimmer niet.'

Iedereen was dankbaar dat de oude keizer Franz zijn onderdanen alweer een jaar lang had behoed voor bloedvergieten en zinloze oorlogen in verre landen waar niemand heen wilde.

8

Thuis was het tweeduizend zielen tellende dorp Sonnenberg in het noordwesten van Bohemen, een stel huizen langs een S-bocht, precies op de rand van een bergtop en met een uitzicht van heb ik jou daar. Thuis betekende voor Walter tot diep in de avond drinken in de biertuin van Kräupl en de volgende morgen met hoofdpijn wakker worden tussen de haagbeuken op het marktplein. Thuis betekende iedere week op zondag met de hele familie eten in Het Gouden Hert.

Maar voor Andreas betekende thuis veel meer.

Als hij schilder was geworden, zoals zijn broer Oskar wilde voordat hij in 1917 in het oosten van Galicië sneuvelde tegen het Tsaristische leger, dan was de omgeving van Sonnenberg zijn verdwijnpunt geweest, het begin- en eindpunt waar hij zich op richtte en dat ervoor zorgde dat hij al het andere in perspectief zag. Geen bergrug zo mooi als dat van het Ertsgebergte, die keten van niet-hoge en niet-lage bergen die als een mosselschelp om de grens van Sachsen en Bohemen geklemd ligt.

Andreas was negen maanden oud toen een enkelspoortreintje midden in een bos stopte bij het stationnetje van Sonnenberg. Geen huizen, alleen bomen, waar je maar keek, en gras met fluitenkruid, wilde hyacinten, valkruid, varens en margrieten. Het dorp was een halfuur lopen.

Andreas kon zitten en rondkijken. Hij brabbelde al een paar maanden zijn eerste, enige woordje. Tot Katharina's en Walters spijt was dat niet pappa of mamma, maar altijd alleen maar wa-wa-wa, en dat was in feite zo goed als niets.

In het begin vroeg Walter nog aan Katharina: 'Wat denk je dat de jongen wil zeggen?' Maar op den duur vroeg hij dat niet meer. Het viel hem niet eens meer op dat er überhaupt geluid uit het kind kwam. Hij praatte gewoon door, en als de jongen huilde blies hij gewoon harder op zijn dwarsfluit.

Maar toen was daar Anna die hen afhaalde. Katharina zwaaide: 'Joehoe! Anna! Oskar! Meisjes! Hier zijn we!'

Al op de treeplank gaf Katharina de jongen over aan haar zus. 'Pas op hoor, want dit is me d'r eentje,' zei ze.

Maar Anna was wel iets gewend met een houthakker als man die soms zes weken achter elkaar van huis was. Als hij thuiskwam maakte hij grove grappen en waren zijn bewegingen ruw als de stammen die hij had gekapt in het bos, en de volgende morgen moest ze de splinters uit haar huid vissen omdat haar man hier en daar en overal aan haar had gezeten.

Anna keek Andreas diep in de ogen, knoopte zijn vestje los, trok zijn hemdje omhoog, en toeterde met haar mond een knetterende wind op zijn blote buik. Hij lachte, voor het eerst in z'n leven de zon in zijn ogen, en hij haalde met zijn vuist uit naar Anna's rode neus.

Met zijn allen tilden ze de koffers en instrumentkisten op de koets. De weg naar het dorp was smal, recht, en liep midden door een moeras. Aarde zakte weg in water, water maakte plaats voor aarde. Het moeras ritselde, klokte en gorgelde, en Andreas luisterde doodstil, met zijn mond open op de arm van tante Anna. Hij luisterde alsof hij voor het eerst het leven in zich opdronk.

Zijn moeder werd een luchtje, Kölnisch Wasser, dat er soms was, maar vaak ook niet. Maanden was Katharina weg, ieder jaar opnieuw, en in de zomer kwam ze terug, een vreemde vrouw met boogjes als wenkbrauwen, veren op haar hoed, wapperende rokken en kanten lijfjes, kraagjes, manchetten en boordjes, laag over laag over laag, ragfijn was alles dat ze aanhad en in een vloek en een zucht vuil. De kinderen verdwaalden erin, zoveel lappen had ze om zich heen hangen.

Als ze kwam, kon dat Andreas eigenlijk niet schelen, en als ze wegging ook niet. Ze liet hem gewoon koud.

Nee, dan liever tante Anna, die er altijd was en nooit vervloog zoals het reukwater van zijn moeder. Tante Anna, die hem opraapte als hij viel. Tante Anna, die Leonore en Gabriele en Oskar en Andreas uit elkaar trok als ze ruzie maakten. Tante Anna, die ervoor zorgde dat ze hun borden met klontenpap helemaal leeg aten, want anders waren ze nog niet jarig. En met hun echte verjaardag, dan maakte zij het feest, vanwege de taart die ze bakte en de stoel die ze versierde met dennentakken en rode linten, en vanwege de mooiste knickerbockers en jurken met linten van kant schoon uit de was.

Zo werd Andreas vijf.

Vijf vond hij veel. Vijf was een hand vol vingers, en niet langer twee zussen en een broer die hem uitscholden voor zuigspeen. 'Met vijf hoor je erbij, ben je al een echte vent,' zei tante Anna. 'Met vijf krijg je een step, een fiets of een slee.'

Andreas kreeg een slee. Oom Hermann timmerde hem. Een slee met honden en herten in het hout uitgesneden en rood beschilderd. Zo'n mooie slee had geen enkel kind in Sonnenberg. Andreas was trots, o wat was hij trots. Hij kon haast niet wachten tot alle bladeren van de bomen gevallen waren, het winter werd en zijn oom eindelijk naar de hemel wees: 'Kijk, de wolken: sneeuw.'

Oom Hermann had zorgen want hij zat met het winterhout dat hij nog moest kappen – veertig bomen, zei hij, waren er nodig om de winter door te komen, tien berken, twintig sparren en tien dennen. Dat waren er samen veertig, Andreas legde stokjes op de grond en telde ze na. Zijn oom dacht aan zijn rug en zijn koude handen, straks als hij moest hakken en zagen. Maar Andreas dacht alleen maar: hoera, eindelijk met mijn rode slee erop uit.

Hij stapte die ochtend niet uit zijn bed, nee, hij rende, als de torren die tante Anna met haar zwabber uit de keuken joeg. Het licht scheen zilverachtig door de luiken, de hanen op het erf krasten schor, en ook Peters geblaf klonk doffer dan anders.

'Het sneeuwt, het sneeuwt!' riep hij. 'Oskar, Wolfie, Fritzie, wakker worden, sneeuw!' Hij trok de dekbedden van zijn broer en zijn neefjes af, klom op hun bedden en sprong op en neer. 'We gaan sleeën vandaag.'

Brood in een bus mee, ieder zijn eigen slee uit de schuur, en daar gingen ze, over het pad langs de kerk naar de weilanden daarachter, want daar had je de steilste stukken. Oskar, zijn grote broer die al elf jaar was en alles het beste wist, ging voor op zijn slee. Andreas was niet bang, nooit, en hij ging hard achter Oskar aan. De wind waaide tranen in zijn ogen en als hij zijn mond opendeed omdat hij moest lachen, voelde hij hoe de kou zijn tanden pijn deed. Hij ging snel, nog sneller dan een wild zwijn.

Maar ineens was daar die boom, een dikke boom die midden in de wei stond. Die boom wilde niet opzij, hoe hard Andreas ook riep. Hij wist niet meer hoe hij moest, links of rechts trekken aan de slee, zijn voet klapte dubbel, hij hapte alleen maar sneeuw.

Van de klap wist Andreas naderhand niets meer. Maar Oskar zag alles, want hij sleede voorop en hoorde zijn broertje achter zich roepen. Hij zei tegen Andreas dat hij net een slinger in de kerstboom was, zo kronkelde hij om de stam van de boom heen. Hij zei dat hij iets hoorde kraken, maar dat hij geen bloed zag, helemaal niks, en dat was dan weer een geluk bij een ongeluk, want als ze met bloed op hun kleren thuiskwamen, zwaaide er wat. Die vlekken kreeg je er in de was niet uit, zei tante Anna.

Toen Andreas zijn ogen opende, lag hij op een deur. Hij

keek tegen de groene rug van zijn oom op, de bontmuts van zijn zus Gabriele ernaast. Hij zag de bomen boven zijn hoofd, haarscherp en betoverend. Jaren later, als hij moe was, verscheen dat beeld nog op zijn netvlies, de takken die naar hem zwaaiden, daarboven een koepel van licht en God, die kiekeboe met hem speelde.

Hij zag Leonore en ook tante Anna naast zich. En dat vond hij raar. Wat deed tante hier in het bos, waarom huilde ze, en wat hield ze in haar hand? Pas toen hij zag dat het zijn eigen hand was die tante Anna vasthield en dat hij die hand helemaal niet kon voelen, werd hij bang. Hij voelde zijn tenen niet, zijn benen niet, zijn armen niet, zijn rug niet. Er begon een wind door zijn hoofd te blazen, alles raakte in de war, kasten, tafels, stoelen werden overhoop geblazen. Borden en glazen vielen op de grond en barstten uit elkaar, pannen vlogen door de lucht.

Uit een laatje kroop Marzebilla, de heks uit het moeras op de hoogvlakte. Eerst was ze klein, maar ze werd groter en groter. Ze gooide met ijsballen, en die kwamen overal terecht, op zijn neus, zijn ogen, zijn armen, zijn buik. Hij kon zich niet verstoppen, niet verdedigen, en de heks gilde: 'Wacht maar af, jij, ik heb nog veel meer plannetjes voor jou in petto.' Toen draafde ze weg, kakelend van de lach rende ze naar een dikke boom. Ze haalde twee ijzeren handschoenen te voorschijn. 'Whahaha!' krijste ze, 'ik trek ze aan en als ik in mijn handen klap, ben jij er geweest!'

Andreas gilde: 'Tante Anna, help! Daar is Marzebilla. Ze klapt in haar ijzeren handschoenen, ze sleept me mee naar het moeras.'

Ze brachten hem naar het ziekenhuis in Komotau, waar de diagnose werd gesteld. Hij had zeven ruggenwervels en vier ribben gebroken. Uit de spier- en reflextesten die de arts afnam, bleek dat er bloedingen in de buurt van zijn ruggenmerg zaten, waarschijnlijk veroorzaakt door botsplinters. Die bloedproppen knelden de zenuwbanen af en veroorzaakten verlammingsverschijnselen.

De chirurg besloot meteen te opereren om de druk te verminderen. Hij kerfde, brandde de bloedvaten dicht, de slagaders waren niet geraakt, de schedes van Schwan niet doorgesneden, hij zoog het opgehoopte bloed waar mogelijk weg, en pulkte honderddrieënzestig botsplinters uit het vlees. Toen naaide hij Andreas' rug dicht en bad om een wonder.

Andreas ontwaakte uit de narcose, en voor zijn gevoel was hij nog nooit zo wakker geweest. Hij wist niet waar hij was, waarom het hier zo stonk. En waar waren tante Anna en zijn broer Oskar, die altijd overal het antwoord op wist? Hij vroeg het aan een zwart-witte ooievaar die door de kamer stapte.

De ooievaar zei dat de dokter in zijn rug had gekeken en dat hij een ritssluiting achterop had genaaid, van boven tot onder, van zijn nek tot aan zijn billen. Ze zei dat die stank ether was en jodium. Dat jodium ervoor zorgde dat er geen enge beestjes door de ritssluiting naar binnen konden kruipen. Ze zei ook dat hij een pop van gips was. Hij lag ingezwachteld in een korset en mocht zich niet bewegen, zei ze.

Andreas vroeg hoe het dan moest, thuis, met de appels. Want hij ving ze altijd op als ze aan de boom hingen te bungelen totdat ze vielen. Tante Anna wilde geen kneusjes, zei ze. 'Geen beurse jongens op de schaal.' Dus deed hij zijn best om de appels voor te zijn. Hij sprong zo snel als hij kon om de boom.

'Daar,' zei tante Anna altijd als het hem lukte. 'Zo ben je mijn goldener Bube.' Maar Oskar zei dat het geen gezicht was, hij leek wel een aap.

Tante Anna stond aan het voeteneind van zijn bed. Ze praatte met de dokter. Hij verstond een naam, Cuxhaven. Tante Anna zei die naam wel drie keer achter elkaar. Cuxhaven, Cuxhaven, Koekoekshaven.

Zij draaide zich om. 'Dag mannetje. Je bent met je slee gevallen. En je hebt heel lang geslapen, wel anderhalve dag achter elkaar.' Ze zei dat hij nog één nachtje verder moest slapen en dat dan mamma kwam.

'Oh,' zei hij, 'mamma, oh ja.' Hij voelde zich moe. 'Ik doe even mijn ogen dicht,' zei hij. 'Niet weggaan, hoor. Blijft u bij me? Het duurt maar kort.'

Hij liep met een kaars in zijn hand over het bevroren grintpad langs het marktplein naar de kerk. Het was Heiligabend en Tante Anna hield zijn hand vast.

Ze zei: 'Luister, je zusjes.'

Hij hoorde hoge stemmen uit de kerk komen en hij zag Leonore en Gabriele vooraan staan in het koor, net engeltjes zo mooi. Hij wilde naar ze roepen: 'Dag lieve Leonore, dag lieve Gabi.' Maar ze hoorden hem niet. En dus zwaaide hij met zijn arm.

Die arm werd dikker en dikker, totdat hij de arm van tante Anna was en die was pas dik. Tante Anna's arm zweefde voorbij en roerde in de soep.

Hij hoorde gehuil in de bergen, wolven, ze hadden honger, maar bij hem durfden ze niet te komen. Daar zorgde hun hond Peter wel voor en oom Hermann met zijn geweer. Hij hoorde ook het moeras op de hoogvlakte. Het borrelde, klokte en lispelde. Maar niets kon hem bang maken, want hij voelde de warme, zachte buik van zijn zus Gabi tegen zijn rug in bed.

9

Katharina was een wrak toen ze de kliniek van Komotau binnenwankelde. Ze had vier etmalen onafgebroken in de trein gezeten. Ze had geprobeerd te slapen, met haar hoofd tegen het vettige, roestbruine gordijntje dat voor het raampje van haar coupé hing. Maar het stel dronken kooplieden die aan de Roemeens-Hongaarse grens waren ingestapt, hielden haar met hun liederen uit haar slaap. Haar ogen waren bloeddoorlopen, in haar hoofd slingerde iemand rond op een fiets met ijzeren velgen, haar jurk zat vol vlekken en kreukels.

Ze had niet gedacht dat ze ooit blij zou zijn de smerige fabriekspijpen van het bruinkoolcomplex van Mannesmann in de verte te zien. Maar nu was ze dolblij. Eindelijk – Komotau. Ze stapte uit de trein en stak haar paraplu in de lucht: 'Koetsier! Een spoedgeval! Snel!'

Toen Katharina vijf dagen daarvoor in Kronstadt in de Transsylvanische Alpen het nieuws van tante Anna kreeg doorgetelegrafeerd, viel ze niet flauw, daar stond haar hoofd niet naar. Haar hoofd stond alleen naar dit ene: ze moest naar huis en wel direct.

Dat zei ze tegen Walter, die voor de balkondeuren van hun hotelkamer de fluitsolo van Glucks *Dans der Furiën* instudeerde. Walter nam de fluit van zijn mond, keek haar aan en keek toen naar buiten.

De klok op de toren van het raadhuis had net het eerste kwartier van vier geslagen. Beneden op de Franz-Joseph-Platz pakten de Roemeense marktlui uit de bergen hun laatste tomaten en uien weer in. De vrouwen bonden de kippenhokken met ijzerdraad aan elkaar vast en maakten van de loslopende geiten een tros geiten door de horens met strotouw aan elkaar te knopen. De mannen laadden alles op hoge karren, het geld werd geteld, in gebloemde zakdoeken geknoopt, die zakdoeken gingen onder de riem op de buik – klap erop – en de fles kon te voorschijn. Wie goede zaken had gedaan vandaag lachte en gaf zijn vrouw een klets op haar bil.

Walter zag het vlees onder de rokken trillen en hoorde een schaterlach. Hij krulde zijn snor in twee vette punten en draaide zich toen naar Katharina om. Hij prevelde: 'Wat een ellende, duifje, wat een toestand. Zijn rug, zei je? Verlamd? Ai, wat een ongeluk.'

Maar Walter maakte geen aanstalten om welke vin dan ook te verroeren. Hij stond daar maar met zijn fluit in de ondergaande winterzon. Hij zei: 'Je begrijpt, lieveling... het zit zo...'

Walter draalde, legde zijn fluit op de vensterbank. 'Je ziet... hoe erg het me ook aan het hart gaat... dat... Kijk, mijn nieuwe Strauss-programma loopt zo goed, dat ik lastig nu... misschien een maandje, ietsje later...' Walter klapte met zijn mond als een vis die naar lucht hapt. Hij zweeg.

Katharina begreep precies wat hij bedoelde. Ze zei: 'Laten we er voor elkaar geen doekjes om winden. Wij hebben beiden nooit veel met de jongen opgehad, maar jij nog minder dan ik. Dus blijf jij maar hier. Bekommer jij je maar om Strauss en zorg dat je met een goede recette naar huis komt.'

En zo ging Katharina in haar eentje terug naar Sonnenberg, en Walter zou nakomen. Uit dat lastige parket had ze hem toch maar weer mooi gered. En dus was het lief Katharinaatje voor en na, Walter redderde en regelde, hij stoof naar het station om een eersteklas-treinbiljet naar Komotau te bestellen, hij kocht zelfs pannenkoeken en appelcider voor onderweg – dat soort dingen deed hij wel.

Onderweg in de trein spookte het beeld door Katharina's hoofd. Andreas met zijn lichaam in duigen en wie weet voor hoe lang, misschien wel zijn leven lang verlamd. Ze was ervan overtuigd dat Andreas' ongeluk Gods straf was voor haar liefdeloze gedrag.

Het is mijn verdiende loon, dacht ze, omdat ik al op hem foeterde toen hij nog maar nul jaar oud was.

Ze schold zichzelf uit voor alles wat lelijk was op de wereld.

Hondsvot, liefdeloze, waardeloze moeder.

Het woord niet waard als je je kinderen zo in de steek liet als zij.

Ach Andreas, het spijt me zo, alle haren op mijn hoofd hebben spijt.

Toen Andreas het nieuws hoorde, gilde hij harder dan hun varken Gerhard in november.

Hij had zijn oren dichtgestopt, toen oom Hermann Gerhard met een mes in zijn keel stak en tante Anna in de keuken met haar handen voor haar gezicht zat te huilen, omdat ze het zielig vond dat Gerhard met zijn zachte neus en al in de worst ging. Gerhards hoeven slipten op de natte keien van het platje bij hen achter, hij was door zijn knieën gezakt, kletste op zijn drilbillen op de grond. Het bloed spoot uit zijn hals. Hij krijste en rilde, hij schokte er helemaal van.

'Gauw!' had zijn oom geroepen, 'gauw, Oskar, de teil!' Want van Gerhards bloed bakte tante Anna bloedworst. Goddelijke bloedworst.

Nog harder gilde hij dus, toen tante Anna vertelde dat zijn moeder met hem meeging naar Cuxhaven, naar een speciaal ziekenhuis in het noorden van Duitsland, waar hij anderhalf jaar moest blijven, het eerste jaar bewegingloos op zijn bed, daarna moesten ze nog maar zien. Anderhalf jaar aan een vreemd bed gekluisterd.

'Ik wil, ik wil, IK WIL haar niet!' riep hij. En met haar bedoelde hij zijn moeder.

Want wie was dat nu helemaal, zijn moeder?

Zijn moeder deed alsof ze alles van hem wist. Ze zei bijvoorbeeld tegen tante Anna: 'Nu heeft hij jeuk.' Of: 'Nu moet hij plassen want zijn hoofd wordt rood, gauw de fles.' Maar zijn hoofd werd helemaal niet rood omdat hij moest plassen. Zijn moeder vroeg ook stomme dingen: 'Hoe gaat het op school en kun je al lezen?' Terwijl hij toch nog helemaal niet naar school ging. Hij was pas vijf en vijf is maar één hand vol.

Uitgerekend zij ging mee naar Duitsland, waar hij niemand kende en waar alles zo plat was als een pannenkoek, zei Oskar. In Duitsland kon je zo ver kijken dat je dacht dat het niet verder kon, omdat er toch wel íets moest zijn waar je oog aan bleef haken. Niet dus in Duitsland, zei Oskar.

Hij wilde alleen maar tante Anna.

Maar tante Anna zei: 'Jij hebt niks te willen. Ik-wil-niet ligt op het kerkhof.'

Eerst naar Chemnitz. Daar een heleboel heisa met conducteurs en kruiers. Overstappen op de trein van 12.07 naar Berlijn. Op het Anhalter Bahnhof overstappen naar Bremen. Van Bremen naar Cuxhaven met de koets van de kliniek. Een dag waren ze onderweg, het landschap veranderde van bergachtig in Sudetenland naar glooiend en uiteindelijk plat. Al die tijd zei Andreas geen stom woord, niets, alsof het zo was afgesproken. Een woedende stilte, en voorlezen hoefde ook niet.

Katharina dacht aan de reis vijf jaar geleden door Rusland. Ze besloot hem dat verhaal te vertellen, over het jongetje dat altijd zijn kont tegen de krib gooide, het op een krijsen zette zodra iemand naar een muziekinstrument wees, en alles alleen maar op zijn manier wilde doen. Ze maakte een grap en een heldenverhaal van die vreselijke reis, een verhaal met Andreas in de hoofdrol – daar kon zelfs het koppigste kind geen weerstand aan bieden.

Tegen de tijd dat de trein Bremen binnenreed, hing Andreas aan haar lippen. En toen ze in Cuxhaven arriveerden en verplegers en zusters in witte uniformen hen op het bordes begroetten, pakte Katharina Andreas' hand onder het laken.

Ze hoorden een groot geruis, alsof er ergens een kraan openstond.

Andreas vroeg: 'Wat is dat, mamma?' Dat waren de eerste woorden die hij tegen haar zei.

'Dat is de zee,' antwoordde ze, 'die zal ik je later laten zien.' Zo simpel begon het.

Hij was vijf en helemaal niet flink. De eerste maand in Cuxhaven huilde hij iedere dag. Om tante Anna, om Oskar, om Gabi en Leonore, zelfs om kleine Monika, al was zij pas drie. Hij huilde om zijn rode slee, om zijn kamer op zolder, om het eten thuis, om het bos dat achter het huis begon en dat het sterkst rook als hij 's ochtends vroeg met oom Hermann op stap ging en het water van de nacht nog fris op de struiken lag. In Cuxhaven rook alles helder en duidelijk. In Cuxhaven rook alles naar zeezout en naar lysol want daar werd alles mee ontsmet.

Hij lag, hij sliep, hij at – iedere dag opnieuw, alles volgens hetzelfde patroon. Dat was wat hij deed aan de Duitse bocht. Vreselijk.

Maar vreselijker nog dan dat, was het wachten in zijn witte kamertje totdat zij kwam. Als zijn moeder op bezoek kwam met haar strikken en linten volgens de laatste mode, haar kanten handschoenen en hoeden vol veren, elke dag stipt om twee uur, werd zijn mond kurkdroog, zijn gezicht rood.

Katharina zong voor hem. Ze kende geen kinderliedjes, dus zong ze Schubert. Het jonge nonnetje, die verliefde

Greetje aan haar spinnewiel, de koning van Thule, Bertha in de nacht. Soms neuriede ze alleen een melodie en vroeg: 'Waar denk je dat de melodie overgaat in mineur?' Of ze vroeg: 'Waar denk je aan als je dit hoort?' Dan zei hij: 'Aan dat het lente is en aan iemand die buiten loopt.' En soms zei hij alleen maar: 'Verdriet.'

Katharina verheugde zich erover dat hij al zo groot was. Ze zei bij zichzelf dat ze nooit zo'n gelukkige hand met baby's had gehad, daar was het allemaal door gekomen. Ze leerde hem de letters van het alfabet, en toen hij alle letters die ze voor hem opschreef herkende, ging ze woordjes oefenen. Eerst zijn naam, dan die van haar. Hij moest erom lachen hoeveel letters zijn moeders naam had – wel acht! Hij dacht, hoe meer letters de naam, hoe sterker de persoon.

Hij spelde het woordje b.e.d. en k.o.m. en j.i.j. en a.u. Hij vond de j grappig, want die had een vrolijke lus, en de v ook, want die lachte altijd. Maar de t vond hij maar niks, streng en stram, net de schooljuffrouw van Oskar.

'Wat ben je slim!' riep zijn moeder toen hij zijn eerste zin voorlas: 'Beer is blij.' En hij was zelf ook blij, want zijn moeder zei dat niemand bij hen thuis – Leonore niet, Gabriele niet, Oskar niet – zo jong al kon lezen. Hij kon een heleboel niet in Cuxhaven, maar dit wel. 'Wat zal tante Anna trots op je zijn,' zei Katharina, 'en wat zal Leonore er de pest in hebben.'

Maar toen was het tijd. De zuster kwam binnen en klapte in haar handen: bezoekuur voorbij. Dan had híj er de pest in en begonnen de tranen weer te stromen. Zijn moeder was alles wat hij had van thuis, hij klampte zich vast aan haar, hij moest wel. Ik van jou, mamma, ik alléén van jou. Geen hekel. Die verdampte.

Na een maand zeiden de artsen dat het zo niet langer ging. Dat hij moest proberen thuis minder te missen, meer vooruit te kijken. Niet zo veel huilen, zeiden ze. Beter worden. Oefenen.

Andreas vond dat ze makkelijk praten hadden. Zij hoefden niet de hele dag op hun rug naar het witte plafond te liggen staren, of als de zon scheen reden ze hem naar buiten alsof hij een kruiwagen was en lieten hem achter op het gras met de blauwe lucht boven zijn hoofd en meeuwen die krijsten en op zijn beddengoed poepten. Zij hadden geen mannen in witte jassen om zich heen die je lakens optilden en je overal knepen en vroegen: Voel je dit en voel je dat? – en dan klopten ze zo hard met een hamer op je knie dat je er blauwe plekken van kreeg.

Maar zijn moeder gaf de doktoren gelijk. Ze keek hem niet eens aan, zo boos was ze. Ze stond aan het voeteneinde van zijn bed, zette haar hoed niet af, maar keek langs hem heen naar de muur. Haar mond stond strak en hij voelde het koud worden – mist rond zijn hart, waardoor hij niet meer zag waar hij liep en viel, honderden splinters van ijs.

Zijn moeder zei: 'Het ziekenhuis, jouw korset is nu. Je zult je ernaar moeten voegen of je wilt of niet.'

Ze zei: 'Oefenen zul je, en als je dat niet wilt, zal je nooit meer thuis of waar dan ook rondlopen. Dan blijf je altijd aan je bed gekluisterd. En denk je dat de mensen het op den duur nog leuk vinden om naar je om te kijken!? Denk je dat ik dan nog hier in Cuxhaven bij jou blijf?'

Ze zei ook: 'Als het toch voor spek en bonen is, kan ik toch beter meteen weggaan?'

Vervolgens trok ze haar handschoenen uit en gooide die op zijn bed.

De volgende dag ging hij oefenen in de gymnastiekzaal. Groot was die, zo groot als een weiland. Er hingen spiegels aan de muur en er lagen groene matten op de grond waar de broeder hem op legde. Overal waren kinderen aan het oefenen met een verpleger, sommigen huilden van de pijn.

Hij moest duwen, daar begon het mee. 'Probeer te duwen,' zei de dokter. 'Hier is een bal, geef hem een zetje, met je voeten of je handen, het maakt niet uit als hij maar rolt.'

In het begin lukte helemaal niets. Hij dacht, hij dacht, hij dácht dat zijn teen bewoog, maar dat leek alleen maar zo, zei de dokter. Pas na drie weken bewoog zijn teen en schommelde de bal van links naar rechts.

Zijn moeder huilde van geluk. Ze zei dat dit de dag was van het wonder van zijn grote teen. Ook de doktoren waren blij. Ze zeiden dat die wuivende teen betekende dat het leven terugkeerde in zijn lichaam.

Er bewoog een voet, een hand, een arm. Hij mocht in zijn gipsen korset proberen met krukken te strompelen en zijn moeder ondersteunde hem, van zijn bed naar een stoel, twee stappen eerst, meer vallen dan lopen. Toen van zijn bed naar het raam, trillend en hijgend hing hij ertegenaan, vijf stappen waren dat, een marathon, en nu nog terug. Zijn moeder stond in de deuropening en stamelde: 'Ach, lieve God,' alleen maar die drie woorden, steeds weer opnieuw, met haar handen op haar wangen. Hij kon zelf de steek onder zijn billen friemelen, hij kon een dik potlood vasthouden en tekenen, hij hoefde niet meer gevoerd te worden.

Tegen die tijd was de zomer allang weer voorbij en de tweede kerst in Cuxhaven in aantocht. Ze werden één, althans, hij werd dat met haar. In Cuxhaven bleef er niks meer over van die rotjongen uit Rusland, die het op een huilen zette zodra zij bewoog. Vanaf nu was alles alleen nog maar: van haar, voor haar, door haar.

'Mamma,' fluisterde hij als ze hem gedag kuste. 'Wij samen, hè?' En dan knikte zijn moeder: 'Mmmm.'

Alleen zijn krukken herinnerden aan die tijd. Maar op een dag waren ook die weg, hij stookte ze samen met zijn oom op in de kachel. Hij was acht jaar oud en deed iedere dag de oefeningen die de dokters in Cuxhaven en later dokter Kirchner uit Sonnenberg voorschreven. Rekken, reiken, draaien, duwen, rollen en knijpen. Staan-zitten-staan-zitten, net zolang tot er weer vlees op de botten van zijn benen zat. Stap naar voren, stap naar achteren, stap opzij, met kruk, en ten slotte zonder kruk. Buikspieroefeningen, rugspieroefeningen, nekspieroefeningen en bovenbeen-oefeningen.

Langzaam werd zijn lichaam weer lenig. Hij kon zijn enkels weer vastpakken als hij op de grond zat. Hij kon weer bukken, een bal oprapen en die een trap verkopen. Hij kon weer rennen, klimmen en aan boomtakken hangen. Maar hij vond het niet genoeg.

'Ik wil nooit meer dat ik iets niet kan,' zei hij tegen tante Anna. Hij moest en zou de sterkste en snelste jongen uit heel Sonnenberg worden.

Op de sportdagen die ze 's zomers hielden op het grasveld tussen de lindenbomen naast de kerk liep hij hard, deed hij mee met verspringen, hoogspringen en kogelslingeren. Hij streed en gaf nooit op.

Naar zijn pianolessen in Preßnitz, tien kilometer verderop, ging hij te voet, weer of geen weer. In de winter bond hij zijn ski's onder en soms liet hij zijn trui en hemd thuis.

'Dat is goed voor je conditie,' zei hij tegen Oskar, die allang niet meer alles kon en wist, en al helemaal niet meer sterker dan Andreas was.

Maar Oskar haalde zijn schouders op. 'Pfoeh, interesseert mij wat,' zei hij. 'Ik ga over een jaar toch naar de kunstacademie in Wenen en dan word ik een beroemd kunstenaar. Daar heb ik al die spierballen van jou niet voor nodig.'

'Maar begrijp je dan niet,' vroeg Andreas, 'dat het niet om spierkracht gaat? Het gaat om de kracht binnenin.'

Oskar begreep dat niet, maar zijn moeder – dat wist hij zeker – zijn moeder begreep het allemaal.

DEEL DRIE

De vleugel

Meer dan honderd jaar geleden woonden er mannen op Black Creek die genoeg hadden aan een houten keet met een kachel, een geweer, een schop en een zeef. De kleren die ze hadden, droegen ze tot ze tot op de draad versleten waren. Het eten dat ze aten schoten ze in de bergen, vingen ze in de rivier of vonden ze in het bos. Goudzoekers waren het, die – sinds er bij Barkerville, een paar honderd kilometer noordelijk, goud in de rivier was gevonden – systematisch ieder riviertje in de omgeving uitkamden. Zo ook de rivier de Horsefly, en Black Creek, de beek die langs de schamele nederzetting van de goudzoekers stroomde en die zo genoemd was, niet omdat het water in de beek donker was, maar de bossen eromheen des te meer.

Naast het grote huis stonden nog vier van zulke houten keten op het terrein. Andreas liep naar het huisje dat het verst achter in het veld lag. Het had als enige een veranda, met een wankel trappetje ervoor. Voorzichtig dat hij niet uitgleed, beklom hij de vier treden. Twee kikkers sprongen over de glibberige vlonder voor zijn voeten weg. Hij schopte een oude bloempot omver, waaronder het krioelde van de pissenbedden. Hij zag mieren marcheren, hooiwagens de poten strekken en wegrennen. Tussen spleten in de planken, in de gaten in de muren en de holletjes her en der zat het vol met zes- en achtpotig gedierte.

Hij draaide zich om. In de verte strekte het dal van de

Horsefly zich uit. In lome bochten meanderde de rivier langs grijze wilgenbosjes en geel gras. Hij zag zilver blinken – kiezelstranden als het zonlicht erop viel. Hij zag dode bomen met hun stammen in het water staan, ze leken op bleke trollen, met haren van gras en langgerekte armen en benen. In een top van een boom hing iets dat leek op een omgekeerde paraplu, maar toen hij zijn verrekijker pakte, zag hij dat het een dode reiger was met vleugels die door de wind aan flarden waren getrokken. Hij zag nog verder weg de bergen, niet hoog, maar wel ondoordringbaar. Vijftig meter naar rechts lag het grote huis, waar Wolfgang zijn intrek had genomen. Links naast hem begon het bos, vochtig, dicht en verstikkend donker, met mos dat in sluiers van takken tot op de bosgrond hing.

Hij huiverde. 'De bomen verstoppen zich,' mompelde hij. Waarom wist hij niet, maar hij vond dat wel een mooie gedachte.

Hij duwde met zijn schouder tegen de scheefgezakte deur. Binnen klonk geritsel, gepiep. Toen zijn ogen aan het donker gewend waren, zag hij een klein met papier afgeplakt raam op het westen, een raam op het noorden en een op het zuiden. Er hing een roestvrijstalen wasbak aan de muur naast de deur, geen kraan. Er was een aanrechtje, geen wc. Er stond een stalen eenpersoonsbed met een opengevreten strozak en een allesbrander. Bij elke stap die hij zette bewoog de planken vloer, en de muren bewogen mee.

Hij ging op de rand van het bed zitten en besloot: deze neem ik.

Als hij in dit huisje in bed lag zou hij de bomen kunnen horen groeien – net als vroeger.

De Bechstein kwam een dag later dan de afgesproken datum, met een speciaal transport van Gerlach uit Vancouver naar Black Creek. In Williams Lake had Andreas een hoogwerker besteld, die de Bechstein over de bomen tilde en vlak voor de veranda van zijn cabin neerzette.

Wolfgang keek hem aan alsof hij gek was. 'Waarvoor heb je nou een hoogwerker nodig? Die vrachtwagen kan makkelijk ons terrein op.'

'Omdat ík het wil,' zei hij. 'Je kunt nooit weten.'

'Maar waarom zet je de piano in jouw cabin?' vroeg Wolfgang. 'Daar is toch geen goede akoestiek? Waarom zet je hem niet in de woonkamer van het grote huis?'

'Nee,' antwoordde hij. 'In mijn eigen cabin kan ik zoveel lawaai maken als ik wil.'

'Maar met die allesbrander die er staat,' hield Wolfgang vol, 'is het altijd te koud of te warm. Dat is helemaal geen goed klimaat voor een vleugel.'

Andreas haalde zijn schouders op.

Hij wilde geen pottenkijkers of luistervinken, geen mensen die met vreemde vingers achter de toetsen kropen of met smerige schoenen de pedalen intrapten. Hij wilde de vleugel zo dicht mogelijk bij zich, zo dicht dat hij 's avonds vanuit zijn bed even met zijn hand het hout kon aanraken. Hij wilde de vleugel zo dicht bij zich dat hij altijd in de weg zou staan in zijn cabin. Het zou altijd kruip-door-sluip-door zijn als hij in bed stapte, aan tafel ging of voor zichzelf kookte. Het maakte hem niets uit, en Wolfgang moest zich er helemaal niet mee bemoeien.

Vier dagen voordat de Bechstein kwam, begon Andreas met schoonmaken. Eerst stof afnemen, dan vegen, de vloer dweilen, drogen. Elke spleet en iedere kier reinigde hij, elke oneffenheid in de vloer schuurde hij glad. Hij zag zijn handen bezig met water en groene zeep, zoals ze de laatste keer in Rothenburg bezig waren geweest. Toen was een heleboel bruin en somber geweest, en zelfs de dikke bleek die hij in de wc's gooide kon daar niets aan veranderen. Maar nu werd alles gloednieuw.

'Laat mij je toch helpen,' zei Wolfgang, maar Andreas schudde hem van zich af. 'Ik heb er schik in,' zei hij.

De volgende dag werd Wolfgang wakker van herrie op het erf. Hij kroop uit zijn bed en zag door het raam hoe zijn vader druk bezig was om het erf leeg te ruimen. Al het losse gereedschap en de losse planken laadde hij op een kruiwagen en reed dat naar achter, naar de schuur.

Wolfgang tikte tegen het raam. 'Laat toch, pappa,' gebaarde hij, 'dat doe ik straks wel.' Maar zijn vader keek niet op of om.

Wolfgang opende het raam: 'Wacht nou even, pappa. Ik help je zo!' Hij schoot een broek en een trui aan en rende naar beneden.

Zonder iets te zeggen nam hij de riek en de schep uit zijn vaders handen en bracht ze naar de schuur. Toen hij terugkwam, zei hij: 'Kom, laten we ontbijten en koffie zetten. Hoe lang ben je al bezig? Hoe laat was je op? Je zult wel rammelen van de honger.'

Uiteindelijk had de vleugel ruim baan. Andreas sloopte de deur uit zijn cabin, verving het hout van het trapje en de veranda. De auto's parkeerde hij tegen de bosrand. Brandnetels en distels trok hij uit de grond. Hij spande een zeil voor de regen, ook al was er al dagen geen druppel van betekenis gevallen. Eindelijk kon Andreas de mannen van Gerlach over de loper van plastic en paardendekens naar de plek naast zijn bed dirigeren. Daar moest de vleugel komen, onder het portret van Beethoven.

'Voorzichtig, voorzichtig, zet maar tegen de muur, ja goed zo,' zei hij. En toen de klankkast stond, wapperde hij met zijn hand: 'Dank u. Gaat u maar wat te drinken vragen bij mijn zoon. De poten draai ik er zelf in.' Hij zei: 'Ja, dat kan ik,' toen de mannen aarzelend bleven staan. 'Ik roep wel weer als ik u nodig heb.'

Wolfgang maakte een foto, want het was een bijzondere dag voor zijn vader, een stralende dag in augustus. De hemel was strakblauw, precies zoals op de postzegels die hij met zijn eerste pakketje uit Canada stuurde, en zijn vader liep lachend de camera tegemoet. Drie in schapenwol verpakte pianopoten klemde hij triomfantelijk tegen zijn borst.

Elisabeths vleugel was een zwart gepolitoerd kamer-model. Het was een eenvoudige vleugel, niet duur ingelegd met essen- of notenhout, niet gemaakt om ogen mee uit te steken of chic te doen. De muziekstandaard was modern, zonder caprices of ondergaande zonnen als versiering. Eigenlijk was het enige opvallende de gouden letters boven de toetsen, 'C. Bechstein', en drie woorden helemaal rechts: 'Dank en Bewondering.'

Toen Wolfgang een keer bij Elisabeth en hem in Rothen-burg op bezoek was geweest, had Wolfgang ernaar ge-vraagd: 'Maar wie bedankte haar dan, pappa?' Ze stonden in de keuken, Elisabeth gaf in de muziekkamer les. Ze luister-den naar de leerlinge, een meisje van zestien met een licht stemmetje, en daartussendoor Elisabeth, dramatisch en sonoor. Zij telde en deed voor hoe het wel moest. Ene, twee-je, drie-je, vier-e, en geen vibrato in de hoogte.

'Bedankte jij haar? Of was het Bechstein zelf?' vroeg Wolfgang nog een keer.

Maar Andreas schudde zijn hoofd en ging weer verder met waar hij mee bezig was: zelf mayonaise maken – want dat deed hij veel de laatste tijd en Elisabeth was er dol op.

'Geen idee, jongen,' prevelde hij. 'Ik heb echt geen flauw idee.'

Hij lepelde druppeltje voor druppeltje de zonnebloem-olie door het eigeel, de mosterd en de azijn. Hij zei: 'Je moet me nu even niet lastig vallen, ik moet goed roeren, anders schift dit spul.'

Wolfgang wist dat zijn vader loog, en Andreas wist dat Wolfgang dat wist. Dat wist iedereen in huis.

Andreas liep naar de klankkast toe. Aaide. Twee witte toet-sen waren gebarsten en verder zat er in het hout van de mu-ziekstandaard een scheurtje, maar die beschadigingen da-teerden uit de Berlijnse tijd.

Tijdens de bombardementen had ze samen met een buurman die een oogje op haar had, de vleugel naar de kelder onder haar huis gesjouwd. Zo vertelde ze het hem keer op keer. Ze naaide lakenzakken en vulde ze met zand, en toen alle waterleidingen in de Nollendorfstraße gesprongen waren, redde ze dankzij die zakken het instrument. Eerst de Bechstein, dan pas zichzelf, vertelde zij. Na de capitulatie sleepte ze de vleugel overal met zich mee. Van Berlijn naar Würzburg naar Stuttgart naar Karlsruhe. Ze vertrouwde niemand, je wist maar nooit. De mensen mikten alles wat branden kon in de kachel.

'Hij brandt! Ze verbranden hem!' riep ze in haar slaap, ze trapte wild om zich heen. Dan schudde Andreas haar wakker. Hij zei: ''t Is maar een droom, lieverd, een boze droom, stil maar, ga maar weer slapen.' Maar ze kon niet meer slapen. Eerst moesten ze opstaan en samen naar beneden naar de woonkamer gaan om te kijken of hij er nog stond, de zwarte Bechstein.

Andreas pakte een stofdoek en begon te wrijven. De poten, de klep, de onderkant van de klankkast, het koper van de pedalen en wieltjes, de klankbodem met daarin gegoten het zegel met Bechsteins leeuw, het adres en het jaartal. Toen het politoer glansde als nat speksteen en zijn gezicht weerspiegeld werd in het koper van de pedalen, riep hij de verhuizers bij zich om de vleugel op zijn poten te tillen. Hij gaf ze een fooi en stuurde ze weg.

Hij opende de klep, trok het krukje bij, bouwde een toren van dekens en een kussen, zodat hij hoog genoeg zat, zijn onderarmen horizontaal aan de toetsen, zijn handen licht gebogen, zijn rechtervoet bij het pedaal. Eerst wat akkoorden los uit de pols. Een stukje *Suite Bergamasque,* een makkelijke nocturne van Chopin. Toen zijn vingers en polsen los waren, begon hij aan Beethoven, de tweede beweging van het vierde pianoconcert, het simpelste van het simpelste. Daarna de pianobewerking van de *Ode an die Freude.*

Hij speelde het vierde deel van de symfonie uit zijn

hoofd. Elisabeth had Schillers ode 386 keer voor publiek gezongen en voor hem nog vaker.

Hij speelde zoals hij vroeger op Hauenstein had gespeeld, crescendo waar het harder moest, ook al lagen Wolfgang en de andere kinderen op bed en ook al sloeg Hannelore met de deuren. Hij speelde met de ramen open.

Wolfgang was bij de stallen. Cloud en Hammerhead begroetten hem met een diep, donker gebrom, toen hij het hek boven aan de weg opendeed. Hun neusvleugels trilden, hun
oren stonden zo ver mogelijk naar voren gespitst. Goeien-
avond, ben je daar nu pas met je voer?

Wolfgang zei: 'Ga eens opzij met je kop, zo kan ik toch
niets in je voerbak stoppen.'

Hij duwde Hammerhead, die met zijn hoofd in de voerbak hing, opzij. 'Neem een voorbeeld aan Cloud, die staat
tenminste braaf te wachten, die stampt niet en slaat niet
met zijn staart in mijn gezicht, vooruit, opzij met je kop.'
Hij aaide Cloud over zijn hals en pakte hooi van zolder. En
toen hoorde hij de piano.

Hij hoorde hoe zijn vader over moeilijke vingerzettingen
stuikelde en hoe hij dan opnieuw begon. Hij hoorde hoe er
soms opeens een heel stuk goed ging – en ook die passages
speelde zijn vader opnieuw. Hij wist nog hoe hij lang geleden, toen hij op Hauenstein met Benno in één bed sliep,
luisterde. Hij was vier of vijf en het werd langzaam stil in
zijn hoofd als zijn vader speelde. Hij kon niet horen of zijn
vader goed of slecht speelde, hij wist alleen dat zijn ogen
zwaar werden en dat hij niet meer dacht aan de dingen van
overdag, de ruzie van daarnet met Benno, het standje van
moeder. Alles was veilig, goed en in evenwicht – daar zorgde de muziek voor, die vanaf beneden in de woonkamer,
door de gang, over de rode loper van de trap, de pluizige
vloerbedekking op de overloop, over de drempel van de kin-
derkamer naar binnen kwam zweven. Pas toen hij groot
was, herkende hij de muziek als die van Beethoven.

Vijftien jaar later was dat anders. Hij woonde al op kamers in München, maar bracht ieder weekeinde zijn vuile was thuis. Zijn vader stond pontificaal in de woonkamer in Langenburg en probeerde om hem, Benno en Veronika uit te leggen waarom Beethoven de beste, de spiritueelste, de meest filosofische van alle componisten was. Zijn vader stond met zijn benen wijd en zijn handen geheven en kon het niet uitstaan dat zij drieën hem niet begrepen. 'Luister dan toch jongens,' zei hij. 'Horen jullie dan niet dat deze muziek een gebouw is, púre architectuur?' Hij legde een ander pianoconcert op de draaitafel, keerde zich om en spreidde zijn vingers alsof hij een goochelaar was die een bijzondere truc voor hen in petto had: 'Beethoven is een boek waar alles met alles samenhangt.'

Zulke dingen zei zijn vader, en als hij er goed over nadacht had je er niks aan, aan dat soort woorden. Nooit werd zijn vader concreet, nooit kon hij precies zeggen waarin het genie 'm dan zat. Hij bleef altijd abstract. Het was altijd alleen maar gevoel.

Daarom was het niet zo raar dat Benno zijn voeten op de salontafel legde en vroeg: 'Mag het wat zachter?' Of dat Veronika zei: 'Geef mij Catherina Valente maar.' Nee, achteraf begreep Wolfgang die reacties van zijn broer en zus wel. Hun vader kon uren met Beethoven in de weer zijn, alsof er niets anders in de wereld bestond.

Wolfgang gaf ook Hammerhead een plak hooi, sloot de luiken voor de staldeuren en liep over het pad langs de beek terug. Uit alle planten, uit alle stenen, zelfs uit het water steeg de geur van de nacht op. Hij zag het bos in de verte, één grote, pikzwarte, ademende schaduw die alles bedekte, niet alleen de top, maar ook de flanken en de voet van de bergen. Hij zag het grote huis door de bomen liggen, rook kringelde omhoog uit de schoorsteen. Hij zag de kleinere huisjes eromheen, met het kippenhok, het hondenhok, de schuren. Hij zag door de open deur zijn vader zitten spelen. Zijn vader keek niet naar het pianoboek op de standaard, maar naar het portret van Beethoven dat boven de vleugel hing. De A, de hoge C en de Bes klonken vals.

'Geeft niets hoor,' hoorde Wolfgang zijn vader tegen het portret zeggen. 'Deze jongen moet eerst maar eens goed uitrusten van zijn reis.' En tegen zichzelf: 'Niet aan knoei-en, gewoon wachten en kijken wat er gebeurt.'

11

Twee weken nadat de vleugel was geïnstalleerd, kwam met een vrachtwagen de inboedel. In een mum van tijd stond het erf vol.

'Hoe krijgen we die rotzooi naar binnen?' vroeg Wolfgang wanhopig. Maar Andreas zag geen enkel probleem.

'Zet de dozen voorlopig maar op de veranda van het grote huis, die zoeken we later wel uit.' Hij wees met drukke gebaren alles uit Rothenburg aan: 'De Frankfurter en de Schwäbische kast kunnen naar het grote huis. De sofa's, de bedden, de eettafel met stoelen ook. Die kleine boekenkast kan naar het kleine huis. De eenpersoonsmatras, de secretaire, de stoelen ook. De rest mag naar het grote huis.'

Alles waar hij in Rothenburg zo lang over had gedaan om te kiezen en te wegen, had hij nu in een wip verdeeld over de huizen. Hij streek het haar uit zijn gezicht, klapte in zijn handen en riep 'Aan de slag!' Hij pakte in elke hand een koffer en droeg ze luidkeels zingend naar zijn cabin.

'Het handigst is als we van klein naar groot doen,' zei hij tegen Wolfgang. Dus begonnen ze met het inrichten van het kleine huis. Ze sjouwden de secretaire op de plaats die hij had uitgezocht: in de hoek naast de deur.

'Kijk,' zei hij en trok een stoel bij. 'Als ik mijn stoel naar achteren schuif, dan kan ik aan twee kanten naar buiten kijken, dan kan ik precies zien wat de kippen doen, hoe de paarden erbij staan, dan kan ik jou zien als je aan het werk bent en heb ik ook nog eens een mooi uitzicht over het dal als de zon ondergaat.'

Hij vertelde niet dat als hij zijn stoel aanschoof hij min of meer verborgen zou zitten. Wolfgang zou hem nooit binnen kunnen zien zitten, behalve als er licht brandde natuurlijk. Hij zou, beschermd door de donkerbruin gebeitste planken van de muren en de gordijnen uit Rothenburg die hij voor de raampjes zou ophangen, brieven schrijven, zijn dagboek bijhouden en boeken lezen over van alles en nog wat.

Hij verheugde zich nu al op alles wat hij in die hoek zou leren en doen.

Beheerst, moderato cantabile, op weg naar Elisabeth, op weg naar God. Hij zou de witkoppige adelaar roepen die in de dode boom langs de rivier nestelde en die het hoogst van alle dieren vliegt, helemaal tot de hemel toe. Hij zou hem op pad sturen met een boodschap, precies zoals de indianen het hier deden als ze iemand verloren die ze niet kwijt wilden. Zo zou het worden in die hoek van zijn huisje. Dat nam hij zich voor.

Wolfgang hees de matras op het ledikant. 'Ik vind alles goed. Je moet precies doen waar jij zin in hebt, pappa. Dat doet iedereen hier.'

Hij spreidde een laken uit op de matras en stopte dat zorgvuldig in aan het hoofdeinde. Toen liep hij naar het voeteneinde en trok het laken zo strak dat Andreas waarschuwde: 'Pas op, zo scheur je de stof nog.' Maar Wolfgang luisterde niet. Hij zei: 'Het is vrijheid blijheid hier.' Hij gooide het dekbed over het bed en klopte twee kussens tegen elkaar: 'Klaar is kees.'

Wolfgang stond aan het hoofdeinde van het bed. Hij liet zijn hand rusten op een van de koperen sierknoppen. Duizenden zilveren stofjes dwarrelden in het schijnsel van de olielamp. Hij stond aan het roer van een schip, de zee was kalm, de hemel bezaaid met sterren. Hij was de kapitein en zou allemaal dappere dingen voorbij de horzion doen. Hij zuchtte, sloot zijn ogen een seconde, vroeg toen: 'Wat wil je op de vloer? Zullen we een van de perzen uitrollen en kijken hoe dat staat? Of vind je kale planken mooier?'

Andreas vond de pers mooier. Hij zat op zijn knieën en dwaalde met zijn ogen over de randen van het tapijt. Iedere rand omklemde een andere rand, en nog een en nog een, er kwam geen einde aan de motieven onder hem. Het was een duizelingwekkende cirkelgang van stippels, bloemen, pauwen, herten en vruchten in korenblauw, mosgroen, turkoois en zalmroze. Weinig rood, dacht hij. Rood was de kleur van blijdschap en rijkdom. Veel zalmroze en oranje: dat was vroomheid, dat vond hij passen. Groen was er alleen in heel kleine toefjes. Want groen was heilig, groen was spaarzaam, groen was de kleur van Mohammeds jas en toevallig ook de lievelingskleur van Elisabeth en van zijn moeder.

Hij trok een verhuisdoos naar zich toe en klapte het kartonnen deksel open. Een lucht van scheepsolie sloeg hem tegemoet. Voorzichtig wikkelde hij twee schilderijtjes uit het vloeipapier. Op het ene stond een edelhert dat over een waterval sprong. In het andere herkende hij het motief van een oude ansichtkaart van Sonnenberg.

Wolfgang had de twee schilderijtjes op de academie in München geschilderd en ze hem voor vaderdag gegeven. Het was het jaar geweest dat hij besloot een punt achter Hannelore te zetten. En Wolfgang had gezegd: 'Je hebt groot gelijk. Jullie zijn toch net kat en hond. Je blijft altijd mijn vader, wat er ook gebeurt.' Andreas gleed met zijn vingers over het landweggetje dat op het linnen door de graanvelden slingerde. Hij gleed langs de boerderijen met hun dakpannen in zwart en rood mozaïek, over het marktplein met het monument voor Oskar, naar rechts naar de Sint Vaclav-kerk. Hij raakte de heuvels en de lucht met wolken erboven aan, hij streelde de schoorstenen op de huizen en de klaprozen in het gras. Hij streelde alles wat Wolfgang had geschilderd, ook al was het perspectief schots en scheef.

Benno sprak snerend over het schildertalent van zijn broer: 'Wolfgang kan er niks van. Moet je dat edelhert zien op die rots, dat ziet er toch niet uit? Het lijkt alsof het beest vliegt. En die kleuren, ha, die komen recht uit een kleurdoos.'

'Hou je mond,' zei Andreas die zich ergerde aan de botheid van zijn zoon. Met een steek dacht hij aan de tubes waarmee Wolfgang altijd zo blij was geweest op zijn verjaardag, vooral veel verschillende kleuren bij elkaar vond Wolfgang schitterend.

'Je broer schildert op de manier van de naïeven,' zei hij tegen Benno, 'net als Chagall. Ook Chagall worstelde met kleuren. Welke kleur heeft een meer als het regent, en welke kleur de regen? Hoe schilder je witte berkenbast in de sneeuw? Probeer het zelf maar eens en kom pas weer terug met commentaar als je het zelf beter kunt.'

Door het raam zag hij een dansend lichtje over het pad dichterbij komen. Wolfgang droeg twee grote dozen in zijn armen en had een zaklantaarn tussen zijn tanden gestoken. Nog voor hij bij de veranda was, zwaaide Andreas de deur open.

'Kom binnen, jongen!' En voor het eerst besefte hij dat hij nu écht een eigen huis had in Canada – zíjn huis, waar hij gasten kon verwelkomen en ze de deur kon wijzen als hij daar zin in had, en waar hij weliswaar niet zoals vroeger in Rothenburg in de weer was met fonkelende flessen wijn, rinkelende glazen en schaaltjes met olijven en Italiaanse worst, maar waar hij toch een ketel met water kon opzetten en kon zeggen: 'Heb je trek in thee? Dan maak ik wat.'

Wolfgang zette de dozen neer en porde in de kachel. 'Lekker warm heb je het hier.' Hij keek rond. 'Dat je die dingen nog hebt,' zei hij toen hij de twee schilderijtjes zag. 'Ik dacht dat je die allang had weggedaan.'

Andreas klopte hem op de rug. 'Natuurlijk niet, jongen, hoe kom je daarbij? Het zijn machtig mooie dingen die je daar hebt gemaakt. Als je mijn eigen kind niet was, zou ik zeggen: je bent een wonderkind.'

Ze lachten, licht gegeneerd, en dronken thee uit gebloemde Meissen-kopjes zonder schoteltjes – want die zaten nog in de dozen die in het grote huis stonden. Wolfgang op de pianokruk en Andreas op de rand van het bed. Ze hielden hun handen om de thee geklemd en luisterden naar een steenuil op jacht in de verte, ze hoorden de wind ruisen in de toppen van de bomen, ze hoorden de houten balken van het dak kraken en soms hoorden ze elkaar blazen over de rand van hun kopjes heen.

'In deze doos zitten je muziekboeken,' zei Wolfgang ten slotte. 'Zal ik die op het kastje naast de vleugel leggen?' En terwijl Wolfgang de pianosonates van Beethoven, de etudes van Chopin, de *Waldszenen* van Schumann, Mendelsohns *Lieder ohne Worte* en natuurlijk alle aria-boeken van Elisabeth uitpakte, ook de boeken waaruit ze allang niet meer zong maar die ze had moeten instuderen op het conservatorium in Würzburg, controleerde Andreas de andere doos. Hij keek of alles wat hij in er in Tierberg aan documenten in had gestopt, nog was.

'Zeg, wil je de aria's en liedboeken apart?' vroeg Wolfgang. Andreas keek op. 'Ja, doe maar, en alfabetisch graag.'

Hij keek toe hoe Wolfgang de boeken ordende. 'Die bovenop,' wees hij. 'Ho ho, voorzichtig, ik wil geen ezelsoren.'

Andreas stond op en pakte de stapel van het kastje. 'Laat maar, jongen,' zei hij. 'Ik doe het straks zelf wel.' Hij stond op, pakte de lege kopjes en zette ze op het aanrecht. Hij maakte geen aanstalten om bij te schenken.

Wolfgang stond op. 'Goed,' zei hij, 'dan ga ik er maar eens vroeg in.' Hij pakte zijn zaklantaarn en liep met een korte groet de deur uit.

Andreas staarde zijn zoon door het raam na, net zolang tot het licht van de zaklantaarn in het donker was verdwenen en in het grote huis een lamp aanging. Hij legde de muziekboeken weer terug op het kastje.

Toen leegde hij de doos met documenten. Hij controleerde of alles wat hij in Rothenburg in de doos had gestopt, er nog was. Hij vond zijn ariërverklaring, zijn Russische geboortebewijs, Elisabeths lidmaatschapskaart van de Duitse Vereniging van Rozenkwekers, hij vond foto's, de map met recensies van Elisabeth, ansichtkaarten van zijn moeder uit Mostar, Odessa, Lemberg, Boedapest.

Hij draaide een van de ansichten om. Hij las: 'Vandaag werd ik wakker met het eerste deel van het tweede thema van Bruckners *Zesde* in mijn hoofd. De bassen, hoor je hoe mooi ze wandelen?'

En om te verduidelijken wat ze bedoelde, had zijn moeder notenbalken getekend, met daarop de maten van het eerste deel van het tweede thema van Bruckners *Zesde*.

Leonore, Gabriele en hij vroegen thuis aan elkaar: 'Hoe gaat het met mamma? Wat schreef ze?'

Je neuriede een stukje Bruckner of iets anders als antwoord. Dan wist de ander precies hoe mamma's humeur was.

Hij nieste. Hij rangschikte alle documenten chronologisch en borg ze op in de laatjes van zijn bureau, van linksonder naar linksboven, van rechtsonder naar rechtsboven. Links: Jekaterinoslav, Sonnenberg, Hauenstein. Rechts: Langenburg, Rothenburg. Alleen het laatje voor Black Creek was nog leeg. Hij moest eraan denken Wolfgang om de koopakte te vragen.

Hij neuriede: 'Torentje, torentje bussenkruit, wat hangt eruit? Een gouden fluit, een gouden fluit met knopen. Torentje is gebroken.' Hij begreep niet hoe hij ineens op dat rare, Hollandse liedje kwam. Gabriele zong het wel eens voor de kinderen als ze uit Holland over was op Hauenstein.

'Torentje is helemaal niet gebroken,' zei hij hardop en schoof alle laatjes van de secretaire dicht. 'Torentje wordt steentje voor steentje opnieuw opgebouwd. Beter, stralender, sterker dan torentje ooit geweest is.'

'Da's jouw kracht,' had Elisabeth een keer tegen hem gezegd. 'Je positieve blik, ondanks alles.'

En dan vroeg hij verbaasd: 'Maar ondanks wát dan? Ik heb niks te klagen. Ik heb jou toch?'

'Dat bedoel ik nou,' antwoordde Elisabeth en kuste hem op de mond.

Hij poetste zijn tanden, met zijn hoofd schuin boven het zakspiegeltje dat hij op het aanrecht legde. Hij probeerde te zien of hij de haren van zijn snor en vooral die in zijn oren weer moest bijknippen. Hij plonsde het water dat Wolfgang in een emmer had klaargezet over zich heen en trok zijn pyjamabroek aan. Hoe koud het ook was, hij sliep altijd met bloot bovenlijf. Hij porde met de pook in de kachel, verspreidde de houtblokken zodat ze niet zouden wegsmeulen maar zouden uitdoven, en hij ze morgen opnieuw kon gebruiken. Hij vertrok zijn mond tot een geeuw, om na te gaan of hij moe was, en zo ja, hoe moe. Hij rilde, sprong in zijn nieuwe, schone bed en trok het dekbed op tot aan zijn kin. Op zijn rug staarde hij door het raampje naast hem naar de donkere, bewolkte hemel.

Hij stelde zich een koets voor met een palfrenier op de bok die 'Huu' riep tegen de paarden. Met een schok kwam de koets in beweging en hij ging mee. Hij zag Veronika lopen langs de kant van de weg, en kijk – daar liep Benno ook al. Hij zwaaide en riep: 'Stap ook in! Kom op, lieve kinderen, wat aarzelen jullie nou? Ga toch mee!'

Hij dacht, haast verwonderd, alsof hij het zich nu pas realiseerde, nu zijn nieuwe huis helemaal was ingericht: ja, ik mis ze. Ik mis ze toch echt heel erg. Een halve planeet van ze vandaan.

Hij miste de krullen van Benno, de kuiltjes in Veronika's wangen, als hij thuiskwam van het werk en zij in zijn armen sprong. Hij miste haar meisjeshanden die 's avonds in bed het kinderschaartje grepen en zorgvuldig alle vliegen en muggen die op de vensterbank van de meisjeskamer lagen aan stukken knipten – zo heel anders dan hij vroeger dacht dat meisjeshanden zouden doen. Vleugeltje links was één, vleugeltje rechts twee, en daar hebben we het kopje met de bolle ogen, dat was drie, en het achterlijfje vier. Veronika telde af in haar nachtponnetje en knipte, met het puntje van haar tong ingespannen uit haar mond. Hij miste zelfs zijn oudste, Friedrich, en de manier waarop hij zong.

Vroeger, dacht hij, vroeger ging 99 procent van mijn tijd op aan dingen die ik allemaal verschrikkelijk belangrijk vond. Ik inspecteerde de domeinen, plantte, kapte, verkocht, organiseerde jachten met buffetten in het gras als het moest, maakte tabellen van de oogst, eindeloos lange tabellen, hoeveel zomer-, hoeveel wintertarwe, hoeveel balen hooi, hoeveel aardappels en penen er van het land kwamen, en moeten we extra inkopen dit jaar?

Wat was hem van al dat werk op al die weekeinden en doordeweekse dagen, al die jaren, bijgebleven? Geen gebeurtenis drong zich op naast andere gebeurtenissen. Het was één reusachtige vogelvlucht. Als hij het zou willen beschrijven zou het amper een halve bladzijde beslaan.

Vanaf nu zou alles anders worden. Beter. Hij zou aardiger worden, geduldiger. Een mooiere toren bouwen. Daarom. Als er één ding was dat hij zich kon wensen, dan was het Benno en Veronika, dat ze kwamen. En dat ze wilden blijven, met hem en Wolfgang op Black Creek. Hij zou ze schrijven. Hij zou het ze zeggen.

'Geen bezwaar,' zei hij in zichzelf. 'Geen enkel bezwaar.'

Hij lachte. Hij voelde zich licht worden en warm van blijdschap. Hij dacht niet aan de scène die hij met Veronika had gehad op het vliegveld van Frankfurt. Hij dacht niet aan Benno – hoe hij altijd tot op de minuut bijhield hoeveel tijd hij aan hem besteedde en hoeveel aan Wolfgang en daar dan jaren later nog op terugkwam.

Dat, dacht hij, is toch het enige waarvoor je leeft. Het enige waarvoor ik altijd heb wíllen leven. Bloed van jouw bloed – als dat er is – zo dicht mogelijk om je heen. Hij draaide zich nog eens om in zijn nieuwe bed en viel toen in een diepe slaap, waar geen kinderen en geen bloed meer in voorkwam.

12

Er was zoveel te doen de eerste zomer dat ze elkaar nauwelijks spraken, en als ze spraken hadden ze het over prakti-
sche dingen. Terwijl Wolfgang zich bekommerde om de
waterleiding en de aanleg van een pomp bij de bron, schil-
derde Andreas het binnen- en buitenwerk van de huizen.

Ze genoten van het werk dat de ander had verricht. Ze
gingen bij elkaar kijken, van binnen naar buiten en weer terug, hoe het ervoor stond. Ze prezen elkaar, en als er even
iets tegenzat of moeilijk ging, hielpen ze elkaar met tillen,
sjouwen en steunen.

'Pas op voor je rug,' zei Wolfgang, toen zijn vader hem
hielp met het uitladen van een kruiwagen vol bakstenen.
Omgekeerd hield Wolfgang de ladder vast als Andreas iets
op een moeilijke plek hoog op zolder moest schilderen. En
als er geboord moest worden, riep Andreas Wolfgang om
hulp – want in boren was Wolfgang het handigst.

Aan het eind van de laatste schilderdag leidde Andreas
Wolfgang rond door het huis. Hij liet hem de woonkamer
zien met de grote kachel in het midden en de witgeschilderde schoorsteen daarboven. Hij opende keukenkastjes en
zei: 'Ruik eens hoe helder?' Hij nam hem mee naar de wc's
en de toekomstige badkamer, en zwaaide de deur open. 'Ta-
tatataaaaa!' en Wolfgang zei: 'Schitterend, dat wit! Alles lijkt
zoveel groter nu!'

En zo kabbelde hun leven voort.

Op een avond zat Andreas met twee brillen op in zijn bankboekje te kijken. Hij had een doos met brillenglazen naast zich op tafel, en soms pakte hij een glas eruit, schroefde een oud glas los uit een van de monturen die hij droeg en zette het nieuwe glas erin. In één bril, zag Wolfgang, zat maar één glas.

'Ik heb last van het licht als het schemerig wordt,' zei zijn vader. 'Nooit gehad, maar sinds een jaar of wat wel, weet je. Zo'n straal licht in dat ene oog van me is een gordijn van spetters. Kleine lettertjes als deze' – hij hield het bankboekje omhoog – 'gaan dan zwemmen.'

Hij keek zoekend rond.

'Daar ligt je potlood,' wees Wolfgang.

Op een blaadje papier krabbelde zijn vader getallen.

'Wat doe je?' vroeg Wolfgang.

'Er is honderdvijftigduizend mark over van Rothenburg.'

'O,' zei Wolfgang. Hij stond voor het aanrecht aardappels te schillen en bedacht wat hij zou koken vanavond: hij had nog twee koude aardappels over van gisteren, een halve ui en wat prei. De kippen die hij in mei op de markt in Williams Lake had gekocht, waren goed aan het leggen. 'Ik maak omelet-aardappelpannenkoek vanavond,' zei hij. 'Lust je dat?'

'Stil nou even,' zei zijn vader. 'Zo maak je me in de war.'

Wolfgang schilde zwijgend door. Veel aardappels maar, dat gaf een goed gevuld gevoel.

Zijn vader telde hardop: 'Black Creek: dertigduizend dollar. De Ram Dodge: twaalfduizend. De Opel: achtduizend. De paarden met tuig, de kippen en schapen: zevenduizend.

'Dat valt allemaal best mee,' merkte Wolfgang op. 'Dan hebben we nog zo'n honderdduizend over.'

'Wat weet jij nou van geld? Heb jij ooit voor iets moeten sparen?'

Zijn vader rekende. 'De hele verhuizing moet er nog af. Dan moeten we die waterleiding nog aanleggen en de zonnepanelen. Ik wil een badkamer met ligbad en douche, twee wc's – eentje hier en een in mijn cabin – en in de bijkeuken een ijskast en een vrieskist. Een elektrisch fornuis. Geen gas, dat is te duur.'

Wolfgang zette de aardappels op, liep naar de bijkeuken, waar hij de gekookte prei van gisteren bewaarde, pakte een ui en drie eieren.

'Hoplakee!' riep hij toen hij terugkwam. Hij gooide de eieren een voor een de lucht in, draaide om zijn as, ving de eieren weer op en sloeg ze op de rand van de beslagkom stuk. 'Zag je dat? Zag je hoe goed dat ging?'

Zijn vader zat voorovergebogen over zijn papier.

'We zitten hier dan wel in de wildernis,' mompelde hij, 'maar daarom hoeven we nog niet als een stelletje wilden te leven.'

Hij ging rechtop zitten en zei tegen niemand in het bijzonder: 'We hebben gratis water, en voor niks schijnt de zon. We hebben hout uit de bossen, de beste klei uit de rivier. We kunnen álles bouwen wat we willen. Een paleis tussen de beren, met warm en koud stromend water, en de trapleuningen en balustrades versierd als thuis. En als Veronika of Benno komen' – hij lachte – 'dan zullen ze raar uit hun ogen kijken!' Hij zette zijn brillen af en masseerde met zijn duim en wijsvinger zijn neusbrug.

'O?' zei Wolfgang. 'Benno en Veronika? Komen die dan?'

Maar zijn vader viel hem in de rede. 'We bouwen het allemaal zelf en tegen de laagste prijs. We laten ons niet besodemieteren door de eerste de beste aannemer, loodgieter, timmerman of elektriciën. Als we de handen flink uit de mouwen steken, bouwen we ons eigen, ons eigen... Walhalla in het wild.'

Triomfantelijk: 'Zijn wij ooit bang geweest voor een beetje werk?'

Nee, nooit bang geweest.

Und setzt ihr nicht das Leben ein/ Nie wird euch das Leben gewonnen sein. Zijn vader zei het – tijdens de jacht, als hij ziek was, als Benno en hij uit moesten voetballen tegen Gera-bronn, Benno in het eerste en hij in het een-na-laatste, bij het gymnasium-eindexamen waarvoor hij pas de tweede keer slaagde. Zijn vader haalde Schiller voor alles en nog wat uit de kast, en dan wist Wolfgang dat het alles of niets was. Als je maar wilt, kun je alles. Want zo was het bij zijn vader ook gegaan.

Zijn vader schrok nergens voor terug. Toen Benno en hij vijftien waren, nam hij ze mee op reis naar Scandinavië. Terwijl de meeste vriendjes die zomer met hun vader en moeder in een bomvol autootje naar het Gardameer tuften en terugkwamen met rood verbrande ruggen en doodsaaie verhalen over steeds dezelfde slome strandjes, tankte hun vader de motor met zijspan vol, laadde de tent en drie rugzakken op, en zwaaide met zijn arm: 'Kom Benno, kom Wolfgang, wij gaan deze zomer eens bij de poolcirkel kijken.' Tegen moeder en Friedrich zei hij: 'Es tut mir wirklich leid, er kunnen er maar twee in het zijspan.'

En zo reden ze met zijn drieën weg uit Langenburg, joelend het avontuur tegemoet, net als de drie Heemskinderen lang geleden op het ros Beiaard.

Of het nou vroor, regende of alleen maar nat sneeuwde, al die weken kampeerden ze wild, groeven ze hun eigen wc, kookten ze op hun eigen vuur, wasten zich in meren en beken. 'Daar word je hard van,' zei hun vader. En hij liet zien hoe hard, want hij droeg altijd de zwaarste rugzak, en als ze een berg opliepen en deden wie het eerste boven was, stond hij altijd al lachend te wuiven op de top, als Benno en hij nog wel vijftig meter moesten. Hun vader sprong meteen in het water, hoe koud het ook was, en hij zwom het verste van allemaal, zo ver, dat Benno en hij bezorgd riepen: 'Kom terug, pappa! Niet zo ver!'

Wolfgang herinnerde zich de Strynefjell-pas, een heel eind in het noorden van Noorwegen. Ze hadden na de middagboterham de weg verlaten en reden zomaar wat in het wilde weg, want daar had hun vader zin in. Ze hobbelden langs bergen die nooit zonder sneeuw waren, langs meren waarvan het water vanwege de kou zo dik was als stroop. En toen ze hun tent opzetten was het al nacht, maar die nacht leek op de dag, zo diffuus licht was het overal.

De volgende ochtend maakte hun vader hen luid zingend wakker. *'Kennst du das Land, wo die Zitronen blüh'n?'*

Toen ze hun hoofd buiten het tentzeil staken, kregen ze ieder een sneeuwbal in hun gezicht. Wolfgang veegde de klonten uit zijn ogen en zag hoe zijn vader lachend en zingend zijn borstkas inzeepte met sneeuw. En hij vergat ook zijn hals, zijn nek en de donkere plekken onder zijn onderbroek niet.

'Kennst du es wohl?' zong zijn vader en hij maakte een gebaar met zijn armen alsof hij het landschap, de reusachtige fjorden, het gele gras, de meren en de lucht wilde omhelzen. *'Dahin! Dahin möcht' ich mit dir, o mein Geliebter, zieh'n!'*

Benno en hij struikelden naar buiten. Ze belaagden hun vader met sneeuwballen totdat deze lachend op zijn knieën om genade smeekte. Maar Benno kende geen mededogen, pakte een brok ijs en smeerde daar hardhandig vaders gezicht mee in.

Wolfgang herinnerde zich de man die met meerdere brillen op in zijn rekeningen zat te turen, altijd als zijn vriend. Niemand haalde het bij hem – Benno niet, de vrienden uit München niet, vrouwen niet, moeder niet.

Hij deed een stukje boter in de pan en wachtte tot het niet meer siste. Toen liet hij het beslag van de aardappelkoek in de koekenpan glijden en wachtte tot de onderkant bruin was. Hij dacht aan zijn zus en zijn broer. Als hij aan één ding niet wilde denken, dan was het aan Benno en Veronika – dat ze hier naartoe kwamen. Veronika had een veel te slechte conditie – met haar bloeddruk zou ze nog niet naar het kippenhok op de heuvel kunnen lopen zonder een beroerte te krijgen. En Benno was Benno was herrie.

Zijn vader had inmiddels drie brillen op. Hij hield zijn linkerhand voor zijn linkeroog en keek recht in de lamp die voor hem op tafel stond. Toen haalde hij zijn hand weg, tuurde nogmaals in de lamp en bracht zijn hand weer voor zijn oog.

Zijn vader besloot dat ze het zuinig aan moesten doen. 'We weten niet of we ooit nog geld binnenkrijgen,' zei hij, 'of dat dit het is waarmee we het moeten doen.' Hij wapperde met het bankboekje.

Sputterend ging Wolfgang akkoord. Zolang hij zich kon herinneren, had zijn vader moeilijk gedaan over geld – alsof het er nooit was geweest en ze altijd op de rand van het faillissement balanceerden. Alleen af en toe had moeder geld mogen uitgeven aan kleren voor hen, en dan alleen maar kleren die je bij de allergoedkoopste winkel uit de streek kon kopen. Geld daarentegen voor antieke prullen, voor de motor en de auto was er altijd in overvloed.

Op Black Creek moest al het kartonnen verpakkingsmateriaal zorgvuldig van plastic en stickertjes worden ontdaan en in de bakken met aanmaakhout en oud papier naast de kachels gelegd. Theezakjes gingen drie keer mee en als er nog koude thee in de pot zat, warmde zijn vader die eerst op. 'Weggooien is zonde,' zei hij. De plastic bakjes waarin Wolfgang bij de Saveway in Williams Lake kwark, smeerkaas en smeerworst kocht, stapelden zich op in de kasten. Op den duur had Wolfgang meer bakjes om kliekjes in te bewaren dan pannen in de kast. En wat er echt niet meer bij kon, ging naar de schuur en werd gevuld met schroeven en moeren, stukken oud plastic, spijkers en potloodstompjes.

Zijn vader, die alle woorden op zijn Duits uitsprak, zei: 'Helemaal self-suffizient moeten we worden. Dat is mijn droom.' En Wolfgang knikte, want hij wist dat dit de droom van zijn vader was.

In september kwamen de vliegen en Wolfgang zei dat dat het begin van de herfst was. Ze kwamen van hoog in de Cariboo Mountains, en stortten zich in dikke zwermen naar beneden. Het was hun laatste stuiptrekking, zei Wolfgang, voordat de winter zijn asem over ze heen zou blazen.

Andreas wist niet wat hij meemaakte. De ramen van het grote huis en zijn cabin zagen eruit alsof er donkere lappen voor hingen. Maar als je van dichtbij keek, zag je dat het groen en geel krioelde, parelmoer als de zon op de vleugels scheen. De vliegen kropen door het kleinste gaatje naar binnen, gingen in zijn eten zitten, zijn haren, zijn mond. Ze maakten hem onrustig, woedend. Hij stampvoette als de paarden en de schapen in de wei.

Hij hing vliegenstrips op in de stallen. Hij timmerde dubbele hordeuren. Hij plaatste horren voor elk raam, en toch wisten de beesten naar binnen te kruipen. Bij Saveway in Williams Lake schafte hij een set vliegenmeppers aan, maar toen hij deze in één dag allemaal doormidden had geslagen, besloot hij zijn eigen meppers te maken, met een oude zool aan het uiteinde van een dikke, zwiepende wilgentak.

'Leg je er toch bij neer, pappa,' zei Wolfgang, die het geluid van de vliegenmepper beu werd, en vooral de bewegingen die erbij hoorden. Het eten met de vliegenmepper naast zijn bord, zijn vader die woest op tafel sloeg, de potjes die omvielen, de etensbakken van de poes die door de keuken vlogen, en altijd en overal die spiedende blik. Zelfs buiten op het erf.

'Hou op. Je kunt ze toch niet allemaal doden,' zei Wolfgang. 'Heb nou eens een beetje geduld. Over drie weken leggen die beesten het loodje.'

Maar Andreas had geen geduld. Hij gromde en sloeg in één klap drie vliegen dood die zaten te zonnen op de muur van het huis.

In september ging Andreas met het land aan de slag. 'We gaan planten voor de toekomst,' zei hij. 'Het klimaat mag hier dan bar zijn, maar niet zo bar dat er alleen maar donkere naaldbomen willen groeien. Als de grond maar goed is, jongen. Dan lopen we over tien, twintig jaar rond in de tuinen van het paradijs.'

En hij vertelde van Hauenstein, dat het daar ook bar was geweest, zoals het overal in het Ertsgebergte bar was, met oostenwinden die zo uit de Russische toendra's kwamen aanblazen tegen de bergen van Noordwest-Bohemen op. Ook op Hauenstein, vertelde hij, hadden in het begin alleen maar sparren en dennen gestaan.

Hij vertelde hoe hij hakte, knakte en uitrukte, soms brandde hij hele delen van percelen af en plantte daar loofbomen. Hij beplantte een helling vol magnolia's – in de lente veranderde die in een deken van wit en purper. Hij plantte bomen die tegen een temperatuur van min vijftig konden. Hij kweekte bomen op die uit de Himalaya kwamen, bestelde sequoia's in Engeland, hij plantte ginkgo's, bomen met vierkante en met ronde stammen. Hij plantte bomen die in een mensenleven nooit groter zouden worden dan twee meter, en bomen met stammen van meer dan zeventig meter hoog.

Wolfgang knikte, maar hij herinnerde zich Hauenstein nauwelijks, en zeker de bomen niet. Hij herinnerde zich een ridderkasteel, met kantelen en twee torens die hoog boven de bomen uitstaken, en zijn moeder die zei: 'Wee je gebeente als ik jullie daar vind.' Want op het kasteel woonde de graaf en werkte pappa en daar mochten de kinderen niet komen. Hij herinnerde zich een groot huis midden in een bos waar hij met zijn vader en moeder, zijn broers Friedrich en Benno, en met Wasja uit Minsk woonde. Maar het beste herinnerde hij zich het machinegeweer.

Friedrich vond de insignes met de doodshoofden en de adelaars. Maar Benno vond het machinegeweer. Het was geladen, het magazijn zat vol patronen, en het was weggegooid tussen de zuring en de brandnetels langs de weg naar Schönberg. Benno keek om zich heen en sleepte het weg. Hoewel Wolfgang en Benno pas vijf waren, wisten ze alles over vasthouden, richten en schieten. Ze hadden vader al zo vaak op wilde zwijnen zien mikken, op herten, reeën, en vooral op eekhoorns. Die spatten uit elkaar als hij ze raakte. Pats! Het leek op de grijze ballonnetjes die Wolfi uit de vacht van de honden plukte en tussen zijn vingers liet knappen. Friedrich zei dat het spinnetjes waren die zich vastzogen in de huid van een beest, maar Friedrich was gek. Het waren ballonnetjes van bloed.

Het was ergens in april geweest, en pappa schold op de eekhoorns, want zij vraten de knoppen uit de fruitbomen. Hij zei dat het boomratten waren. En met ratten mocht je alles doen, behalve opeten.

Daarom gingen Benno en hij stiekem met het machinegeweer naar de boomgaard, en toen zijn broer zo'n spits kopje om een stam zag gluren, drukte hij af. Hij raakte alles behalve de eekhoorn, hij schoot takken uit de bomen, verwondde een kraai aan de vleugel, en toen het geweer terugsloeg, viel hij achterover. 'Oef,' zuchtte Benno terwijl hij overeind krabbelde en zijn broek afklopte, 'had Friedrich dit maar gezien.'

Ze tilden het machinegeweer op en sjouwden het terug naar huis. Ze riepen trots: 'Pappa, mamma, kom eens kijken!' Maar alleen hun moeder Hannelore kwam. Ze greep hen bij de oren en trok ze mee naar de waskeuken. Ze had vingers als bankschroeven. Wolfgang moest op zijn knieën op de tegelvloer en Benno ernaast. Ze pakte een pollepel uit de la, hun mouwen werden opgestroopt en moeder sloeg alsof ze een breipatroon aan het uitrekenen was, één rechts één averechts, van boven naar beneden, de striemen over de armen verdelend. Ze hield pas op toen Benno en hij snikkend voor haar op de grond lagen.

Moeder stopte. Ze wiste de zweetdruppels van haar voorhoofd, liep naar de gootsteen, waste de pollepel schoon en legde hem terug in de la.

Ja, dacht Wolfgang, moeder heeft er flink op los geslagen. En Benno zei later: 'Waarom deed pappa niets? Hij heeft toch alles gehoord?'

Wolfgang en Andreas stonden op het hoogste punt van Black Creek en keken omlaag over het grote huis, de cabins, de grindweg naar Horsefly, het pad langs de beek, de graslanden met de rotsen, en het moeras met de opschietende wilgen en kromgetrokken elzen.

'Kijk,' wees Andreas naar de Douglassparren die zich vanuit het bos hadden uitgezaaid in het weiland: 'We hoeven niet het godganse jaar tegen het groen van die sparren aan te kijken. We kunnen net zo makkelijk voor meer kleur zorgen. Waarom groeit hier geen Noorse esdoorn? Ik wil die rode gloed om me heen in de lente. Waarom planten we geen zilverpopulieren en haagbeuken om ons land? Dat is een prachtige natuurlijke begrenzing, veel mooier dan draad of hekken, er kunnen vogels in nestelen en we laten er klimop doorheen groeien voor de kleur.'

Andreas wilde snel groeiende paardenkastanjes in het veld, als blikvanger en beschutting voor de dieren. Hij wilde toverhazelaars voor in de winter, walnoten, een kersenboom en een ouderwetse goudreinet in de luwte van het huis. Een geurige jasmijn op een beschaduwde plek en een blauwe regen voor over de veranda's. Hij wilde scheerlingsdennen langs de oprit, want die hielden het stof van de zomer goed tegen en gaven hem een veilig gevoel, met hun takken als wijduitgespreide handen. Hij wilde een fiere hemlockspar rechts van het grote huis en een jadekleurige zilverspar links. Hij wilde oranje siererwten, tulpen en narcissen, aardappel- en rabarberplanten voor in de moestuin, frambozen, een kas met tomaten en druiven.

Hij somde bomen op waarvan Wolfgang opmerkte: 'Maar die groeien veel te langzaam. Boompje groot, plantertje dood.'

Andreas luisterde niet. Hij wilde bomen planten.

Maar voordat hij kon planten, moest hij weten wat er in de grond zat. Hij spitte de aarde op zes plekken om. Op het vlakke stuk tussen de cabins, het kippenhok en het grote huis vond hij zand en kalksteen. Verder naar beneden langs de beek vond hij leem met rotsen. Op de terrasvormige stukken in de wei was de grond het vruchtbaarst. Hij duwde zijn neus in een hand met aarde en snoof de matte geur van klei op, vermengd met bladeren en ander sediment dat van de hellingen naar beneden was gespoeld. Hij liep met de schop in zijn hand verder naar beneden. In de drassige gedeelten in de richting van de rivier vond hij zware klei. Ze kleefde in grote grijze brokken aan de spade. Vruchtbaar, maar ondoordringbaar.

Hij rooide de brandnetels en de distels, vermengde de aarde met koemest en spitte die twee steken diep om. Langs de moestuinen plaatste hij schuttingen, niet zo hoog dat ze al het licht wegnamen, wel zo hoog dat ze bescherming boden tegen de wind. En toen begon hij aan het bos.

'Er staat te veel te dicht op elkaar,' zei hij. Hij wilde eiken tussen de sparren, hij wilde elzen en berken, en op sommige plekken, in een heuvelkom bijvoorbeeld, wilde hij beuken – rode.

Met Wolfgang ging hij een hele week op zoek naar kwekers. Maar hoe ze ook zochten, hoe ver ze ook reden over de grijze grindwegen in hun omgeving, ze vonden alleen maar naaldboom-plantages. Toen Wolfgang hun buurman Joseph ernaar vroeg, krabte deze op zijn hoofd: 'De mensen hier zijn toch allang blij als ze het gras op tijd van het land hebben? Die denken niet aan botanische toestanden.'

Andreas schreef een brief naar de universiteit van Vancouver, naar de faculteit voor bosbeheer. Onder aan de antwoordbrief die hij kreeg stonden twee adressen, een van een kweker in Kamloops, de andere van een boomkweker ver in het zuiden, in de Okanagan vallei. Maar de man die terugschreef, raadde hem af de bomen die hij op zijn lijstje had staan te planten.

'Op uw noorderbreedte overleven ze nooit,' schreef de man. ''t Is er te hoog en te lang koud. U komt uit Europa, dus u weet dat niet. Maar wist u dat hier soms hele percelen sparren in één keer knappen van de vorst? Met temperaturen onder de vijftien graden Celsius en de droge wind uit Alaska erbij, garandeer ik u dat uw arboretum ten dode is opgeschreven. Het spijt me zeer. U verdoet uw tijd.'

Maar Andreas liet zich er niet door van de wijs brengen. Hij liep naar buiten naar Wolfgang die schrijlings op het dak van het grote huis zonnepanelen installeerde.

'Hoezo verdoe ik mijn tijd?' riep hij naar zijn zoon. 'Lopen ze hier achter of zo!?'

'Wat?' Wolfgang keek op: 'Wat zeg je?'

'Ik zei,' riep hij, en vouwde zijn handen als een spreekbuis voor zijn mond, 'dat we er in Europa allang achter zijn dat percelen met maar één soort de pest is voor een bos!' Hij maakte een beweging met zijn hand langs zijn keel: 'Tsjakk, één keer de processierups of de dennespanner erdoorheen, en al die bomen zijn weg.'

Wolfgang knikte en stak zijn hand op: 'Oké,' riep hij, 'begrepen!'

Andreas beende terug naar zijn cabin. Hij verfrommelde de brief tot een prop en gooide die in de kachel. Maar niet dan nadat hij eerst de adressen van de twee kwekers met zijn potlood in zijn notitieblokje had opgeschreven.

13

Ze zaten rond de kachel in het grote huis, pantoffels aan. Zacharias, het katje dat op een avond was komen aanlopen, lag bij Andreas op schoot. De wind rukte aan de luiken en huilde in de schoorsteen. Wolfgang hoorde de bomen kraken. 'Er kan er toch geen omgaan?' vroeg hij. Maar Andreas peuterde onverstoorbaar in zijn kiezen.

Wolfgang pakte een boek. Zijn vader had moeite met kleine letters, maar weigerde zich een nieuwe bril aan te laten meten bij de opticien in Williams Lake.

'Het gaat best,' zei hij. 'Ik heb geen last van mijn ogen, hoor. Hoe kom je erbij?'

'Lariekoek,' zei Wolfgang. 'Als je zo goed kunt zien, waarom moet ik je dan voorlezen?'

Zijn vader mompelde: 'Lees nou maar.'

Bij de oude dichters voelde Andreas zich thuis. Hun gedichten over tovenaarsleerlingen, kerkhoven met dode geliefden, nachtegalen en door elzenkoningen ontvoerde kinderen liet hij met gesloten ogen op zich inwerken. Maar bij schrijvers van een jongere generatie werd hij onrustig en plukte geïrriteerd aan zijn stoel.

'Wat willen die jongens?' vroeg hij korzelig. 'Ik herinner me iets zus, jij weer zo. Ik doe dingen om redenen die ik belangrijk vind, jij weer om andere redenen. En achteraf is het altijd makkelijk praten. "Oh? Stond jij aan de andere kant van het prikkeldraad? Wat ben jij een schoft zeg."'

'Ik denk,' zei Wolfgang, 'dat die schrijvers dat juist be-
doelen. Ik herinner me dat iemand schreef: "Wij hebben
geen wolhltemperierte Klaviere nodig. Wij zijn zelf te veel
dissonant."'

'Quatsch,' zei zijn vader, plotseling boos. 'Ze willen ons
alleen maar aan de schandpaal nagelen. Dat is wat de mensen altijd willen. Zondebokken aan hun oren door de straten slepen en aan het eind – hupsakee – het ravijn in.' Hij
duwde Zacharias ruw van zijn schoot, klopte de haren van
zijn broek en nieste. Het was alsof er een schot klonk.

'Kom maar,' zei Wolfgang tegen het katje dat anderhalve
meter verderop was gaan zitten en beledigd Andreas fixeer-
de. 'Kom maar bij mij, kleintje.'

Toen Zacharias zich weer had geïnstalleerd, zei Wolfgang: 'Zo zwartgallig moet je dat helemaal niet bekijken.'

Andreas schudde zijn hoofd, maar Wolfgang zag het
niet. Hij keek naar Zacharias die met zijn bek halfopen en
zijn ogen dicht lag te spinnen. 'Als je het mij vraagt...' vervolgde Wolfgang traag, 'dan denk ik dat het bij jouw Parteigenossen misging, omdat jullie... omdat jullie een minder-
waardigheidscomplex hadden. De Tsjech was heer en
meester... en jullie niet. Toen kwam de Wehrmacht en zagen jullie je kans schoon.'

'Wij waren geen Parteigenossen!' De stem van Andreas
schoot omhoog. 'Wij samen met die Duitse bruinhemden?
Dat kwam niet in ons hoofd op. Dat wilde Konrad niet, en ik
ook niet. Schaam je dat je zoiets zegt.'

Andreas klapte zijn mond dicht en probeerde zich te beheersen, diep in en uit via het middenrif. Hij keek naar z'n
polsen en z'n handpalmen, sloeg na een lange stilte zijn
handen in elkaar en zei: 'Hup. Lees nou maar. Zitten we als
een stelletje oude wijven onze tijd te verkletsen.' Maar toen
Wolfgang zijn boek weer oppakte, stond hij bruusk op:
'Even plassen.'

Hij bleef lang weg en toen hij terugkwam, waren zijn
ogen rood. 'Elisabeth ging dood en ik moest in mijn eentje

rouwkaarten schrijven, de kist uitzoeken, de tekst op haar grafsteen bedenken. Benno en Veronika hadden het druk met hun werk. Ik neuriede de liedjes die Friedrich vroeger zong: "Es fährt ein Schiff auf dem Strom der Zeit, in die strahlende Zukunft hinein. An Bord steh'n wir, die Hitler Jugend bereit!" Dankzij die liedjes stroomde er weer energie door me heen, was het niet alleen maar grauw en depressief. Dan kreeg ik heel even dat oude gevoel van: pats, daar gaan we kameraden. Of neem Wasja! Wasja was eind 1942 aan ons toegewezen om je moeder te helpen. Wasja was pas zeventien maar ze klaagde nooit, had nooit heimwee naar haar vader en moeder in Rusland, ook al was ze niet uit vrije beweging van huis weggegaan. Wasja woonde bij ons in, ze had een mooi kamertje naast jou en Benno, dat ik zelf nog behangen heb.'

Wolfgang legde zijn handen in zijn nek. Gaan we weer, dacht hij.

'Wasja was net een oudste dochter,' zei zijn vader. 'Daarom at ze mee aan tafel. Daarom trok je moeder haar de dirndls aan waar ze zelf was uitgegroeid. Sommige boswachters en vrienden spraken er schande van – "Je trekt zo'n Russische hoer toch geen Duitse kleren aan?"'

Wolfgang onderdrukte een gaap: 'En na de oorlog,' zei hij, 'is ze in de Sovjet-Unie meteen naar de Goelag doorgestuurd, en haar hele familie erbij.'

Andreas viel stil, slikte. Wolfgang zag zijn adamsappel bewegen in z'n keel. 'Daar weet je niks van!' zei zijn vader plotseling, stond op en verdween naar de keuken.

Wolfgang hoorde hem rommelen in de kasten en tussen de spullen op het aanrecht.

'Wat zoek je?' riep hij.

'Waar ligt die chocolade die we laatst hebben gekocht?'

'Onderste kastje!'

Zijn vader kwam terug met twee lege wikkels in zijn hand. Hij zei met volle mond: 'Zulke dingen mag je niet zeggen als je het niet honderd procent zeker weet.'

'Ach,' zei Wolfgang zacht en tuurde naar de balken van het plafond. 'Zulke dingen wéét je toch wel?'

'Wat zeg je?' vroeg zijn vader smakkend. 'Ik versta je niet, praat eens wat harder.'

'Jij en moeder,' zei Wolfgang luider, 'hebben na de oorlog jaren geprobeerd om contact met Wasja te krijgen. Jullie stuurden brieven met foto's van ons, en wij moesten met zijn allen tekeningen maken. Jullie stuurden kleinigheidjes, een stuk zeep of een halfpond suiker en een paar kousen. En moeder vertelde altijd dat van het adres dat Wasja haar had gegeven nooit antwoord kwam. "De bewoners van 186 Leninski Prospekt, huis 15, appartement 42, zijn van de aardbodem verdwenen." Dat zei ze en snoot haar neus.'

Zijn vader propte de chocoladewikkels in zijn zak, peuterde met zijn vinger een stuk chocolade tussen zijn kies vandaan, smakte nog een keer, keek om zich heen, naar de roodgloeiende kachel, naar de schapenvachten op de grond. Hij ging zitten en zweeg.

'Ik vind het gewoon raar dat niemand dat zag aankomen,' zei Wolfgang. 'Dat niemand op het idee kwam om...' Hij wilde vragen: Jij kende toch alle paadjes door het bos als je broekzak? Maar hij durfde niet. In plaats daarvan vroeg hij: 'Heb je de klok nog opgewonden vandaag?'

'Eh, nee.'

'Weet je hoe laat het is?'

'Tien over half.'

'Tien over half wat?'

'Tien.'

Wolfgang stond op om de klok op te winden. De ketting maakte een ratelend geluid toen hij het gewicht van de klok naar boven trok. Hij herinnerde zich de brief die hij een week eerder van zijn zus Veronika had gekregen. 'Hoe serieus is dat plan van Pa, Wolfi?' vroeg ze. 'Ik krijg er geen hoogte van, ook niet in de brieven die hij schrijft. Het lijkt wel alsof hij mijn brieven niet leest, want ik krijg nooit ergens antwoord op. En hij blijft maar doorpraten over dat plan van hem. Het lijkt alsof hij alles al helemaal heeft uit-gepuzzeld, van waar we gaan wonen en wie er kookt (ik dus) en naar welke school de kinderen zullen gaan. Het idee om met zijn allen naar Canada te verhuizen en daar met z'n al-len samen te leven, zit in zijn hoofd gebakken. Kun jij niet eens uitvissen wat hij eigenlijk voor verwachtingen heeft? Als jij het hem nou eens voorzichtig vraagt, Wolfi? Jij kunt dat zo goed. Jij weet als geen ander hoe pappa is.'

Wolfgang dacht: jaja, ik weet hoe pappa is. Hij wil alles tegelijk en dan nog is het niet genoeg. Van zijn één in zijn vijf, en dan boos zijn dat de motor afslaat.

Toen hij weer terugliep naar zijn stoel bij de kachel, maakte zijn vader een gebaar alsof hij de lucht aaide: 'Ssst. Luister, een uil.'

Wolfgang ging zitten en luisterde naar het hoge, zangeri-ge geluid van een uil in de verte.

Hij haalde zijn neus op en zei: 'Ik kreeg trouwens een brief van Veronika vorige week.'

'O?' zei zijn vader. 'Mij schrijft ze alleen met mijn ver-jaardag een ansicht.'

'Ze vertelde over het opknappen van het nieuwe huis in Karlsruhe. Het wordt heel mooi. De muren van de toren zijn anderhalve meter dik, maar vochtig. Veronika heeft ze voor een kapitaal laten isoleren. Boven in de torenkamer heeft ze een badkamer gebouwd. Ze kan vanuit haar bad de duiven voeren. Wat vind je daarvan?'

Wolfgang lachte, maar zijn vader lachte niet mee.

'Ze nodigt ons uit, over een paar maanden, om te komen kijken.'

'Nee,' zei zijn vader. 'Ik ga niet. Ik heb daar niks te zoe-ken. Ga jij maar, als je per se wilt.'

Wolfgang schudde zijn hoofd. 'Ik laat jou hier niet alleen met alle dieren en het werk op het land.' Hij pauzeerde even. 'Ze vroeg ook nog hoe serieus ze dat plan van jou moest nemen.'

'Ik weet van niks. Welk plan?'

'Dat weet je best,' hield Wolfgang vol. 'Je hebt haar vaak geschreven, zegt Veronika. Brieven vol. Over iets dat je van plan bent of graag zou willen. Dat Benno en zij ook naar Black Creek komen. Dat we hier met zijn allen weer samenwonen zoals vroeger op Hauenstein en Langenburg, maar dan zonder moeder. Veronika zegt dat je alles al tot in de puntjes hebt uitgedacht.'

'O, dát.'

Er viel een stilte.

'Ik begrijp niet,' zei zijn vader, 'dat Veronika mij niet zelf heeft geschreven.'

'Pappa, daar gaat het nu niet over,' zei Wolfgang.

'Als ik erover nadenk is het godgeklaagd, dat je eigen dochter je niet eens meer zelf een brief schrijft.'

'Het zou níet gezellig zijn,' zei Wolfgang.

Zijn vader sloeg met zijn hand op de leuning van de stoel: 'Ik vind het gewoon laf. Wat een slap gedoe. Je sloof je voor ze uit, en wat krijg je als dank? Precies.'

Het was halfelf, toen zijn vader naar zijn cabin ging. Het was geen lange avond geworden en Wolfgang bedacht hoe raar het ging de laatste tijd. De woorden die ze onder het werk tegen elkaar zeiden, waren praktisch en nuttig. Maar binnenskamers klonken ze hard en lelijk, net als de woorden die Wolfgang gebruikt had bij het opknappen van de huizen en de schuren: woorden als zwaaihaak, klauwplaat en afbijten.

Wolfgang kon er de vinger niet opleggen, hij kon niet precies zeggen: daar gaat het gesprek de verkeerde kant op, dat is om die en die reden, en de volgende keer pak ik het op dit of dat punt anders aan. Het leek wel alsof hij iedere keer met hetzelfde sukkelgangetje dezelfde foute afslag nam en er niet in slaagde om te keren.

Hij dacht aan de knieën van zijn vader. Hij herinnerde zich hoe hij zich als kleine jongen onder het skieën vastklemde aan die knieën. Zijn vader, die riep: 'Sta je goed kereltje? Hou je vast. Daar gaan we!'

Zo suisden ze de helling af: hij en zijn vader op één paar ski's. Wolfgang wist nog hoe hij soms omgedraaid stond, met zijn rug naar voren, en dat hij hangend tussen de benen van zijn vader de sporen van de ski's in de sneeuw zag, de lijnen evenwijdig aan elkaar, de grote slaloms die ze maakten, en de sneeuw die als poedersuiker alle kanten opstoof. De wereld, die achterstevoren veel opwindender en veel verrassender was.

DEEL VIER

Dag huis

14

Andreas rende de berg op naar het kasteel. De graaf was er niet, al meer dan twee jaar niet.

'Hij zit aan het oostfront,' zeiden hij en Hannelore als iemand ernaar vroeg. Ze waren er meesters in om tegenover elkaar te doen alsof er niks aan de hand was. Ze deden alsof de graaf de Wolga allang met succes was overgestoken, ook al hadden ze sinds de winter van '43 niets meer van hem vernomen en wist iedereen dat het na Stalingrad bergafwaarts ging.

Ze deden alsof ze niet naar de radio luisterden, behalve dan naar de weerberichten. 's Avonds tijdens het broodeten zeiden ze soms tegen elkaar: ''t Is mooi weer in de Sovjet-Unie, gelukkig voor meneer Friedrich.' En als de voorspelling alleen maar vorst en sneeuw was, zei Hannelore: 'Ik zal deze week nog een hemd voor hem breien.' Iedereen op Hauenstein deed alsof de graaf in de Sovjet-Unie nog volop in touw was, terwijl ze allemaal wisten dat dat zo goed als onmogelijk was.

Zeker na die koude nacht van 13 op 14 februari, toen het in de verte zo hard knalde dat ze overeind schoten in hun bed en Andreas nog op pad ging, ook al was Hannelore bang en zei ze dat hij niet moest gaan. Hij trok zijn flanellen pyjama uit en zijn kleren aan. Beneden in de bijkeuken knoopte hij zijn bergschoenen dicht, pakte zijn wanten en zette zijn bontmuts op. Hij deed de keukendeur open en ademde, met zijn voet al op de drempel, in een opwelling een dikke ijsbloem van het glas. Hij deed zachtjes de deur achter zich dicht.

Hij kende alles daarbuiten, ieder pad, iedere laaghangende tak, iedere greppel. En hij was niet bang, niet voor het donker, niet voor wilde dieren, niet voor moerasheksen, elfenkoningen en dwaallichten. Hij had zijn hertshoornen jachtmes aan zijn koppelriem hangen, de Sauer op zijn rug.

Langs de beek liep hij een halfuur bergopwaarts. Bij een omgevallen boom die de fruitplukkers 's zomers als bank gebruikten, sloeg hij linksaf. Hij kwam snel hoog. De bomen stonden hier dicht op elkaar, de stammen waren begroeid met baardkorstmos en de kronen staken scherp af tegen de hemel.

'Vreemd licht,' mompelde hij en keek naar de lucht. Als hij een boek bij zich had gehad, had hij kunnen lezen.

Er blies een schrale oostenwind, die de wolken boven zijn hoofd opjoeg. Op het moment dat een van die wolken scheurde en de maan de kans kreeg om voluit te schijnen, zag hij door de stammen van de bomen de Fuchsspitz.

De houten uitkijktoren stond aan de rand van een glooiend veld dat hij twee jaar geleden had laten rooien om de bomen eromheen licht te gunnen. De toren was een karkas, een decorstuk, een monnik op een dodenakker. Als hij wilde zwijnen en herten vanaf hier observeerde, had Andreas nooit zulke gedachten. Waarom nu dan wel?

Hij beklom de dertig treden van de ladder, haalde zijn verrekijker te voorschijn en keek naar het noorden. Hij zag een reusachtige piramide oprijzen, een geweldige kerstboom van gekleurd licht. Hij hoorde donderslagen en dacht aanvankelijk aan onweer, gewoon een verschrikkelijk grote bui.

Toen schoot Brüx hem te binnen, de Sudetenländische Treibstoffwerke. Het leek hem vanzelfsprekend dat de geallieerden het op de olieraffinaderijen bij Brüx hadden gemunt. Maar Brüx lag oostelijk, veel dichter bij Hauenstein, en niet zoals dit, noordelijk achter de bergen. Chemnitz?

Hij peilde de afstand, hij schatte, en ineens wist hij het: Dresden. Ze bombarderen nu Dresden.

Hij staarde naar de wild flakkerende verte en dacht aan Leonore, die Brahms voorspeelde op het conservatorium in Dresden. Ze betoverde haar examinatoren met haar hazelnootbruine ogen en lange blonde haren. Hij dacht aan zijn moeder en haar in witte kant gehulde, sierlijke vinger, waarmee ze de mooiste vrouw van de wereld aanwees. Die vrouw was niet zijn zus, maar de Sixtijnse Madonna van Rafaël in het Semper. Hij bedacht hoe ze daarna uitzinnig gekleurde torentjes van marsepein gingen eten op een van de terrassen langs de oever van de Elbe. Hij was zestien jaar oud en werd zo misselijk van de taart dat hij op de kade had overgegeven.

Zijn gedachten schoten alle kanten uit, behalve naar dat ene, dat voor zijn ogen gebeurde. Hij hoorde de sparren, de dennen, de berken en de elzen om zich heen piepen en kraken van de kou. 'Wintergehuil,' noemde zijn oom dat vroeger. Wintergehuil, dat opstijgt uit de keel van het woud, allemaal dissonanten bij elkaar gevoegd tot één groot jammerend gesteun.

Hoe meer Andreas zich op dat geluid concentreerde, hoe minder hij het gedonder in de verte hoorde. Zijn verstand sloot zich, zoals de schelp van een mossel zich sluit als je er een tik op geeft. Hij wist niets, dacht niets. Hij werd een zwart gat, waar de zwaartekracht zo sterk is dat het alles opslokt zonder ook maar het geringste spoortje van bewijs achter te laten.

Anderhalf uur lang stond hij zo, met zijn hoofd schuin, zijn oren gespitst, zijn adem kwam in pluimpjes uit zijn mond. Toen bewoog hij, hij tastte met zijn hand naar de balustrade van de uitkijktoren, alsof hij het hout moest voelen om zeker te weten dat hij bestond. Zijn botten waren door en door verkild. Beneden boog hij een paar keer door zijn knieën, hij trappelde met zijn voeten en sloeg zijn armen om zich heen.

Hij rende langs het open veld het bos weer in, de passen afgemeten, niet zo hard dat hij buiten adem zou raken, maar wel snel. Hij ging het varenpad over, het pad langs de beek af, terug naar huis. Hij sprong over besneeuwde boomwortels en glanzende stenen, ontweek takken, schramde zijn gezicht.

Hij voelde zich vreemd licht in het hoofd, alsof zijn voeten de grond niet raakten, zijn lichaam geen massa meer bezat maar opsteeg. Of omgekeerd: alsof zijn lichaam zich in een onbekende diepte stortte, met een fatale gretigheid de afgrond zocht. Hij hoorde alleen nog maar zijn eigen, ritmische ademhaling en zijn voeten, die bijna geruisloos neerkwamen op het zacht verende tapijt van dennennaalden dat op de bosbodem lag.

Lang na de oorlog, toen hij in een boek over Dresden de precieze details las, schoot hem die nacht op de Fuchsspitz weer te binnen. Toen rolden de tranen ineens over zijn wangen en moest hij een zakdoek pakken om zijn neus te snuiten. Het was vanwege het stomme feit dat de nijlpaarden die nacht in Dresden op de bodem van hun bassin verdronken waren, gevangen als ze zaten onder de ijzeren balken van het plafond dat boven hen was ingestort. Het was vanwege de aantallen, zo groot dat ze hem helemaal niks meer zeiden – honderdveertigduizend mensen of meer stierven in een storm van vuur en het waren geen soldaten. Het was vanwege het feit dat iedereen in dat boek zei dat Dresden helemaal niet nodig was geweest.

Omdat Andreas de totale zeggenschap over het landgoed kreeg nadat de graaf 'Morituri te salutant' had gezegd en opgewekt naar de Kaukasische olievelden was vertrokken, riep hij in april 1945 tegen de huisbewaarders: 'De Russen komen! Gooi alle deuren, ramen en luiken open, en doe de lichten aan, want het is zeker dat ze niet stoppen voor een dichte deur of een donker kasteel! We hebben kans dat we ze er alleen maar kwaad mee maken. Misschien blazen ze de hele boel wel op, zetten de mannen tegen de muur en verkrachten alle vrouwen.'

Hij verborg de dienstpapieren van de graaf, verstopte het tafelzilver en de antieke wapens in de haard en rende met een wit laken onder zijn arm over de wenteltrap de toren van Hauenstein op.

Hijgend keek hij uit over de toppen van de kale bomen en zag een donkere zuil van stof oprijzen, een kolom van wel tien kilometer breed die langzaam dichterbij kroop. Hij sloeg een kruis: 'Lieve God, ontferm U over mij en mijn kinderen en al het volk dat op Hauenstein woont en werkt.'

Hij kon het kasteel, zijn bossen, tuinen en boerderijen niet in de steek laten. Dat had hij de graaf beloofd, en zelfs Hannelore was het voor één keer met hem eens.

'We hebben niets misdaan,' zei ze, 'ik in ieder geval niet en mijn kinderen evenmin.'

En dus ging hij het Rode Leger tegemoet. Te voet ging hij op ze af om zijn diensten aan te bieden. Hij ging in zijn eentje, ongewapend, zijn getuigschriften in de hand, zijn bewijzen van goede trouw brandend in zijn vestzak.

Een week voordat de Russen kwamen had hij pastoor Langer opgezocht in de pastorie van Hauenstein. Friemelend aan de fazantenveer op zijn jagershoed stond hij op de mat voor de deur. Maar de pastoor had hem hartelijk verwelkomd. 'Ha, meneer Landewee. Ik verwachtte u al. Kom binnen.'

Pastoor Langer ging voor naar de leeskamer en belde om thee. Hij gaf hem een stoel.

'Kijk om u heen,' zei de pastoor na een korte stilte en wees op de wanden vol boeken. 'Van de plint tot aan het plafond reiken de boeken. Hun gewicht is zo groot dat de fundamenten van dit huis zijn verzakt en mijn huishoudster steen en been klaagt over de spinraggen en muizennesten die al dat papier aantrekt.'

Andreas kuchte beleefd.

De pastoor vervolgde: 'Mijn leven lang heb ik verzameld en gelezen. Kasten tot aan het plafond met alleen maar bijbels en exegesen, niet alleen de katholieke maar ook de protestantse. Men dient per slot van rekening te weten waar de twijfel en de tweespalt huizen, en waarom.'

'Juist ja, waarom?'

De thee werd gebracht. Voorzichtig namen ze een slokje.

'Daar,' zei de pastoor, 'de kerkvaders, vooral Augustinus, de invoelendste van allemaal. Maar ook Petrarca en Dante. Ik heb platenatlassen over planten en dieren op de noordpool, hoog in de Andes, de Serengeti in Afrika, de rode woestijnen van Oceanië. Hemelkaarten, maar ook geologische tractaten over het Ertsgebergte en de visvangst in de Donau. Goethe en Schiller, maar ook legenden van hier uit de buurt. Dostojevski en Tsjechov maar ook Voltaire en Baudelaire.'

Langer maakte een gebaar met zijn handen. 'Dit allemaal hier gaat zo zeker als dat wij hier nu op deze prille voorjaarsochtend bij de schouw zitten thee te drinken, verdwijnen. Veni, vidi' – de pastoor blies op zijn vingers – 'foetsie.'

Andreas schraapte zijn keel, maar de pastoor tilde zijn hand op. 'Nee nee, ik weet het. U wilt het niet horen. U bent nog jong. U denkt dat dit altijd zo zal blijven. Maar u vergist zich. Mijn bibliotheek: over een week, twee weken, twee maanden hooguit, zal ze onttakeld zijn, zijn de met de hand ingekleurde platen uit mijn atlassen gescheurd, de kasten omvergegooid. Ik kan alleen maar hopen en bidden dat een aantal van mijn boeken gespaard zal blijven. Misschien Augustinus, misschien Goethe, misschien de sprookjes uit het Ertsgebergte. Misschien gaan een paar banden op reis, ver hiervandaan, mee in de knapzak van een soldaat die bukt en ze redt uit het vuur. Misschien komen ze terecht in de handen van iemand die het goed met ze voorheeft en ze koestert in een boekenkast die lijkt op de mijne, in een bibliotheek die staat aan de Don, de Wolga of nog verder oostelijk, ergens in Siberië. Maakt niet uit waar mijn boeken staan, als ze er nog maar zijn. Dat hoop ik.'

Langer zuchtte. 'Waarheid schuilt vanbinnen,' zei hij. 'Ze valt niet af te lezen aan uiterlijkheden, aan plekken, omstandigheden.'

Zijn gezicht klaarde op. De helderblauwe ogen keken Andreas aan: 'Dus natuurlijk ben ik bereid een goed woordje voor u te doen.'

Hij stond op uit zijn stoel en liep de kamer uit. Tien minuten later kwam hij terug met een blad gewatermerkt en gezegeld papier. Hij overhandigde Andreas het document en vroeg: 'U kent de bijbel en weet toch wat de profeet Jesaja schrijft? "Hij die zijn oren stopt om geen moordplan te horen, en zijn ogen sluit om geen misdaad te zien, zo een zal op de hoogten wonen, en de burcht op de rotsen zal zijn toevlucht zijn; brood zal hem worden aangereikt, water zal hem nimmer ontbreken." God is een rots, een eeuwige rots. Wat er ook is aangericht, wat er ook is misdaan, iedereen kan op die rots terecht.'

Andreas drukte de handen van de pastoor. Hij zei: 'Ik ben niet bang, meneer pastoor. En u moet ook niet somber zijn. Wat hebben de bolsjewieken hier te halen? Helemaal niks toch?'

'Hierbij bevestig ik,' schreef Langer, 'dat Andreas Landewee en zijn familie, woonachtig op Hauenstein nr. 15, gemeente St. Joachimsthal, van rooms-katholieke gezindte zijn. De genoemde A.L. heeft ook in de tijd van het nationaal-socialistische regime zijn geloofsopvatting bewaard en heeft zich in zijn gehele geestelijke houding niet tot de ideologie van het nationaal-socialisme bekeerd.' Dat was de tekst die Andreas alle hoogwaardigheidsbekleders in de buurt liet ondertekenen.

15

Het lag niet aan de tijd. Hij had tijd genoeg om te wennen. In augustus 1945 vorderde het Rode Leger zijn piano en zijn harmonium. Als hij zich niet zo hard had moeten beheersen, had hij wel gelachen om de situatie.

Want op de oprijlaan van Hauenstein drukte een joch van nog geen twintig en een baard van pukkels hem een ontvangstbewijs in handen – alsof zo'n bewijs ook maar één kroon waard was als je Duits sprak. Andreas vroeg wat de jongen dacht: kon hij soms naar een depot ergens in Komotau gaan om de piano, al was het alleen maar de piano van zijn moeder, weer op te halen?

'Laat me niet lachen,' zei hij later tegen Hannelore en toonde haar het reçu. Hannelore was de plekken waar de instrumenten hadden gestaan aan het soppen. Ze las het papiertje dat Andreas onder haar neus hield en haalde haar schouders op: 'Goed dat we van die sta-in-de-wegs af zijn. Zo fraai klonk de piano van je moeder nu ook weer niet.'

Hannelore's onverschilligheid verdween, toen een week later opeens een rode gardist in haar stralend gepoetste keuken stond. Het was een prachtige zomerochtend en op het witte linnen ontbijtlaken dansten lichtgroene vlekjes, de door de zon gefilterde schaduwen van de beukenbomen buiten voor het huis. In de tuin kregen de jonge spreeuwen vliegles van hun moeders. Lumpi, de hond, was al vroeg met Andreas het bos in geweest en lag nu met een bak verse pens in haar buik op de drempel van de openslaande tuindeuren tegen de vogels te boeren.

De soldaat droeg in zijn linkerhand een jachtgeweer, met zijn rechterhand graaide hij een snee brood van tafel, veegde dat door de roomboter en nam een hap. Met volle mond liep hij de kamers en gangen van het huis door. Hij gebaarde: dat, dat en dat. 'Vasjmoe,' zei hij. De man liep naar de telefoon, draaide een nummer en sprak kort met iemand in het Russisch. Hilde ving het woord 'Fremdenhaus' op, haar huis. Dat woord herhaalde de Rus wel vier maal, met een dikke rollende r en een g in plaats van een h.

Nog geen tien minuten later reed er een open vrachtwagen voor en werden drie dekenkasten, de antieke servieskast, de staande klok met het beeld van Atlas bovenop, vier fauteuils en een tafel met versierd houtsnijwerk aan de poten ingeladen. Weer werd er een reçu ondertekend, maar Hannelore kreeg geen kans het aan te nemen. Het papiertje werd op de ontbijttafel gesmeten, tussen de lege eierdoppen en de broodkruimels, als het vod dat het feitelijk was.

'Onthechten, meebuigen, laten waaien,' zei Andreas. Maar er was niks waaierigs of soepels aan hem, zijn nek en schouders deden pijn, en het liefst lag hij de hele dag met de hond op schoot op de bank.

Hannelore zei: 'Heb je niks beters te doen? Ik heb hout nodig voor de kachel.'

Kerst vierden ze op houten keukenstoelen rond een boom die Andreas stiekem uit het bos had gehaald en versierd met hulst uit de tuin. Geen ballen, geen piek, geen engelenhaar – dat was allemaal weg. Hannelore had soep met Knödel gemaakt en cake met slagroom. Dat was Heiligabend, ze hadden het nog nooit zo karig meegemaakt. Voor de tweeling had Andreas twee blankhouten fluiten gesneden met een hondekop aan het eind die openklapte als je op de fluit blies.

Hannelore had wat voor Friedrich ingepakt. Ze zei: 'Heb je een steen in plaats van een hart? Je kunt het niet maken om die jongen niets te geven. Kan die jongen het helpen? Nee toch? Nou dan!'

En voor het eerst in zijn leven dacht hij: ze heeft gelijk. Aan tafel zei hij daarom vriendelijk tegen Friedrich: 'Kijk jongen, er is ook wat voor jou.'

Hannelore haalde de bedden af, legde de dekbedden met kamfer in de kast, deed hoezen om de paar meubels die nog restten, zette de vloeren en het hout van de trap nog een keer in de was. Andreas sloot het water af en de elektriciteit, joeg de konijnen en de ganzen uit hun hokken.

Ze sloten deuren en ramen, klapten de luiken ervoor, draaiden sleutels om. De sleutelgaten plakten ze af met papier, zoals hun was opgedragen, de sleutels kregen een etiket en werden samengebonden aan een touw. De bos gaven ze aan de Russische commandant. Alleen de grote koperen sleutel van de voordeur stopte Andreas in zijn zak.

'Dag huis,' zei hij.

'Dag huis,' babbelde de tweeling hem na.

'Dag huis,' mompelde Hannelore en drukte haar hand tegen de deur.

Alleen Friedrich huilde, grote bellen snot dropen uit zijn neus. Friedrich huilde, want hij moest Lumpi achterlaten. En Hannelore liet het maar zo.

'Hauenstein wordt gezuiverd.' Dat stond op de verordening die de commandant hem in handen drukte. De volgende morgen om vijf uur moest iedereen zich melden op het station in Klösterle. Hij stopte zijn diploma uit Eger, het getuigschrift van de graaf, zijn geboortebewijs, brieven van zijn moeder, een paar ansichtkaarten uit Sonnenberg en familiefoto's in een groen leren foedraal dat hij om zijn nek hing.

Nu gaan we weg, dacht hij koel. Wij zijn de excrementen, om precies te zijn de diarree.

Dit laatste verbaasde hem niet. Veel verbazingwekkender vond hij de snelheid waarmee het allemaal ging.

Hij had de veewagens gezien op het rangeerterrein. Hij wist van het doorgangskamp in Gottesgab. De houtvesters en de boeren hadden er achter hun handen over gefluisterd. Hoe afgelopen kerst de helft van de inwoners van Weipert er gestorven was van de kou. De andere helft was op pad gejaagd, op blote voeten richting grens, over de bevroren moerassen en de spekgladde hellingen naar de door de Sovjets gecontroleerde zone van Duitsland. En wie viel werd niet opgeraapt.

Het waren geruchten die niemand kon controleren, ook Andreas niet.

'Kijk,' zei hij tegen Hannelore, terwijl ze met hun rugzakken op en koffers in de hand in de stromende regen op het rangeerterrein in Klösterle stonden. Hij wees naar een ster op een van de wagens. 'We reizen met dezelfde beestenwagens.'

'Ja,' knikte Hannelore. 'Maar zij kwamen niet meer terug, en wij wel.'

16

De doodgraver was de enige in het dorp die ze wilde opne-
men. Een gezin met drie jongens in de groei, nou nee, alle
deuren waar ze aanklopten bleven dicht. Eén keer ging er
een luik op een kier en hoorden ze een grauw: 'Ga naar het
volgende dorp. Ga maar naar Eitlbrun! Wegwezen. Wij zitten vol!'

Franz Schlingensief mocht dan een baan hebben waarmee hij weinig genegenheid oogstte in Buchenlohe, zijn
hart was ruim als de glooiende Beierse akkers waar zijn
werkplaats op uitkeek. En in deze tijden van honger, ziekte
en verderf kon hij goed een paar extra handen gebruiken.
Friedrich kon met zijn veertien jaar meehelpen timmeren
en zagen, en Andreas kon als volwaardig doodgraver aan de
slag.

Met zijn vijven woonden ze in, ze aten mee van Schlin-
gensiefs bonnen, haalden van de moestuin wat er nog te halen was, zochten in het bos kastanjes, paddestoelen, veen-
bessen. Aan het eind van de middag, als de meeste boeren
thuis zaten voor het eten, ging Hannelore met Benno en
Wolfgang aan de hand de boerderijen af en ruilde gouden
hangers en borduurwerk tegen melk, boter, een kilo aardap-
pelen extra. Alles was welkom. De schampere opmerkingen
over haar ouderwetse tongval, de wantrouwige blikken van
de melkmeiden, de boerinnen en hun dochters ketsten op
haar af als kogels op een ijzeren deur.

'Het is behelpen, mannetjes,' zei Andreas tegen de twee-ling, terwijl hij op de zolder van de doodgraverswerkplaats een kamer afschotte met drie oude deuren en een stuk of wat planken, die hij aan een roestig fietsframe vastbond. Hij legde oude kranten op de vloer tegen de splinters en de kou, en stro eroverheen. 'Hier slapen we,' zei Andreas en hij wees naar een hoek waar hij een stapel dekens had neergelegd. 'Daar wonen we,' en hij wees naar een andere hoek van de zolder, waar hij een tafel met een eenvoudige houten bank en twee stoelen in elkaar had getimmerd. Hij wreef in zijn handen en zei: 'Voorlopig zitten we hier goed, beschut voor de winter.' Maar terwijl hij dat zei, voelde hij de kou door de kieren in het dak naar binnen graaien.

Voorlopig, dat was het stopwoord in de genadeloos kou-de winter van '46 op '47. Alles was voorlopig. Alles was weg en daarover klagen was zinloos. Vanaf nu moest alles op-nieuw worden uitgevonden. Net als in Black Creek.

Ze hadden geluk gehad – dat wist Andreas, dat wist Hanne-lore net zo goed. Iedere dag hoorden ze op de radio de op-roepen van het Rode Kruis. Iedere ochtend begon als de vo-rige ochtend, met kippenvel en stijve spieren omdat de nacht koud was geweest, met jeuk van de strozakken, en met dakraampjes die waren dichtgevroren met ijsbloemen. 's Nachts luisterde Andreas naar de ademhaling van de kin-deren. Alleen dat geluid kalmeerde hem.

Hannelore stond aan het fornuis griesmeelpap te koken, de damp sloeg van de pan. De kleine keuken stroomde vol met twee snaterende kinderen, twee grote mannen en een lummel van veertien. Strak dirigeerde ze de kinderen met de pollepel naar hun plek aan de smalle tafel. Ze zei: 'Stil zijn, jullie, want pappa en meneer Schlingensief willen naar de radio luisteren.'

'Vandaag hoort u de namen,' klonk de stem van de nieuwslezer, 'van kinderen die vermist zijn geraakt en door hun ouders worden gezocht.' Toen volgden de namen, Peter en Marenka, Dieter en Fritzie, en een korte beschrijving van het uiterlijk en de plek waar het kind het laatst was gezien. Bij de ongeluksbrug bij Nemmersdorf, bij Görlitz, op een aardappelveld bij het Hongaarse Klausenburg. Duizenden plaatsen over duizenden kilometers verspreid, ooit een dik donzen dekbed waarmee Duitsland de mensen in het oosten had verwarmd, maar dat nu aan flarden was gescheurd.

Andreas en Hannelore keken elkaar tijdens deze nieuwsbulletins niet aan, ook niet op straat als ze langs de huismuren kwamen waarop de wanhoopsbriefjes waren geprikt – woorden met uitroeptekens onder gekreukte foto's in zwartwit: Gezocht! Vermist! Ze hadden elkaar dan misschien heel diep in hun hart wel willen kwijtraken tijdens de verdrijving uit het vaderland – gewoon één boven op de miljoenen vermisten – maar de kinderen, de tweeling, dat was een ander verhaal.

Waarom het dorpje dat op de grens lag van het oude koninkrijk Bohemen en het Duitse Sachsen Gottesgab was gedoopt, wist niemand meer. Of liever gezegd: iedereen wist het, het hing er maar vanaf hoe je ertegen aankeek. Want voor de reiziger die verdwaalde in de mistige moerassen en de donkere bossen waar dit westelijk deel van het Ertsgebergte mee bedekt was, kwamen de paar houten huizen en de kerk die op een kruispunt van vier boswegen stonden, inderdaad als een Godsgeschenk uit de hemel vallen.

Maar de bewoners van Gottesgab zagen het anders. Voor hen was het dorp, dat op de flanken van de hoogste berg in Noordwest-Bohemen lag, eerder een gesel dan een geschenk. Het leek alsof God hier maar drie seizoenen had geschapen en de zomer had overgeslagen. Gemiddeld lag er acht maanden per jaar sneeuw. De wind waaide altijd op zijn hardst. En vaak hing er zo'n dikke mist boven de natte veengronden dat het midden op de dag leek alsof het nacht was. Geen zaadje ontkiemde op deze barre hoogten. Geen fruitboom schoot wortel. Geen paard met wagen, geen auto, geen motor kon het dorp in de winter bereiken. De post werd één keer per dag op ski's in Joachimsthal gehaald.

Het enige waar de Gottesgabers daarom aan dachten was: weggaan. En voor hen was het enige, werkelijke geschenk uit de hemel: de muziek. Want muziek gaf hun de mogelijkheid te vertrekken. Muziek was het paspoort, de vrijgeleide naar een beter leven. In ieder huis, al was het er nog zo armetierig, werd minstens één instrument bespeeld. Harp, piano, viool, fluit. Wie zelf niet speelde, bouwde instrumenten. En wie voldoende had geoefend en durf en talent bezat, vormde een eigen orkestje en trok weg om zijn geluk te beproeven in de rijkere stadjes van het Boheemse bekken en wie weet wel verder.

Ergens tussen Gottesgab en het uraniumstadje St. Joachimsthal, op een niet noemenswaardige open vlakte, omringd door dichte donkere dennenbossen, zette de Duitse Wehrmacht eind 1939 een stuk of vijftien barakken neer met prikkeldraad en wachtposten eromheen. Achter het draad sloten ze Tsjechen op, contra's, communisten, maar ook gewone boeven, dieven, afpersers en verkrachters. De gevangenen moesten werken in de uraniummijnen van Joachimsthal, zes kilometer verderop.

Toen kwamen in het voorjaar van 1945 de Russen. Ze lieten alle gevangenen vrij en dreven met geweld Duitssprekende mannen, vrouwen en kinderen in Gottesgab samen. Zo gauw mogelijk werden zij de grens over gezet. Dat was vanzelfsprekend én rechtvaardig.

De Duitser was per slot van rekening minder dan een hond of een varken. Dat hadden ze zelf bewezen. Want een hond of een varken kon er niets aan doen dat hij was zoals hij was. Maar de Duitser wel. De Duitser had uit zichzelf heel hard staan juichen en zijn huis met dennentakken versierd toen de nazi-troepen kwamen binnenmarcheren. De Duitser had zelf meegedaan aan het moorden en het vernietigen, en als hij niet eigenhandig de trekker had overge-

haald of de zweep had gehanteerd, dan had hij wel meege-
dacht en zich alle verschrikkelijke woorden van het nieuwe
regime eigengemaakt, alsof het een onschuldig recept voor
pruimentaart betrof. De Duitser had de andere kant opgeke-
ken, met Lidice, en bij iedereen in het Protektoraat die werd
opgepakt en nooit meer naar huis terugkeerde. De Duitser
had aan alle kanten gedaan alsof zijn neus bloedde – en nu,
met de capitulatie, probeerde hij het weer.

Daarom kon het de mensen niet duidelijk genoeg worden gemaakt, en daarom verkondigde Bohumil Stašek, de
kanunnik van Vyšegrad in Praag, het luidkeels aan alle Tsjechen, alle Slovaken en wie het maar horen wilde: 'De Duit-
sers zijn slecht, en het gebod om uw naaste lief te hebben, is
op hen niet van toepassing.'

Ze hadden alle regels van de verordening van het sovjetge-
zag opgevolgd. Andreas had de deuren van Hauenstein af-
gesloten, de sleutels gemerkt en met een stuk touw aan elkaar gebonden, de kamers verzegeld, de sleutelgaten met
papier afgeplakt. Hannelore en hij hadden gezeuld, de kinderen huppelend voor en achter hen aan. Met aan iedere
arm een koffer en een rugzak op de rug waren ze om vijf
uur 's ochtends naar de verzamelplaats in Klösterle gesjouwd. Vandaar ging het in de trein naar Joachimsthal, en
daar te voet de berg op naar Gottesgab.

'Zijn ze nou gek geworden?' zei Hannelore, en keek met
open mond naar de wachttorens met bewakers, de barakken
met ramen die zo vies waren dat je er niet doorheen kon kijken, de plassen voor haar voeten, waarop olie dreef, de afval-
hopen in de hoeken van het kamp. 'Ze stoppen ons achter
prikkeldraad. Alsof wíj iets fout hebben gedaan.'

Hij gaf geen antwoord, maar greep Benno en Wolfgang
bij de hand. Hij voelde zich traag en doodop, alsof zijn armen uit het lood hingen van die zware koffers. Als de situatie niet zo ernstig was, had hij gelachen. Vroeger was hij
voor vreemde mannen bang geweest, voor blaffende hon-

den op het erf, voor de schaduwen achter het luikje in de schoorsteen, voor zijn vader, voor de meester op school. Vroeger was hij voor zoveel onnozele dingen bang geweest. Terwijl nu dit, nu was er pas reden om bang te zijn. Niet omdat de Tsjechische kampcommandant hen verwelkomde met scheldwoorden en brulde dat ze klootzakken waren en dat als het aan hem had gelegen, hij ze allemaal de nek had om gedraaid.

Nee, het bangst was Andreas omdat alles wat voor hem lag onduidelijk was, een pad dat van nergens naar nergens leidde.

Er was één luchtgat, en Andreas had het geluk dat hij er vlakbij stond. Als een van de laatsten in de rij was hij in de stampvolle wagon geduwd. Door dat gat zag hij een stuk van de hemel en boomtoppen die voorbijschoten.

Hij probeerde niet aan zijn bomen op Hauenstein te denken, hoe krachtig en gezond ze waren. Hij probeerde te vergeten hoe trots hij was ieder jaar als Hauenstein bij de opkoop weer eens het sterkste hout van Bohemen leverde. Maar voor alles probeerde hij de toekomstbomen, de schatkamers van zijn bossen, uit zijn gedachten te jagen.

Hij was altijd alleen maar bezig geweest met het verbeteren van de bossen en altijd keek hij vooruit, móést hij vooruitkijken. Twintig, dertig jaar. Hij tekende grote plattegronden die hij op de grond van zijn werkkamer uitspreidde. Hij becijferde hoe de opstanden er over twee decennia uit zouden zien. In zijn tekeningen, in zijn berekeningen deed hij alles feilloos.

Een paar maanden na de eerste aanplant haalde hij de kromme er al uit, de boompjes die als krankzinnige spinsels alle kanten opgroeiden behalve naar boven, de zon tegemoet. Aan dat uiterlijk kon Andreas al zien dat het van onderen, in de grond, niet goed zat. Hij trok de boompjes eruit, hield ze in de kom van zijn hand, die fragiele plantjes met hun ondiepe wortelstelsels waaruit nooit en te nimmer goede stammen zouden groeien. Hij kneep ze fijn, verpulverde ze, gebruikte ze als mest voor andere bomen.

Ieder jaar ging hij met de boswachters die hij in dienst had op grote inspectie. Ze haalden de aangevreten en slecht groeiende exemplaren weg. De rest van de bomen werd opgekroond. Zorgvuldig ging hij te werk, zodat er geen kapstokken of kleine takjes bleven zitten, maar alles mooi recht van stam werd.

Hij keurde en oordeelde. Die boom was ziek, een andere nam te veel licht weg, daar werd het als gevolg van de natuurlijke aanwas te vol. Na acht jaar koos hij de toekomstbomen. Bomen waarover maar de geringste twijfel bestond, liet hij omhakken. Dat waren de verliezers.

Wat kon hij doen? Wat kocht hij ervoor, nu hij tegen mensen stond aangedrukt die hij niet kende en niet wilde kennen ook? Hij moest aan zijn vrouw en zijn kinderen denken. Hij moest ze veilig hier doorheen slepen.

De avond ervoor was het afgekondigd. Morgen gaan jullie weg. Morgen is het vertrek. Morgen om 5 uur 's ochtends marcheren jullie naar Joachimsthal, waar een trein jullie naar Duitsland brengt.

Mannen en vrouwen barstten in tranen uit. 'Morgen smijten ze ons eruit.' Sommigen waren elkaar om de hals gevallen van blijdschap. 'Het wordt de trein en niet het moeras!'

Joachimsthal betekende dat ze naar het zuiden gingen en daarna pas naar het westen. Joachimsthal betekende dat ze naar het door de Amerikanen gecontroleerde deel van Duitsland werden gebracht en niet naar de sovjetzone.

Andreas stond en keek naar het voorjaarsgroen buiten de wagon. Ze kwamen langs Karlsbad, waar zijn vader en moeder vroeger kuurden, langs Eger waar hij naar de landbouwhogeschool was gegaan. Toen knarsten de remmen en stopte de trein.

'Okay,' hoorde Andreas roepen. En: 'Yes!' De rest verstond hij niet.

Langzaam gingen ze verder, de trein floot, siste en piepte. Centimeter voor centimeter schoven ze over de grens. Duitsland. Niet Andreas' vaderland, niet dat van de zestig anderen in zijn wagon, maar het was beter dan niks.

Als op commando knoopten ze de armbanden los, de gele, rode en witte merklappen met daarop een zwarte N van 'Nemjets', Duitser. De moeders hielpen de kinderen, de vaders de ouden van dagen, de meisjes de jongens. Van achter naar voren werden de banden doorgegeven, tot ze in Andreas' handen terechtkwamen.

Hij pakte de mouwbanden aan en ging op zijn tenen staan. Hij maakte zich zo lang mogelijk en gooide ze met een grote zwaai naar buiten. Hij gooide zo hard en zo ver als hij kon, iedere keer een stapel. Hij gooide twaalf keer. En als hij niet in de donkere goederenwagon zonder ramen had gestaan, maar achterom had kunnen kijken, dan had hij gezien dat het was alsof hij de bomen langs de spoorlijn geel, wit en rood had geverfd.

DEEL VIJF

Houtoogst

17

'Zie je wel dat ik gelijk had?'

'Hoe bedoel je?'

'Met die man uit Vancouver, hij schreef dat hier niks zou groeien behalve grove dennen en sparren.'

Black Creek was veranderd. ''t Is nog geen lusthof,' mompelde Andreas. 'Maar het begin is er.'

Het stuk bos met alleen maar sparren had hij gedund. De toekomstbomen liet hij staan. Zij waren de sterkste, recht van stam, met weinig noesten en een brede kroon. Zij waren de mooiste van alle berken, sparren en dennen. Ze gaven het meeste zaad, beschutten andere soorten tegen windbreuk, beschermden hazen, konijnen, vossen en groot wild tegen regen en sneeuw.

Over de bomen met kromme stammen, kankergezwellen in hun bast, door parasieten aangevreten hout en gespliste toppen, kon Andreas kort zijn: d'ruit, omhakken. Dat waren de verliezers. Ook als Wolfgang dat anders mocht zien.

De open plekken beplantte hij met zachte berken, witte elzen, haagbeuken en donzige eiken, die zo diep wortelden dat ze van de kou haast geen last hadden. In de vochtige grond rond de beek, op plaatsen waar de meeste zon kwam en die hij aanvankelijk had afgeschut voor de wind, waren de beukenboompjes en grauwe elzen aangeslagen. In het weiland groeiden drie rode en drie witte paardenkastanjes, toch al een klein huis hoog. En in de verte ritselden de Siberische balsempopulieren en de Noorse esdoorns.

Met de bomen kwamen ook de planten en kruiden. Voorzichtig stak één lelietje van dalen haar kopje op, maar het jaar daarop waren het er al twintig. Zo verging het ook het bosanemoontje, dat Andreas eerst tevergeefs in een plantenbak op de veranda van zijn cabin probeerde op te kweken, en dat plotseling spontaan begon te groeien. Zo verging het het lievevrouwebedstro, het speenkruid en de aronskelken.

Uiteindelijk groeide er zoveel, dat hij in de lente, de zomer en de herfst in ieder huis wel een vaas kon zetten met bloemen of takken. De frambozen in de moestuin begonnen vrucht te dragen. Hij vroor ze in, gaf ze weg, maakte er jam van en gelei. Hij oogstte aardappels, wortelen en bieten, veel lekkerder dan hij ooit bij de Saveway kon krijgen, en de enkele worm kookte hij gewoon mee.

Zelfs in de winter was er nu kleur om hem heen, en niet alleen maar wit van de sneeuw en zwart van de plekken waar de sneeuw was weggewaaid. De toverhazelaar die hij naast het terras van het grote huis had geplant, bloeide vroeg, en de gele jasmijn deed het zelfs tegen de muren op het noorden.

'Mijn paradijs,' noemde hij Black Creek, en 's avonds schreef hij in zijn dagboek: 'Eindelijk wordt het om mij heen even mooi en veelgelaagd als Elisabeths gezang. Mens en dier in natuurlijke harmonie. In het heden levend. Ik heb vrede. Geen grote gevoelsuitbarstingen meer. Rust, zelfs als ik haast geen pen meer kan vasthouden.'

Toen schreef hij: 'O, in het oneindige te reiken!' Hij vond dat het één best samen kon gaan met het ander.

Het licht kierde door de fluwelen gordijnen, de oude uit zijn slaapkamer in Rothenburg, die hij had meegenomen naar Black Creek. Het licht kriebelde en aaide, en was ineens weer weg, dan verstopte het zich achter een wolk. Andreas werd wakker en viel weer in slaap, hij werd wakker en sliep weer in. Iedere keer kwamen de dromen, verlokkend echt.

Maar nu moest hij opstaan. Hij ademde diep in en uit, er kwamen pluimpjes rook uit zijn mond. De dieren rommelden al in hun stallen, ze moesten gevoerd.

Langzaam kwam hij overeind. Eerst ochtendgymnastiek. Waar had hij zijn schema met oefeningen gelaten? Niet onder het bed, niet op zijn bureau. Waar was zijn bril? O, gelukkig, daar op de stoel.

Hij begon met de makkelijke oefeningen, met zijn armen in cirkels, biceps en triceps rekken, daarna de spieren in zijn middel, dan een paar voorzichtige kniebuigingen en wat minder voorzichtige erachteraan, artrose of geen artrose. Buikspieroefeningen, vijftig keer omhoog in één minuut. Dan vijftig keer naar links en rechts. Zijn hoofd ging draaien van dat steeds maar op en neer.

De dokter zei laatst tegen hem: 'Meneer Landewee, u moet niet zoveel van uzelf eisen op uw leeftijd, u bent geen vijftig meer.'

Maar wat moest hij dan? Op bed liggen wachten tot hij doodging?

Hij dacht aan de besneeuwde velden die hij zou zien als hij straks de deur van zijn cabin openzwaaide, en aan de vorstlucht die zijn longen zou doen tintelen. Ja, hij had echt zin in de dag. Hij deed zijn ogen dicht, eventjes maar, en viel weer in slaap.

Hij droomde dat hij thuiskwam in Rothenburg en Elisabeth in de kelder hoorde. Ze rommelde tussen zijn gereedschapskisten. Ze huilde.

'Die stomme initialen,' snikte ze. 'Ik kan me niet vertonen. Geen leerling kan ik met goed fatsoen achter die A. H. zetten. Geen collega's uitnodigen, niet onder begeleiding een lied instuderen.'

Hij pakte haar handen. 'Lieverdje,' zei hij. 'Wat maken die twee letters nou uit?'

Haar wangen waren rood gevlekt, haar neus glom. 'Als

de mensen die initialen zien, kijken ze me aan alsof ze rotte vis ruiken.'

Hij zei: 'De mensen weten niet wat belangrijk is. Kom nou, lieverdje, ze kijken toch niet allemáál zo?'

Maar Elisabeth bleef huilen, steeds harder. Toen pakte hij ten slotte de vijl uit haar handen en liep ermee naar boven. Op de plek waar de initialen op de Bechstein stonden, ging hij aan de slag. Hij vijlde en schuurde, en lakte ten slotte de plek keurig over.

Hij werd wakker van de pijn. Hij was met zijn rug aan tegen de kachel in slaap gevallen. 'Stom van me,' foeterde hij. Goed dat Wolfgang hem zo niet had gevonden. Dan zou hij bezorgd worden – wat moet ik met die oude man, hier in de wildernis, is hij niet beter af in een tehuis voor ouden van dagen in Williams Lake?

Hij wreef over de hete plek op zijn rug en vanaf zijn stuitje verspreidde zich het zalige gevoel dat hij daarnet had toen hij sliep. Hij had Kölnisch Wasser geroken in zijn slaap, het kriebelde in zijn neus en trok toen weer weg. Hij was even heel erg gelukkig geweest. 'Mamma,' zei hij.

Hij ging aan de slag: hooi voor de schapen, voer voor de kippen, en daar zag hij Wolfgang en Daisy al aankomen. 'Dag Daisy, dag kwispeltante van me, ben je al fijn op pad geweest met de baas?'

Wolfgang groette hem. 'Laat mij nou de beesten doen. Hoe vaak moet ik het nog zeggen? We hadden toch de afspraak: ik de buitenboel, jij de binnenboel. Hou je daar dan ook aan en zet die riek weg. We hoeven niet uit te mesten vandaag, dat heb ik gisteren gedaan, maandag, dan doe ik de stallen altijd.'

Wolfgang pakte de riek uit zijn handen en zette hem weg. 'Kom op,' zei hij, 'we gaan ontbijten en koffie zetten. Heb je de mudd al opgezet? Ik sterf van de honger.'

Nee, natuurlijk had hij de mudd, die bleekbruine brei van melk, zemelen, tarwevlokken en rozijnen, als cement lag het op zijn maag, nog niet opgezet, want hij was pas wakker. De schapen moesten eten, en ach jongen, de binnenboel, dat was toch niks voor hem.

Ze liepen samen terug naar het grote huis, voorbij Andreas' cabin, langs de houtwerkplaats, de garage, langs de bron in het gras. Wolfgang liep met grote zevenmijlspassen voorop, Andreas achter hem aan. Hij probeerde zijn zoon bij te houden over het paadje naar boven, hij kreeg het er benauwd van. Zo was hij vroeger ook, hij kon het zich helemaal niet voorstellen hoe het was als je benen loodzwaar werden en je longen niet genoeg zuurstof kregen. Alles was een kwestie van oefenen, dacht hij, uithoudingsvermogen, trainen, doorzetten.

'Heb je nog genoeg hout?' riep Wolfgang over zijn schouder, 'anders hak ik zo nog wat voor je.'

Allemachtig, hij had niet eens genoeg lucht om antwoord te geven.

Hij weigerde eraan mee te doen, aan het getut waarmee hij werd omringd sinds hij de tachtig was gepasseerd. Twee weken daarvoor – hij was met Wolfgang in Williams Lake voor een nieuwe motorzaag en onderdelen voor de generator – kreeg hij op Borland Street een folder in zijn hand geduwd. Een vrouw van onbestemde leeftijd, fluorescerend joggingpak, halflang gepermanent haar, dikke bril, hield Andreas staande.

'Hi, ik ben Amanda Jackson, meneer. Mag ik u wat vragen?'

Automatisch hield hij zijn pas in.

Of hij samen met andere senior residents van Williams Lake wilde rocken in de winter.

Hij vroeg zich af of hij haar goed had verstaan – wablief? Rócken?

De vrouw vervolgde. 'Goed voor het lichaam en goed voor de geest. U bezemt alle muizenissen ermee weg.' En met een schalks lachje tikte ze op een plaatje in de folder die hij vasthield. Hij zag twee gerimpelde kerels met baseball-petten op en rode sportschoenen aan over een soort rond strijkijzer gebogen staan. 'Bezems zijn er niet alleen om mee schoon te maken,' zei Amanda Jackson.

Dat was de Local Curling Club, waar geen haar op zijn hoofd aan dacht lid van te worden. En dan was er nog de rot-zooi die hij ongevraagd kreeg toegestuurd van farmaceuti-sche bedrijven. Hun postbus in Horsefly raakte er verstopt van. Fel gekleurde brochures over obstipatie, diarree, incon-tinentie ('Als de tijd is aangebroken dat u wel eens een druppeltje verliest'), blaasstenen, nierstenen, vergeetachtig-heid, slapeloosheid, haaruitval – voor alle kwaaltjes van de oudedag bestonden wel poedertjes, pillen, druppels en drankjes. Hij gooide alle proefmonsters weg. Het papier verbrandde hij in de kachel.

Nee, zijn haren en zijn snor mochten spierwit zijn, zijn gewrichten mochten kraken als de dennentakken die hij in het bos sprokkelde, en als hij achter de vleugel zat, deed hij zijn winterjas aan en legde een gele plaid over zijn benen te-gen de kou, want hij had het tegenwoordig altijd koud – van binnen was hij nog steeds de jongen die met het hardlopen in Sonnenberg alle anderen eruit liep en het overwinnings-boeket met linten aan zijn moeder gaf.

18

Buurman Joseph kwam eten. Een cilinder van de pick-up was kapot, en Wolfgang had een hele middag met zijn hoofd onder de motorkap gehangen. Toen hij eindelijk te voorschijn kwam, met olievegen op zijn gezicht en zwart tot aan zijn ellebogen, vloekte hij. 'Ik geef het op,' zei hij tegen zijn vader, smeet zijn gereedschap in een hoek. 'Ik vraag of Joseph komt. Hij weet vast raad.'

De hond sloeg aan en Andreas liep naar de voordeur. Zacharias glipte verontwaardigd miauwend naar binnen. 'Hee Zach, wat is er gebeurd, vind je het te koud buiten? Ben je boos dat je naar buiten moest?'

Hij bukte zich en sjorde de kat omhoog. Zacharias had inmiddels het formaat van een kleine hond. En zelfs al was hij volwassen, het leek wel alsof hij nog ieder jaar groeide.

De lange dikke vacht voelde koel aan onder Andreas' handen. 'Zachie, je ruikt naar blad en kou. Heb je stilgezeten, luiwammes, en weer geen enkele muis gevangen?'

Hij masseerde het dunne kraakbeen van de oren, en Zacharias zette zich schrap, met zijn voorpoten trappend tegen Andreas' borst begon hij kwijlend te spinnen. Grote bellen van genot blies hij, ze spatten op de haartjes van zijn kabeltrui uit elkaar.

Andreas boog zijn hoofd om te niezen, en toen hij weer rechtop stond zag hij in de verte buurman Joseph aankomen met een stallantaarn in de hand. Zijn hoge stem klonk helder op tussen de bevroren bomen, sussend sprak hij de hond toe.

'Kalm Daisy, ik ben het maar. Ja, je bent een brave meid.' En Daisy ging af in haar hok.

Joseph stampte zijn laarzen schoon op de vlonder van de veranda en trok ze uit. Vervolgens haalde hij twee roze met wit gestreepte pantoffels uit zijn zak en schoot ze aan.

'Mooie pantoffels,' merkte Andreas op.

Joseph knikte verlegen: 'Ze was een beetje aan de maat, mijn Mam, maar ze houden de tenen wel goed warm.'

Wolfgang was in de keuken bezig. Joseph wreef in zijn handen en ging zwijgend zitten.

Dat was de belangrijkste les die Joseph van zijn moeder had geleerd: mond houden en doen wat zij zei.

Joseph bleef alleen met haar achter op de boerderij nadat zijn vader in de bergen was verongelukt. De jongen was tien toen het gebeurde en zijn moeder hield hem vanaf toen thuis van school. Ze deed aan homeschooling, en dat hield vooral in dat zíj sprak en Joseph stil was, altijd maar muisstil onder de breuken en het staartdelen.

Joseph was alleen en bleef alleen op de boerderij. Want meisjes, die kwamen er bij zijn moeder niet in. Niet eentje was er goed genoeg voor haar Joe. Niemand kookte, naaide, maakte zo goed schoon als zij. Niet een wist zo goed als zij wat het beste was voor hem.

En zo bleef Joseph vrijgezel – zijns ondanks, zoals iedereen hier in de streek zijns ondanks vrijgezel was. De vrouwen hielden het hier niet vol, hoe hard je je best ook deed. Ja, op z'n hoogst vier of vijf jaar. Dan greep de eenzaamheid ze bij de keel, ze werden gek van alleen maar het geruis van de wind in de bomen, en ervandoor gingen ze, met achterlating van de mannen, de huizen en de beesten.

Na de dood van zijn moeder, hij was toen midden vijftig, had Joseph best gewild. Maar of hij het nog kon? Een praatje aanknopen met een vrouw in de stad? Joseph was het praten ontwend en hij wende er nooit meer aan, hoe diep in zijn hart hij ook verlangde naar iemand die lief voor hem was en die de winters in het dal van de rivier minder eenzaam maakte.

Hij was nu 68. Zijn ogen waren lichtblauw en zijn wangen hingen in zachte plooien naar beneden, maar de huid was nog steeds zachtroze, zonder moedervlekken of wratten. Joseph deed Andreas denken aan een oud kind. Hij hield zijn mond en hielp zonder mopperen, hij had geholpen met de zonnepanelen, de waterleiding, en ook toen de remleidingen van de Dodge een keer braken, wist hij hoe je de nieuwe erin moest zetten.

Hij wilde niet op die manier oud worden, dacht Wolfgang, niet zoals Joseph. Hij zei: 'We eten vanavond kip. Zelf geslacht.'

Wolfgang fladderde met zijn armen en deed het geluid van een hysterisch kakelende kip na. 'Vanochtend ging ik het hok in en op een holletje kwamen ze op me af. "Eten, eten, daar heb je onze moeder, onze etensverstrekker." De kip die ik voor in de pan had uitgezocht, ging er eens breed voor zitten op schoot, blij dat zíj alle aandacht kreeg en ook nog wat extra graantjes uit de hand. Dat ik haar ging slachten, wilde haar kippenkop niet bevatten. Smachtend keek ze me aan. Zelfs toen ze het hakblok zag, begreep ze nog steeds niet dat er iets goed mis zat.'

Wolfgang imiteerde het zacht pruttelende geluid van een tevreden kip. 'Oh moeder, mijn moordenaar.'

Wolfgang lachte en Joseph lachte beleefd mee. Toen keek hij weer voor zich uit. 'Zo, daar zitten we dan,' zei hij zacht. Alsof hij de stoel bij het vuur, het etentje bij zijn buren, en zijn leven op de boerderij in de bergen niet zelf had gekozen, maar alsof het hem allemaal overkomen was, zoals een aardbeving, een overstroming of een slippartij in de haarspeldbochten naar Bella Coola je overkwam.

Wolfgang liet Joseph niet kiezen, want dan koos hij het slechtste stuk – een vleugeltje of de nek. Nee, hij kreeg het beste uit de pan, eerst één kippenbout en dan nog één, als hij wilde. Wolfgang sneed een stuk af van het borststuk en verdeelde dat tussen zijn vader en hemzelf. De rest, het karkas met twee vleugeltjes eraan, legde hij apart op het aanrecht. Er waren nog sperziebonen, de aardappels die van vandaag overbleven, dat ging allemaal in de soep van morgen.

'We eten kip met onze handen,' zei Wolfgang. 'Gêneer je niet. We doen niet aan servetten. Hier is een theedoek voor je mond en handen.'

Joseph was een goede schutter en een precieze slager. Hij wist welk kaliber nodig was om een beer te vellen, waar je moest mikken, hoe je moest villen, ontbenen en verdelen. Nu sneed hij met één soepele beweging van zijn mes door de kippenbout heen, feilloos op die plek waar het kraakbeen zacht is.

Hij zei iets, en het klonk als fluisteren.

'Raar, maar op weg hierheen heb ik grizzly-sporen gezien. Ze liepen een stuk met me mee langs de berm en verdwenen toen in het bos, richting de rivier.'

Andreas en Wolfgang keken allebei verbaasd op van hun bord. Wolfgangs mond hing open, Andreas kon de draden van het kippenvlees tussen zijn tanden zien zitten.

'Weet je het zeker?' vroeg Wolfgang. 'Dat kan toch niet. Het is winter, de beren slapen en grizzly's al helemaal.'

Joseph kreeg een kleur. Hij bewoog heen en weer op zijn stoel. 'Ik weet hoe ik sporen van een grizzly moet herkennen,' zei hij. 'Het was geen zwarte beer.'

'Ik denk dat je je vergist,' zei Andreas. 'Grizzly's komen nooit zo ver beneden. Ik heb er hier nog nooit één gezien. Boven op de bergen, daar wel eens.'

Joseph legde zijn vork naast zijn bord. Zijn lippen trilden. Hij zei onvast: 'Ik vergis me niet. Het waren de klauwen van een grizzly.'

'Misschien,' zei Wolfgang aarzelend. 'Misschien heb je gelijk. Maar dan moet er iets aan de hand zijn boven.'

'Welnee. Wat zou er zijn?' zei Andreas. 'Er komt geen

mens deze kant op in de winter en het weer is rustig geweest.' Hij schraapte een lepel kippenvet uit de braadpan en prakte dat door zijn aardappels. 'Rustig vriesweer,' smakte hij met volle mond. 'Je hebt je helemaal vergist, Joseph. Het was donker, je zag het niet duidelijk.'

'En jij moet je bril schoonmaken,' zei Wolfgang tegen zijn vader. 'Geef hier.' Hij strekte zijn hand uit. 'Er zit allemaal vet op je glazen.'

Joseph kloof zijn kippenpoten in stilte af en lepelde het schaaltje ijs met frambozen dat Wolfgang voor hem neerzette haastig leeg.

'Heb ik iets verkeerd gezegd?' Andreas keek de tafel rond.

'Nee,' zei Wolfgang kortaf, en veegde zijn handen schoon aan de theedoek. 'Laat maar.'

Toen stond Joseph op. 'Ik moet gaan,' zei hij. 'Zal ik morgen naar die cilinder kijken, Wolfgang?'

Ook Wolfgang schoof zijn stoel weg. 'Dat zou geweldig zijn. Ik loop een stuk met je op, vanwege de grizzly.'

Andreas knikte: 'Tuurlijk, aan mij wordt weer niks gevraagd. Ga maar, joh.'

Vroeger ging het hem soepel af, gasten onderhouden tot diep in de nacht, een grapje met een houtvester en zijn gezin om het ijs te breken. Hij kon de onaardigste dingen zeggen op een manier die zo aardig klonk dat de mensen hem er achteraf voor bedankten. En met Elisabeth was het altijd feest geweest. Stoelen aan de kant en dansen op tafel.

Maar in Black Creek had de wind alle franje weggeblazen, en was hij wat er overbleef? Als hij eerlijk was, ging hij steeds minder op zijn zus Leonore lijken en steeds meer op Gabriele, zijn oudste zus, die met mensen schuw en opgelaten was, die altijd zenuwachtig aan zichzelf zat te friemelen totdat iemand riep: 'Mens, blijf nou 'ns van je kleren af, het zit allemaal goed.'

Zou Elisabeth hem nog herkennen als ze nog leefde en ineens voor zijn neus stond? Zou hij haar juwelendoosje te voorschijn moeten halen waar hij haar gehoorapparaat in bewaarde. Zou hij moeten zeggen: 'Ja ik ben het echt, lieveling, kijk maar.'

Zou ze hem met afschuw aanstaren: 'Andreas, je haar, wat is ermee gebeurd? Zo lang, je moet nodig naar de kapper!'

'Andreas, je handen! Hoe kom je aan die kloven en littekens op je palmen en je polsen? En je vingers zijn zo stijf geworden. Kun je nog wel pianospelen?'

En: 'Andreas, pas je wel goed op mijn cadeau uit Berlijn?'

Op al haar vragen zou hij 'nee' moeten antwoorden. Nee, hij had geen geld om naar de kapper te gaan. En als zijn haar te lang werd, sneed hij het zelf bij met een mes. Wie interesseerde het hier nu dat het schots en scheef zat?

En nee, pianospelen ging hem steeds minder goed af. Een makkelijk stukje Mozart ging nog wel, een bladzijde Schumann, een stukje Beethoven, maar dan in veel tragere tempi dan de componisten bedoelden. Van ieder presto maakte hij een sentimentele zucht.

Toen de deur achter Joseph en Wolfgang dichtviel, stond Andreas op van tafel. Hij wenste dat Wolfgang met Joseph weer recht zou maken wat hij had kromgebogen, al wist hij niet precies wat. Hij wenste het uit alle macht. Zuchtend krabde hij de etensresten van de borden en de pannen en deed ze in een plastic zak voor de soep van morgen. Hij waste af en veegde de vloer met een bezem. Die regel had Wolfgang op een gegeven moment ingesteld: na iedere maaltijd moest hij vegen en stofzuigen, anders kwamen er mieren en muizen. En om hem aan zijn taak te helpen herinneren, zette Wolfgang de stofzuiger alvast voor het eten klaar.

Toen alles aan kant was, trok hij zijn bontlaarzen aan, verliet het grote huis en liep over het pad dat alweer was dichtgesneeuwd, terug naar zijn cabin.

De klep van de vleugel stond op. De muziekstandaard was leeg. Hij trok de kruk bij, maar kon niet besluiten wat te spelen. Zijn handen waren rauw van het sneeuwruimen, en het stuk dat hij aan het instuderen was verveelde hem.

'Het wordt toch nooit wat,' mompelde hij voor zich uit. 'Je leert het nooit.' Hij liet zijn rechterduim rusten op de c en reikte met zijn pink een octaaf hoger. Zijn linkerhand lag werkeloos op zijn schoot.

Hij hoorde zijn vader zeggen: 'Jongen, je bent een prutser, een schande voor ieders oren.'

Met een ruk schoof hij de pianokruk naar achteren.

'Laat hem toch rusten in zijn graf,' zei hij tegen de vleugel. 'Wat ik hier aanleg en opbouw, daar kan vader alleen maar van dromen. Daar kan hij niet aan tippen met zijn tweederangsorkest.'

Vader was kritisch. Maar een boom planten – nee, nooit.

Hij zat op zijn kruk. Hij nam niets te lezen op schoot, hij schreef niet, hij nam geen stuk hout om te bewerken, hij ruimde niets op, hij deed helemaal niets. Hij wachtte en streelde met een wijsvinger over de zwarte lak van de vleugel.

Hij hoorde Wolfgang terugkomen van zijn ommetje, hij hoorde Daisy, die in haar hok werd gedaan. Hij hoorde gestamp van laarzen op de veranda, de voordeur die dichtsloeg. En toen hoorde hij niks meer. Er stond geen zuchtje wind. Alleen maar stilte. Hij wist dat het sneeuwde. Geruisloos vielen de dikke vlokken op het dak van zijn cabin, op de stallen van de dieren, het hondenhok, het grote huis. Ze vlijden zich neer op de weilanden, op de ijsschotsen in de rivier, op de bossen.

Hij verbeeldde zich dat het dak van zijn cabin omhoogging, werd opgetild. Vlokken zweefden naar binnen en de maan scheen ze bij. Bevroren vuurvliegjes dwarrelden neer op zijn boeken, zijn vleugel, zijn dubbele dekbed met de gehaakte sprei daaroverheen, en ook op hem. Op zijn handen bleven ze liggen, maar op zijn kalende hoofd en zijn kloppende slapen smolten ze.

Wat wilde hij nou eigenlijk? Hij wilde toch altijd een vliegende storm zijn, een waanzin? Geen hondengepeupel.

19

Ze kwamen de volgende morgen heel vroeg, toen de rivier
en de oeverlanden daaromheen nog bedekt waren met mist.
Ze kwamen in een ijzeren wolk van herrie, stank en opspat-
tende sneeuw. Bij de kruising in Horsefly draaiden ze de
weg naar Black Creek op. Ze ratelden over de houten brug
die doorboog onder het gewicht van de zeventonners, langs
de verlaten steengroeve en het in de wind klapperende Bed
& Breakfast-bord van Jenny Reynolds' huis met al zijn leeg-
staande kamers. Ze passeerden de boerderij van de Oberhausens, de Smiths, de wildroosters met de loslopende
koeien en stieren ertussen, en toen hun land. Ze raasden
voorbij, de vrachtwagens met lege opleggers, en aan het
eind van de dag raasden ze weer terug, de vrachtwagens vol.

Wat kon hij doen? Wat moest hij ervan denken?

Hij stond op de veranda, zette zijn muts op, pakte zijn
stok en liep de wolk tegemoet die door het dal van de Horsefly op hem afkwam. Een zwerm kraaien vloog op, zwarte
vlekken die de waterkoude ochtendzon verduisterden. Hij
voelde de wind in zijn gezicht. Hij ademde koud stof in, hij
hoestte. Zijn ogen traanden, zijn huid prikte, zijn milt en
nieren begonnen te trillen in zijn buik.

Het was alsof een vleermuis zijn vleugels spreidde, een
zwarte wolk die langs zijn darmen, maag en slokdarm om-
hoogkroop, zijn keel, mond en ogen binnendrong en daar
in galzwarte druppels oploste. Hij stond niet meer langs de

kant van de weg, maar was allang ergens anders. Een berg, een kasteel, sneeuw nog op de daken, vorst op de knoppen. Hauenstein, de Russen kwamen.

Hij rende.

Twaalf vrachtwagens met opleggers, rupsbanden dubbeldik, sneeuwkettingen eromheen. Ze hielden niet rechts, maar denderden midden op de weg voort. Ze keken niet op of om, ze verpletterden alles wat voor hun wielen kwam.

Andreas stond midden op de weg. Hij riep en zwaaide met zijn stok: 'Halt! Waar gaat u heen? Dit is geen manier van...'

De voorste truck toeterde en zette groot licht op. Er sprongen zes koplampen aan en twee schijnwerpers boven op de cabine van de vrachtwagen. De chauffeur minderde geen vaart.

Op het laatste moment kon Andreas opzijspringen. De chauffeur van de tweede truck minderde wel vaart, maar alleen om het raampje open te draaien en in het voorbijgaan te schreeuwen: 'Hee! Ben je soms levensmoe, ouwe?!'

De grond onder Andreas' voeten scheurde, het talud langs de weg brokkelde af. Hij viel, hij rolde naar beneden. Hij proefde bloed. Het druppelde lauw langs zijn ooghoek en wang naar beneden. Hij tastte met zijn hand naar zijn wang, zijn oog, zijn wenkbrauw, maar hij voelde niks, geen splinters, geen pijn.

Wolfgang rende op hem af. Hij hurkte bij zijn vader en klopte hem met zijn grote handen op de rug. 'Gaat het?' riep hij. En omdat Andreas geen antwoord gaf, schudde hij hem heen en weer.

Het leek alsof zijn tong sliep, heel ver weg voelde Andreas zich, alsof hij in een put was gevallen waar het sneeuwde omdat de kussens werden opgeschud. Maar daar stond Wolfgang. Hij zwaaide en gooide een touwladder omlaag. Nu moest hij wel opstaan, hij greep het touw en trok zich langzaam omhoog uit de put. Via zijn oren, zijn ogen en neus kroop hij weer naar buiten.

Raar, dacht hij. Raar dat me nu ineens een gedicht dat Elisabeth altijd zo mooi vond te binnen schiet. Maar op het moment dat hij dat dacht, vergat hij de woorden van het gedicht en de titel. Hij kon alleen nog op de naam van de dichter komen, Rilke.

Wolfgang bracht hem terug naar zijn cabin.

'Zo,' zei hij, alsof hij het tegen een kind had, 'nu maken we een bochtje.

Pas op, daar ligt een steen.

Goed zo, zo gaat ie goed. Kijk, daar hebben we het huis al.'

'Praat niet zo imbeciel,' hijgde zijn vader. 'Ik ben geen patiënt.'

Wolfgang slikte de woorden in die in zijn mond bestorven lagen. Ook goed, dacht hij. Dan niet. Ik dacht dat je zo van complimentjes hield?

Binnen zette hij water op voor de thee.

'Wat zit je nou te morrelen?' vroeg hij. Zijn vader rukte op het bed aan de hak van zijn linkerlaars.

'Ach, soms krijg ik die krengen zo moeilijk uit. Het lijkt wel alsof mijn voeten nog steeds groeien.'

'Dat kan niet,' zei Wolfgang. 'Je krimpt juist naarmate je ouder wordt. Je bent gewoon stijver. Kom, ik help je.'

Hij zette zijn voet tegen de rand van het bed, pakte met beide handen de laars van zijn vader, rukte en schoot met een vaart naar achteren. Zonder een woord te zeggen, stond hij op, klopte zijn broek af, zette de laars bij de voordeur, waste zijn handen, schonk thee in, met twee suikerklontjes op het schoteltje ernaast. Hij trok het dekbed recht, schudde de kussens en legde een paar houtblokken op het vuur.

Zand knerpte onder zijn voeten.

'Zal ik een keer de kleden voor je uitkloppen?' vroeg hij. 'Zuig je nog wel eens? Je zou eigenlijk een rekje moeten maken voor je laarzen, zodat al die modder van buiten niet in de pers trekt.'

Zijn vader zat in zijn leunstoel en haalde zijn schouders

op. De haren van zijn snor waren nat en sliertig van de thee. Zijn kin was bedekt met grijze stoppels.

'Je moet je straks wel wat opkalefateren,' zei Wolfgang.

Zijn vader knikte en tastte met zijn hand naar zijn kin. Het maakte een raspend geluid. 'Ik... ik moet me nog scheren, ja... vanochtend...'

'Wil je anders wat spelen?' probeerde Wolfgang. 'Was je iets aan het instuderen? Zal ik de piano voor je openklappen en dan water voor je warm maken?'

Nee.

Dus zaten ze maar zo'n beetje bij elkaar, ieder in de weer met zijn eigen gedachten, en ondertussen luisterden ze naar de wind die zachtjes de oude, bronzen klok op het grote huis liet tingelen.

'Kom,' zei Wolfgang ten slotte, en dronk het laatste afgekoelde slokje uit zijn kopje. 'Ik zit ook maar een beetje te lummelen. Ik ga kool inmaken.'

's Middags was Wolfgang in de houtschuur bezig, toen Joseph klopte.

'Ha buurman,' zei hij en wreef het zweet en de houtstof uit zijn gezicht. Hij had alweer een halve boom in stukken gezaagd. Hij was tevreden. Morgen kon hij gaan hakken, dan had hij weer een mooie stapel haardhout klaar. 'Wat kan ik voor je doen?'

'Zo vreemd,' zei Joseph, wiebelend van het ene been op het andere. 'Op weg hierheen heb ik alweer grizzly-sporen gezien. Nu waren het drie beren vlak bij elkaar. En da's heel raar voor grizzly's.'

Josephs mond klapte dicht, ging nog een keer open en dicht. Toen tikte hij tegen zijn muts, draaide zich om en liep weer naar buiten.

Wolfgang legde de zaag weg, liep naar de cabin van zijn vader en vroeg: 'Zouden die grizzly's iets met die vrachtwagens te maken hebben? Geen beer waagt zich toch 's winters buiten zijn hol?'

Zijn vader zat aan zijn bureau te schrijven. Hij keek niet op van het papier, maar zei alleen maar: 'Misschien wel, misschien niet.'

Zijn broers zeiden dat hij de twijfelaar was. 'Onze Wolfi weet niet wat hij wil,' pestten ze. Friedrich noemde hem een levensgenieter, maar dat bedoelde hij nooit positief. Benno vond hem een dromer.

Maar hij vond dat onzin. Je was echt geen dromer alleen omdat je niet kon beslissen wat je voor je verjaardag wilde of omdat je onder het wandelen niet wist of je naar links of naar rechts zou gaan. Zijn vader klopte hem op zijn rug: 'Trek het je niet aan, stel je niet aan. Joh, jij zal misschien nooit een beslissing nemen die ertoe doet, maar ook dat soort mensen moet er zijn.'

Als kind van zes droomde hij ervan om in het circus te gaan. Hoog aan de trapeze maakte hij de ene salto mortale na de andere. Maar toen hij eenmaal kon lezen, wilde hij dichter worden. Hij zag zichzelf in een kabouterhuisje aan de rivier gedichten schrijven. Maar ook dat was van korte duur. Filosoof wilde hij worden, daarna priester en daarna kunstenaar – dat was net zoiets. Maar ook dat laatste was geen succes.

Pas in Canada werd alles duidelijk. Daar kon hij het zo gek niet verzinnen of het lukte. Schilderen, gedichten schrijven, en laatst nog, toen had hij zijn schouder ont-wricht, maar hij zette hem zonder een kik te geven zelf te-rug in de kom.

Priscilla Steinvert uit Horsefly tikte tegen haar voor-hoofd toen hij vertelde dat hij dat zelf had gedaan.

'Ben je wel helemaal goed bij je hoofd?' vroeg ze.

Maar hij stond er niet bij stil. Hij haalde diep adem, zei: 'Kom op, Landewee, je moet,' en krikte de schouder terug op zijn plaats.

Nu zei hij tegen de rug van zijn vader: 'Ik weet het goed gemaakt. Morgen ga ik boven op de bergen poolshoogte nemen.' Hij had het gevoel dat hij het heft in handen moest nemen, want als hij het niet deed, deed niemand het hier.

Die nacht vroor het zo hard dat alle waterleidingen bevroren.

Daarom merkte Andreas niets van Wolfgangs vertrek, niet dat deze Hammerhead zadelde, niet dat hij twee jachtgeweren van de haak haalde. Andreas was druk in de weer met de bron bij het kippenhok, en als hij de middag daarvoor al had gehoord wat Wolfgang tegen hem had gezegd, dan was hij nu in ieder geval vergeten dat zijn zoon weg zou gaan.

'Wolfgang!' riep hij op zijn knieën, en met zijn gezicht vlak boven de sneeuw. 'Wolfgang, kom eens hier!'

Pas toen hij geen antwoord kreeg en overeind kwam – knarsetandend duwde hij zich op zijn handen omhoog, want zijn knieën deden tegenwoordig zeer – toen pas zag hij dat Wolfgang weg was.

Hij zag het aan de sporen van Daisy, aan de hoefafdrukken van Hammerhead die al aan het dichtsneeuwen waren, en aan de doodse stilte om zich heen.

Hij mopperde: 'Hoe repareer ik dit nu weer zonder dat de leidingen barsten?' Hij riep nog een keer, hard en nutteloos: 'Wolf-gaaaang!' en hoorde zijn stem wegsterven tegen de berghellingen.

Hij sloeg de kraag van zijn jas op en huiverde. Als hij er gevoelig voor was, zoals Veronika of zijn zuster Gabriele, zou hij rare dingen gaan denken. Dat het bos om hem heen een behekst bos was bijvoorbeeld, en dat de verticale witte strepen sneeuw die door de wind tegen de stammen waren opgewaaid, geesten waren van dode pelsjagers, bonthandelaren, goudzoekers en turfstekers.

Hij liep naar de schuur, pakte een schep en twee ijzeren emmers en vulde die met brokken hard bevroren sneeuw. Hij sjouwde de emmers zijn cabin binnen, naar de kachel, en hees ze omhoog.

'Langzaam, langzaam,' zei hij, 'niet morsen.' Met een klap bonkten de emmers op de roodgloeiende plaat. Er klonk een gesis, alsof hij natte paddestoelen in een hete pan gooide.

'Goed zo,' mompelde hij. Hij deed zijn laarzen uit en strekte zijn voeten uit naar het vuur. 'Sissen jullie maar, emmertjes, wordt maar goed heet. Vanavond als de jongen thuiskomt, moeten de leidingen weer ontdooid.'

Het was niet onaangenaam, daar op zijn stoel, met zijn kin op zijn borst gezakt en zijn handen gevouwen voor zijn buik. Hij voelde zijn ogen zwaar worden. Hij dacht niet aan de uren die voor hem lagen, met die zware emmers aan zijn armen, en in die kou. Hij dacht niet aan de vrachtwagens van gisteren, niet aan Wolfi, die in de bergen was gaan kijken. Hij dacht alleen maar: waarom niet, zolang niemand het ziet?

Hij viel in slaap en droomde dat hij op jacht ging.

Na een dozijn in stukken gescheurde kippen, was de graaf het zat. Ze waren slim, die vossen. Ze vernielden de vallen, de honden kregen geen vat op ze, ze kwamen soms midden in de nacht, dan weer vroeg in de ochtend en ook wel eens doodleuk op klaarlichte dag. Ze beten gaten in het gaas, groeven tunnels onder de hekken, en daar had je het gedonder in de glazen, gefladder en gespetter in de kippenren, alweer een kip minder op stok. In colonnes trokken de vossen over het land. Ze kwamen uit de bossen waar ze hun holen bouwden, en gingen vanuit de beschutting van de bosrand op jacht, kilometers lange tochten. Krengen die nooit moe werden, nooit slaap nodig hadden.

De boeren morden. 'Het is goddomme welletjes,' zeiden ze en spuugden op de grond. 'Deze riek hier,' gromden ze, 'deze riek hier gaat er dwars doorheen, als we er eentje zien.'

De boeren hitsten elkaar op. Het was een plaag. Hoe kwam die plaag hier? Wee degene, die dit op zijn geweten had, de sprinkhanen uit het Oude Testament waren er niks bij. Konden ze ze niet allemaal eens en voor altijd de nek omdraaien? Uitroeien? Decimeren! Dat in elk geval.

Meneer Friedrich sprak Andreas erop aan. 'Hoor eens, Landewee,' zei hij. 'Ik wil nu dat het uit is met dat gesodemieter. Volgende week zondag organiseer jij een drijfjacht voordat de mis begint.'

De graaf stak zijn hand op: 'Ja ja, ik weet wel dat je dat niks vindt, zo'n jacht. Maar ik ben het zat, en de boeren ook. Iedereen is het zat.'

Friedrich von Hauenstein gaf gewoon het bevel: 'U neemt in de bestrijding het voortouw,' en zo geschiedde.

Hij kreeg drie opdrachten.

De eerste was: vind de wegen waarlangs de vossen zich verplaatsen.

De tweede was: verzamel muizen, dode kippen, wat de slager nog aan slachtafval heeft, en begraaf dit onder een laagje zand of een dunne plag gras. Maak loederplaatsen. Twaalf op zijn minst. En vergeet de sleepsporen niet.

De derde was: zorg dat de honden en de drijvers klaar staan, de kogelgeweren schoon en gesmeerd, het juiste kaliber munitie in overvloed aanwezig, de routes van de vossenwegen bij alle deelnemers bekend.

Andreas was tegen. Jagen jawel! Geef hem een geweer. Dagen achter een reebok aan, van zonsopgang tot zonsondergang buiten, al zijn krachten geven, en dan in de beslissende minuut, oog in oog met het beest waarop hij al dagen joeg, zijn instinct volgen, de kracht volgen die vanuit z'n tenen door z'n hart en z'n hand schoot en die brulde: schieten! Nu!

Maar zo'n drijfjacht was een ander verhaal. Met honderd man op jacht, koppels blaffende honden en veel geschreeuw. De opstanden die hij net had geplant zouden vertrapt worden, al het wild zou schrikken, het hoogwild zijn jongen verwerpen, de schuwe vogels waarover hij juist zo trots was dat ze op Hauenstein nestelden, zouden vertrekken.

Hij dacht niet aan het bloedbad dat aangericht zou worden. Dat bloedbad was onvermijdelijk. Maar als het moest, dan gecontroleerd en met precisie uitgevoerd. Liefst door hem alleen.

Hij vond de vossenwegen na lang zoeken. Hij bezocht alle boerderijen waar kippenroof was gepleegd en volgde vanaf daar de sporen. Hij liep alle bosranden in een straal van dertig kilometer af, hij doorkruiste weilanden en akkers. Hij zocht sporen, pootafdrukken, die iedere nacht werden ververst. Hij vond de sporen, hij vond ook de holen, maar die waren leeg.

Op de derde dag liep hij van de boomgaarden van Hauenstein langs de graanvelden van Schönberg langs de boswachtershut Elbecken verder in de richting van de oude grens. Hij stuitte op vossensporen in de drassige grond. Hij klom omhoog, over de Unruhstollen, tot hij niet meer hoger kon. Vanaf hier zag hij de bergen om zich heen golven en het spoorlijntje van Weipert naar Komotau glashelder daartussendoor kronkelen.

Hij zag de trein pas na een poosje. Hij stond stil tussen het groen van de dennenbomen. Damp sloeg uit de locomotief. Een korte trein was het met maar drie wagons, open wagons die normaal werden gebruikt om grint of stenen te vervoeren die verderop in de bergen uit de rotsen werden gehakt. Maar nu stonden er mensen in. Andreas zag ze van boven: bruine hoeden, zwarte hoeden, petten, mutsen en strikken. Krulharen, baarden, bruine vlechten, knotten en blonde staarten. Koffers en plunjezakken op een stapel in de hoek. Hij schatte zo'n twintig personen per wagon.

Voorzichtig liet hij zich langs de helling naar beneden glijden in de richting van het spoor, met zijn lichaam over het mos. Hij stopte toen hij stemmen hoorde. Duitse soldaten met mitrailleurs over hun schouder kwamen uit de bosjes te voorschijn. De mannen knoopten hun gulp dicht en trokken hun jas recht. Ze lachten en staken een sigaret op.

Andreas liet zich instinctief op zijn knieën zakken. Hij was nu op dezelfde hoogte als de soldaten. Hij kon hun bleke gezichten zien, de insignes op hun kraag, hij kon de woorden van hun lippen lezen. Andreas keek naar de mensen en de kinderen die in de wagons stonden. Er werd niet gesproken, door niemand, zelfs de kinderen waren stil.

Opeens bleef zijn oog haken aan een bekende gestalte, een bekend gezicht. Zijn vroegere pianoleraar uit Preßnitz. Hij was grijs geworden en oud. Zijn schouders waren kromgetrokken. In een flits schoot Andreas een grapje door het hoofd. 'Schouders recht, meester Jandl!' Want zo berispte zijn leraar hem vroeger tijdens de pianoles altijd: 'Schouders recht, Andreas, uit een zak aardappels komt geen muziek.'

Maar Andreas hield zijn mond. Zijn keel leek dichtgeroest, zijn tong vastgekleefd aan zijn gehemelte. Hij staarde naar zijn oude muziekleraar. Het was alsof deze zijn blik voelde, want hij draaide zijn hoofd opzij en keek terug.

Meester Jandl reageerde blíj verrast, net als Andreas. Allebei blij verrast, omdat je nu eenmaal automatisch zo reageert als je plotseling een aardig iemand van vroeger tegen het lijf loopt op een plaats waar je hem niet verwacht.

De wagon schokte, de oude pianoleraar greep zich vast aan zijn buurman. De soldaten waren weer op de locomotief gesprongen en hadden zich met hun mitrailleurs in positie gesteld, de dieselmotor begon te bulderen en braakte bruine wolken uit. Langzaam zette de trein zich in beweging. Kraken, piepen, nagels over duizend schoolborden tegelijk.

Andreas tilde zijn hand op en wuifde. Hij dacht aan Scarlatti, aan de afschuwelijke sonates van Scarlatti, die zijn pianoleraar er bij hem had proberen in te krijgen. Iedere week dezelfde opmerkingen in de kantlijn van zijn pianoschrift: 'Goed studeren op Scarlatti, Andreas,' en 'Let op je vingerzetting.' En achter die zin had zijn pianoleraar met rood potlood drie uitroeptekens gezet.

De trein was allang om de bocht verdwenen en de diesel-walm weggewaaid, toen Andreas zich omdraaide en terug naar huis ging. Hij had twaalf vossenwegen gevonden en zesentwintig vossenholen. Hij moest, voordat de drijfjacht begon, snel korte metten maken. Hij zou Dora en Jonas meenemen, zijn twee snelste dashonden, die de jonkies uit hun holen konden jagen. Met een zak zou hij klaarstaan bij de uitgang om de beestjes op te vangen en te verdrinken. De ouders schoot hij een kogel door de kop.

Hij werd wakker van het geklepper van het deksel op de em-mer. Hij sprong op, griste twee handdoeken van het aan-recht en tilde het gloeiende ding naar buiten. Hij voelde zich licht in het hoofd, alsof zijn hersens dansten. Hij wist nu even niet meer hoe, waarom en welke kant op.

Hij proefde maagzuur. Ergens was de droom niet goed gelopen, maar waar dat precies was kon hij niet zeggen. Hij kon toch niet anders, hij moest toch iets anders? Die ge-dachten slingerden door zijn hoofd. Hij kwam pas weer bij zinnen, toen hij de emmer met smeltwater op de kachel zag staan en zich herinnerde: oh ja, de waterleiding.

Zes uur later had hij acht emmers met sneeuw gekookt. Hij had handdoeken in het hete water gedoopt en die om de pomp bij de bron gewonden. Steeds als een handdoek dreigde te bevriezen, kookte er een nieuwe emmer en was hij net op tijd om erger te voorkomen. Terwijl de dag ver-streek, het licht van helderwit in een namiddags hardroze veranderde, en hij tegen de vermoeidheid en de kou en vooral de wanhoop streed, ontdooide de bron. En toen de zon definitief achter de bergen verdween, stroomde er weer water uit de kranen.

Het was vier uur 's middags. Hij haastte zich. Hij om-wikkelde de leidingen met droge wollen doeken en daartus-sen propte hij houtwol en piepschuim voor de isolatie. Toen hoorde hij ze komen.

Zo geruisloos als Wolfgang was vertrokken, met zoveel

lawaai kwam hij nu weer thuis. Eerst kwam Daisy, blaffend en wild kwispelend en met een blauwpaarse tong uit haar bek van het hollen. Vervolgens hoorde Andreas het gehinnik van Hammerhead in de verte, die Cloud riep, en Cloud hinnikte vanuit zijn stal terug. En toen verscheen eindelijk Wolfgang te paard tussen het kreupelhout. Andreas zag iets liggen achter het zadel, een zwarte homp. Was het een mens, een dier?

Het was een hert, een damhert met een schotwond tussen de ogen en twee verbrijzelde achterpoten.

Andreas warmde soep van gisteren, sneed het brood en legde de boterhammen op de kachel om ze vers te maken. Ondertussen sponsde Wolfgang het bloed van Hammerhead af, voerde de paarden en sleepte het dode hert naar de garage om het te villen.

Hij vertelde dat hij het dier had gevonden op weg naar beneden, net voor het punt waar Black Creek Road een knik maakte en de bomen waren afgeknapt door een aardverschuiving. Het was een van die plekken van waaraf je het hele dal van de Horsefly-rivier kon overzien en als je goed keek, zag je in de verte een sliertje rook omhoogkringelen tussen de dennenbomen uit – dat waren zij, dat was hun land.

Het dier lag in de berm dood te gaan. Kraaien cirkelden er al boven, de dapperste vielen aan. Ze pikten in de bloedende lappen vlees die van de dijen van de bok hingen. De bok had geen kracht meer om ze te verjagen. Die lag met wit weggedraaide ogen trillend te wachten op het einde.

Andreas kon zich niet voorstellen dat iemand van hier uit de buurt een dier zo liet liggen als hij het had aangereden. De halve achterkant eraf. Dat ging alle grenzen van onweidelijk gedrag te boven.

Het minste wat je kon doen, was zo'n dier het genadeschot geven, recht tussen de ogen, in één keer het licht uitdoen.

20

'Je moet die kat niks geven, hij is al dik zat.'

Wolfgang scheurde met zijn tanden een homp van zijn brood.

Ze aten zwijgend hun soep. Zacharias was de enige die onverstoorbaar van zich liet horen. Hij draaide met zijn staart trillend als een rietpluim rond Andreas' stoel.

'De klok staat stil. Is hij kapot of heb je hem alweer vergeten op te winden?'

'Vergeten op te winden.'

Wolfgang schoof zijn stoel van tafel en liep naar de klok. Hij deed het deurtje open en trok de koperen gewichten omhoog. Vervolgens verschoof hij de wijzers totdat de klok weer gelijk stond. Ieder heel, half en kwart uur sloeg de klok. Andreas zei: 'Ik moet hem dempen als ik tijd heb.'

'Heb je nog iets anders dan soep?' vroeg Wolfgang.

'Nou nee,' antwoordde Andreas, 'ik had geen tijd, ik ben de hele dag in de weer geweest met de pomp van de bron.'

'Ga ik voor dag en dauw van huis, de hele dag buiten in de kou. En wat krijg ik als ik 's avonds thuiskom? Zelfs de paarden krijgen nog beter te vreten dan ik.'

Wolfgang roerde in de pan op tafel. 'Moet je zien: kippenbotten met sperziebonen, een paar brokken aardappel, een wortel en wat vleesafsnijsel. Daar kan een mens toch niet op voort? Ik bedoel: moeder was geen keukenprinses, maar jij legt er ook weinig eer in.'

Hij stond op en griste uit de keukenkast een pak Bounty's. Hij scheurde het karton open, graaide twee handenvol uit de doos en ging, zonder nog één woord te zeggen, naar boven, naar zijn kamer.

Zacharias sprong op Wolfgangs stoel. Hij spinde en keek Andreas smeltend aan. Af en toe slaakte hij een heel zacht kreetje, alsof hij nog een jonge poes was die zijn moeder zocht en niet een kater met een hangbuik.

'Het is al goed, Zach,' zei Andreas tegen de kat, ''t is al goed.' Hij pakte Wolfgangs bord. 'Hier kerel, eet dat maar leeg. De jongen hoeft toch niets meer.' Hij was blij dat in ieder geval de kat hem nog gezelschap hield.

Pas laat die avond kwam Wolfgang naar beneden. De boel was afgewassen en opgeruimd, de kamer gezogen. Andreas had tussen de grammofoonplaten gezocht naar muziek die hen zou opvrolijken. Vrolijk zonder van je kwèk-kwèk-boem. Geen Wagner of Bruckner, geen Bach, dat was te veel geknutsel nu. Liever een strijkkwartet of een trio. Hij pakte Haydn, Beethoven – over een paar maanden was het alweer lente, dan smolt de sneeuw en gingen de dagen weer lengen. Ja, de *Frühlings-Sonate*, met Brendel op de vleugel.

'Zes man,' zei Wolfgang. 'Ze zijn met zijn zessen.'

Hij pakte een stoel en schoof die bij de kachel. 'Mmm, zalig.'

Alles van daarstraks leek vergeten. Zacharias lag boven hun hoofd op een balk te slapen, natte sneeuw sloeg tegen de ramen, de kachel zong.

'Ze zijn een extra weg aan het aanleggen, voorbij de Haystacks richting zuidwesten, dwars het bos in. Er liggen al zeker een stuk of honderd sparren om. Het is een ravage. Het kleine spul ontworteld en verpletterd. Ze maken een pad dat zo breed is dat er minstens twee trucks door kunnen.'

Andreas dacht na over wat Wolfgang zei. Ten minste twee trucks. Dat was geen pad, maar een weg van wel tien meter breed.

'Mag dat zomaar?' vroeg hij. 'Weet Will ervan? Het zijn toch Kroondomeinen daar?'

Will Whithers woonde tegenwoordig bij Ochiltree, langs de weg naar 150 Miles House. Vanaf Black Creek was het ongeveer anderhalf uur rijden over een onverharde weg met heel veel haarspeldbochten. Te paard ging sneller omdat je kon afsteken door het dal.

Will woonde in een armetierig daglonershuisje sinds de bank zijn huis in beslag had genomen. Zijn vrouw Eliza liep weg en eiste de helft van het bezit op. Rücksichtslos, na vijftien jaar huwelijk en keihard werken van hem voor haar.

Tussen Prince George en 150 Miles House was er geen mooiere boerderij dan die van de Whithers. Het bakstenen woonhuis stond los van de stallen, het land was afgerasterd met witgeschilderde houten hekken, want dat wilde Eliza. Het was net Dallas als je vanaf haar aanrecht naar buiten keek.

Will draaide zijn diensten, liet geen stroper, geen wildkapper ongemoeid en wist van zowat elk stuk bos in zijn district wat de zwakke plekken waren. Tot die miezerige zaterdag dat Eliza tegen hem zei: 'Okee Will, fair play nu.'

Ze zei dat ze ervandoor ging. Ze ging bij hem weg. Ze vertrok voorgoed.

Nog geen week later stonden de verhuiswagens voor de deur en was Eliza verdwenen naar Victoria. Twee weken later kwam Will erachter dat Eliza jarenlang een verhouding had gehad. Iedere tweede maandag van de maand ging ze naar Williams Lake om boodschappen te doen. Maar ze huurde ook een kamer in het Valleyview Motel buiten de stad, waar niemand haar kende en waar ze de middag doorbracht met een vismeelman uit Victoria. En 's avonds bakte ze viskoekjes voor Will.

Een maand later was de scheiding rond en sindsdien was het leven niet mild geweest voor Will Whithers. Hij moest zijn boerderij verkopen en verhuisde naar dat oude daglonershuisje in het bos. Het huis was zo verrot dat de zwammen uit de muur groeiden en je voeten klam werden als je op sokken rondliep.

De laatste keer dat Andreas bij hem langsging – hij liet de auto beneden aan de weg staan en volgde de telefoonpalen het bos in – zat Will in zijn pyjama naast de kachel, met een fles whiskey op zijn schoot. Het was tien uur 's ochtends en er kwam geen stom woord uit zijn mond. Boven de kachel en bij het aanrecht had Will plaatjes geplakt. Overal kleurige plaatjes, uit reisgidsen gescheurd. Andreas zag de rots van Gibraltar scherp afsteken tegen de zon, hij zag kokosnootstranden met palmbomen en meisjes in bikini, en hij zag miljoenen lampjes van een onbekende stad oplichten tegen een vurige, violette avondhemel.

Wolfgang knikte. 'Ik ben bij Will langsgeweest, hij was er niet. Zijn pick-up stond er wel, en ik ben een stuk het bos ingelopen om hem te zoeken. Hij was niet bij de kreek en ook niet bij de oude mijn. Ik riep, maar ik kreeg geen antwoord.'

De zes kwamen van McErdall. Hout. Bomen. Papierfabrieken. Pulpfabrieken. Vijfduizend kubieke meter hout per jaar ging erdoorheen. Liefst kaalkap, want dat was het goedkoopst. McErdall vervuilde de lucht en de rivier, had geen scrupules maar wel een schatrijke politieke lobby, die tot in Victoria actief was en dus ook in Williams Lake.

Andreas diende eerst bij Will een klacht in over de houthakkers en hun methoden, en toen dat niet hielp gingen ze samen naar het stadhuis in Williams Lake, een betonnen Bakoe-kolos aan de rand van de stad.

De ambtenaar van de lokale afdeling van het ministerie van bosbouw droeg om zijn ringvinger een grote gouden zegelring die hij met een beetje spuug zat op te wrijven aan de manchet van zijn overhemd. 'Wat zanikt u nou over toekomstbomen en ecologische schade?' vroeg de man. 'Weet u wel hoe hoog de werkloosheid in British Columbia is? Hoeveel bedrijven alleen in het Cariboo district al failliet gaan vanwege de recessie? Nee?'

De man keek hen niet aan terwijl hij sprak. Hij zei: 'Nou, in Williams Lake zijn we blij met de komst van McErdall.' Hij tilde zijn hand met de ring omhoog naar de zon die door een spleet van de luxaflex binnenviel en liet de ring vonken in het licht. Hij zei: 'U kunt die eco-bullshit beter voor u houden, als uw huis en uw nieuwe land u lief zijn.' Zo zei de man het letterlijk.

Wat ze bij het ministerie daarmee bedoelden, legde Joseph later uit. 'Het begint met anonieme brieven en als je daar niet naar luistert, breken ze je auto open op de parkeerplaats van Saveway, terwijl jij boodschappen inslaat. Je ruit in diggelen op de zitting, de radio eruit. Hou je vol, dan komen ze als je van huis bent, 's nachts of doordeweeks. Ze steken je huis en je opstallen in brand, de banden van je auto's lek.'

Zo gebeurde het bij een man uit Kamloops, vertelde Joseph, en met die man liep het bepaald niet goed af.

Andreas ging ogenblikkelijk aan de slag. Hij haalde twee van de drie geweren van hun haak, de 340 kaliber Weatherby Magnums, die ze voor beren en grote elanden gebruikten. Hij pakte munitie uit de keukenla en schoof de patronen in de geweren. Hij liep het huis uit.

'Wacht, waar ga je naartoe?' riep Wolfgang.

Hij holde achter zijn vader aan en wilde een geweer overnemen. Maar Andreas hield stug vast. Wolfgang volgde hem naar het kippenhok. Daar, naast het gaas, begroef Andreas het ene geweer, het andere verstopte hij in de stal van Cloud en Hammerhead, om de hoek in de zadelkamer. Hij legde er twee jachtmessen en twee ijzeren handbogen bij.

Er liep een rilling over zijn rug. Geen indringer, geen vandaal, geen premiejager van McErdall zou op Black Creek ongestoord zijn gang kunnen gaan. Hij stond tenminste zijn mannetje.

Hij voelde zich weer alsof hij dertig was en op hohe Jagd ging. Opsporen, volgen en vangen. Onderweg voelde hij geen hitte en geen kou, geen honger, geen dorst. Zweet stond op zijn voorhoofd. Als ik het getril van mijn handen maar kan onderdrukken, dacht hij. En als ik moet schieten, lieve God, zorg dan dat ik raak schiet.

De zes McErdall-mannen bleven de hele winter boven in de bergen. Ze bouwden twee cabins voor zichzelf, rechthoekig als zeecontainers, met laag plafond om de warmte binnen te houden, één piepklein raam en twee schoorstenen. Ze legden wegen aan, rechttoe rechtaan, zonder acht te slaan op wat er groeide. Een honderdjarige, kolossale spar ging om, gewoon omdat de boom in de weg stond. Met nog geen drie mannen kon je de stam omvatten als je elkaar een hand gaf. Maar in de taal van McErdall heette de boom gedegenereerd, onbruikbaar voor houtproductie, alleen geschikt voor de versnipperaar.

Die winter werd het bos met kettingzagen geoogst. Eerst de bomen gekapt en op trucks afgevoerd, elke dag vrachtwagenladingen in volle vaart langs hun huis. Daarna werd wat nog restte met vlammenwerpers vanuit helikopters platgebrand. Het leek Vietnam wel, althans wat Andreas zich ervan herinnerde van de Duitse televisie, gele en oranje vlammen aan de horizon, rook die het dal verduisterde en asdeeltjes die overal neerdwarrelden, in zijn neus, zijn haren, in de kom met Klößen die hij draaide.

Op het hoofdkantoor bij McErdall hadden ze een potlood en een liniaal gepakt en dwars over stroomgebieden en heuvels een gebied afgebakend dat omgezaagd moest worden. En toen het dat jaar lente werd en de sneeuw smolt, hadden ze hun eigen eerste clearcut in de buurt.

Het was een plak ontboste berg van 2000 bij 4000 meter, zo'n enorme omvang dat Andreas in het begin alles verkeerd zag, hij voelde zich verzeild op een voetbalveld voor reuzen. Geen grizzly, geen black bear, geen moose, geen elk, geen cariboo, geen deer, geen bighorn sheep, geen mountain goats, geen reptielen, geen vogels meer.

'Laat toch,' zei Wolfgang. Maar thuis timmerde Andreas een kruis in elkaar met daarop alle dieren die verdwenen waren. Dat kruis hamerde hij in de berm van de weg die naar het verwoeste gebied leidde. 'Dat brengt die beesten niet terug,' zei Wolfgang.

De mensen in het dal stoorden zich er niet aan, die wisten niet wat de gevolgen waren, die deden alsof Wolfgang en Andreas een paar maffe natuurbeschermers waren. Fanaten met zelfgebreide mutsen op die zich om de verdwijning van een boomkruiper zorgen maakten en boze brieven stuurden naar de krant. 'Te veel op jullie eentje geweest, zeker?' riepen de mensen als ze hen voorbij zagen komen.

Maar Andreas wist wel beter. Het liep wel degelijk een vaart en het was echt niet altijd zoals Werner Berggruen schreef: 'Immerda enthüllt das Ende sich als strahlender Beginn.' Welnee.

Dat las hij in een oude *Frankfurter Allgemeine Zeitung*, die Veronika had opgestuurd. 'In het Ertsgebergte konden wandelaars dertien jaar geleden vanaf de grote Spitzberg tot aan de Keilbergbossen zien, zo ver ze konden kijken waren er bossen. Thans strekt zich een verwoeste, ontboomde hoogvlakte uit, een maanlandschap met gele rottende stammen. De 920 meter hoge kleine Spitzberg lag in 1976 nog in de schaduw van dennebomen. Nu, vijf jaar later, heeft de dood die bomen weggerukt.'

De krant becijferde: begin jaren vijftig werd dertigduizend hectare bos in Sudetenland bedreigd door de rook uit de bruinkoolcentrales en van de chemische industrieën in het Boheemse bekken. In 1958 was dat aantal opgelopen tot vijfenvijftigduizend. De communistische regering in Praag kondigde maatregelen aan om de natuur in het Ertsgebergte te beschermen, maar deed niets. In 1969 stierf zesentachtigduizend hectare bos en in 1981 honderdtwintigduizend hectare.

Met tranen in zijn ogen liep hij naar de stallen, waar Wolfgang het tuig aan het poetsen was. Hij schopte een emmer water omver en gaf een klap tegen de rand van de staldeur. Wolfgang keek op.

Hij kon zich niet beheersen, zeker niet als hij eraan dacht hoe gezond zijn bomen vroeger waren geweest. En hoe beroemd.

'Denk dan aan Carl Bechstein,' zei hij, en hij vertelde het verhaal dat Wolfgang al honderd keer had gehoord. Hoe Bechstein tijdens zijn opleiding bij de Franse pianofabrikant Érard leerde dat het allerbeste hout voor piano's hoog in de bergen groeide, op plekken waar de bodem zacht was en zeker niet rotsachtig. Hoe Bechstein, terug in Berlijn en zijn pianofabriekje net geopend, alleen dat allerbeste pianohout wilde.

'Nou, en waar denk je dat hij dat vond?' drong Andreas aan.

Maar Wolfgang ging zwijgend door met het inzepen van de bakstukken van het hoofdstel. Wolfgang wist dat Bechstein zijn medewerkers op pad stuurde, dat ze vergeefs naar de Beierse Alpen trokken, vergeefs de hellingen van de Harz doorkruisten, die van Thüringen en Sachsen. Hij wist hoe ze uiteindelijk in Bohemen terechtkwamen en daar, in de gure Noordwesthoek, in het Ertsgebergte, de perfecte bomen vonden. Hij kende alle apotheosen van al zijn vaders verhalen.

Andreas hield de krant opengevouwen in de lucht. 'Het waren fijnsparren,' zei hij. 'Blank van hout, recht van stam. Bomen die in grote groepen groeiden, dicht op elkaar, kilometer na kilometer. Statig groen zover het oog reikte. En sterk! Ieder jaar kwam er maar een heel dun jaarringetje bij. Dat kwam door de kou. De inspecteurs van Bechstein knikten en prikten in het binnenste van de stam: "Kijk die jaarringen eens; het lijken de draden van een weefgetouw wel, zo dicht op elkaar zitten ze."'

Of Wolfgang het raar vond dat hij bij een Bechstein zwoer? Net als Rubinstein, net als Furtwängler, net als Liszt. 'Lieber Gott, in Elisabeths vleugel zit een boom van bij ons thuis. Dat geloof je toch niet, zo'n toeval? Uit het Ertsgebergte haalden ze dat hout!'

En toen het tijd voor Wolfgang was om iets te zeggen,

antwoordde hij: 'Jawel. Ik geloof je.' Maar met zijn hoofd was hij heel ergens anders. Hij dacht aan de hoofdstellen die allang aan vervanging toe waren, maar waarvoor zijn vader geen geld wilde uittrekken. Hij dacht aan die zee van naaldbossen van vroeger. En toen dacht hij, heel even, ook aan Elisabeths vleugel en waarom hij soms wenste dat dat ding nooit naar Black Creek was verhuisd.

21

De lente kwam razendsnel. De bollen vlogen uit de grond, eerst de sneeuwklokjes en krokussen, daarna de wilde narcissen en hyacinten. Iedere dag voordat hij het ontbijt maakte, liep Andreas een rondje langs de cabins en schuren, langs de borders en bloembakken, en bevoelde de knoppen – of het al zover was.

Hij keek uit naar alle kleuren die hij in de zomer om zich heen zou zien. Hij verheugde zich op de appelbomen, het fluitenkruid, de sleutelbloemen en de klaprozen in de wei. Hij verheugde zich op het krolse gekwaak van de kikkers, op het concert van de vogels en de insekten.

Begin april voerde de wind warme lucht uit het zuiden aan. De sneeuw smolt en de rivier trad met ongekende drift buiten haar oevers. Ze pakten hun kano en peddelden over de weilanden. Wolfgang nam een peilstok mee.

'Hoeveel heb je?' vroeg Andreas schuin over zijn schouder naar achteren.

'Twee meter twintig al,' zei Wolfgang. 'En over drie maanden moet hier het hooi van het land.' Hij haalde de peilstok in, spuugde naast de boot en keek boos naar de bergen in de verte.

Andreas volgde de witte klodder spuug die langzaam oploste in het water: draden, steeds dunner en dunner, en weg waren ze. De zon blikkerde in het water. Hij drukte met twee vingers op zijn brandende oogleden.

Ze peddelden stroomafwaarts, richting Horsefly. Wolfgang zat achter aan het roer, en Andreas zat voor. Witte wilgenbosjes en donkergroene rietpluimen schoven onder de kiel van de boot door, spookachtig, sprookjesachtig mooi. Traag, kalm, altijd kalm.

De zomer was heter dan ooit. Iedere dag dezelfde wolkenloze hemel, met af en toe in de verte een stapelwolkje dat nooit dichterbij kwam. Alles regende leeg in de bergen aan de kust.

De beek veranderde in een modderstroompje waarin de muggen miljoenen eitjes legden en waar de kikkers zo diep wegkropen op zoek naar een beetje koelte dat Andreas hun gekwaak de hele zomer miste. Als hij 's ochtends het pad omlaag liep, zag hij al hoe erg het was. De smeerwortel, de dovenetel en zelfs het schaduwkruiskruid dat iedere zomer aan de oevers van de beek woekerde – alles stond er slap en verschrompeld bij. De wind bewoog geen blad. De bomen wachtten roerloos op water.

Het was zo droog dat de vogels uit de boom vielen. Als Andreas levende vond, legde hij ze in een hoekje van de schuur en sprenkelde water op hun snavel tot ze bij hun positieven kwamen. Dan fladderden ze wild met hun vleugels, als op hol geslagen bollen wol, en weg waren ze, vanuit het donker het licht van het gat van de deur tegemoet.

Maar het allerzwaarst was het die zomer voor het wild. De drenkplaatsen in de bergen waren opgedroogd, alles trok naar beneden, naar de rivier. Voor het wild en met name hun jongen was het een noodlottige zomer. Hij vond hertenkalfjes met verstijfde lijfjes, warm van de zon.

's Nachts sliep hij met de ramen open en alleen een laken bij de hand voor de kilte, die zich soms, heel even, bij het krieken van de dag liet voelen. Overdag veranderde hij het huis in een grafkist: luiken, deuren en ramen dicht, gordijnen ervoor zodat geen straaltje zon naar binnen kon vallen. En als Wolfgang per ongeluk een deur open liet staan, wond hij zich ontzettend op.

'Let toch een beetje op, met die deuren,' snauwde hij en veegde het zweet uit zijn nek. 'Je weet dat ik niet tegen die hitte kan. Goddomme, het lijkt hier Tahiti wel.'

Maar Wolfgang zei alleen: 'Het is maar een deur. Er is geen man overboord.' Hij keek naar de lucht: 'We moeten maaien voordat het weer omslaat. Denk je dat je dat nog kan, of zal ik het dit jaar alleen doen?'

'Het ziet er helemaal niet uit dat het weer omslaat,' zei Andreas. 'Maar goed, als jij het per se nu al wil, dan doen we het. Wanneer beginnen we?'

Maar Wolfgang hoorde hem niet. Wolfgang was al weg naar de schuur om de sikkels en de zeisen te slijpen.

Ze verdeelden het weiland in banen van ruim twee meter breed, de breedte die ze konden overspannen als ze hun arm uitstrekten. Ze maaiden van boven naar beneden, dat was het minst zwaar. Wolfgang aan de linkerkant van het weiland, Andreas rechts. Ze werkten met zakdoeken om hun hoofd geknoopt, hun bovenlijf ontbloot en met een laag zalf op hun neus en hun schouders tegen de zonnebrand.

Wolfgang had een buik en een rug vol spieren die onder zijn huid heen en weer bewogen als sluiervissen in een vissenkom. Andreas keek naar zijn eigen bovenarmen, naar zijn vel dat als een oude, verdroogde zeem om zijn botten zat, naar zijn spieren – of wat ervan over was – die bij iedere beweging bibberden. Hij griezelde als hij bukte en de plooien en ribbels op zijn oudemannenbuik zag.

Hij nam zich voor op dieet te gaan, geen zoetigheid meer, en beter zijn oefeningen te doen.

Langzaam werkten ze naar elkaar toe. En op de laatste dag vond Wolfgang tussen het hoge gras de coyote. Zijn kop was stukgeschoten. Wolfgang hakte met de zeis het beest doormidden en slingerde de twee delen met alle kracht in de berm. Toen zei Wolfgang: 'De laatste loodjes. Nog twee weken drogen, drie keer keren – dan hebben we een schuur vol.'

Ze stonden midden in het land. Om hen heen lag het hooi uitgespreid in de zon. Het rook naar vroeger, naar klaver en haver, vond Andreas. Hij snoof diep in en uit. Hij zag een stofwolk in de verte. Weer zo'n vrachtwagen.

Wolfgang draaide zich om en liep naar boven. Hij zwaaide en riep: 'Ik rijd naar Horsefly – als je mee wilt.'

Onderweg dommelde Andreas in. Wolfgang keek opzij en zag zijn vader slapen met zijn hoofd achterover tegen de neksteun en zijn mond half opengezakt. Hij maakte een raspend geluid. Zweet parelde op zijn bovenlip.

Slaap maar, dacht hij. Dat is wel zo rustig. Hij zette de radio aan.

Toen ze drie kwartier later over het rammelende houten bruggetje over de Horsefly reden, deed zijn vader zijn ogen weer open.

'Oh pardon,' zei hij, 'ik was even weg. Wat zei je?'

'Niks,' zei Wolfgang. 'Ik zei niks. We zijn er. Annie's ijskraam.'

Hij parkeerde de auto langs de kant van de weg.

'Geef mij maar een waterijsje,' zei Andreas en bleef in de auto zitten.

Likkend aan een smeltende chocolade-bol kwam Wolfgang terug. 'Hier,' zei hij en gaf een fonkelend oranje ijsje aan door het open raam. 'Ik ga nog even bij Priscilla langs. Kijken of er post is.'

Er zat één brief in hun postbus, uit Duitsland. Hij was van de advocaat van zijn moeder, gericht aan zijn vader.

Een brief van moeder voorspelde nooit iets goeds. En omgekeerd: een brief van vader aan moeder ook niet.

'Beledig ik je, jongen,' vroeg vader laatst nog, 'als ik je vertel dat er in mijn leven twee vrouwen zijn geweest en dat jouw moeder daar niet bij hoorde?'

'Welnee,' had Wolfgang geantwoord. 'Daar beledig je me niet mee. Dat is helemaal jouw zaak.'

Hij liep terug naar de auto met de brief in zijn ene en zijn ijsje druipend in zijn andere hand. Wolfgang zag door het voorraam zijn vader zitten, die bedachtzaam aan het oranje ijsje op het stokje likte. Hij had geen oog voor wat er om hem heen te zien was, wie er over straat liep en naar wie hij eventueel zou kunnen zwaaien. Hij had alleen maar oog voor zijn feloranje ijsje en bewerkte het met zijn tong, van onder naar boven, om de beurt de voor- en de achterkant. Geen druppel morstte hij op zijn overhemd of broek. Geconcentreerd, zodat alle zoetigheid op zijn tong zou smelten en er niets verloren zou gaan.

Hannelore's advocaat legde de situatie zo omzichtig mogelijk uit. Hannelore was twee jaar geleden pas met pensioen gegaan, toen was ze zo moe dat ze het werk voor een klas met dertig middelbare-schoolleerlingen niet meer aan kon. Als gevolg van haar pensionering was haar inkomen gedaald, zo sterk dat ze nu onder de armoedegrens leefde. Ze moest haar bescheiden etagewoning met uitzicht op de Kocher verlaten en woonde nu in Schwäbisch Hall bij een hospita op kamers.

De advocaat schreef: 'Ik zou graag alle emoties die er tussen u en de vroegere mevrouw Landewee bestaan buiten beschouwing willen laten. Ik wil me beperken tot de concrete, reële feiten die ik hierboven schetste. Daarom doe ik een beroep op uw gevoel van rechtvaardigheid en barmhartigheid, en wil ik u voorstellen het inkomen van de vroegere mevrouw Landewee financieel aan te vullen tot het vroegere bedrag. Met de meeste hoogachting.'

Andreas herlas de brief, smeet hem op zijn bureau, pakte zijn kladblok en vulpen en begon te schrijven.

Hij schreef zestien versies. Hij schreef alles eerst in klad, en hij schreef meerdere kladversies op één velletje. Hij trok een streep tussen de verschillende brieven en de allerslechtste omkaderde hij, daar hoefde hij niet meer naar te kijken. Hij schreef aanvankelijk met onvaste hand, want zo vaak hield hij geen vulpen meer vast. Hij schreef veel te lange zinnen, vol bijzinnen en constructies waarin hijzelf het spoor bijster raakte. Hij schreef veel te korte zinnen, zodat hij na het overlezen zelf niet eens meer begreep wat hij precies had bedoeld. Hij schreef een plechtstatige versie, een oneerbiedige, een overdreven beleefde, en een andere keer was hij gewoon te boos en werd het van alles wat.

Na een paar dagen vond hij de juiste toon. Hij schreef al zijn grieven puntsgewijs op. Anderhalf kantje lang.

Hij schreef: 'U bent reeds de derde advocaat die mevrouw Hannelore L.-Kettler sedert onze scheiding op mij afstuurt. Gezien de leeftijd van deze vrouw is het me een raadsel op basis van welk moreel gezag zij vandaag de dag nog denkt zulke handelingen jegens mij te kunnen verrichten. Zij had toch ook eerst onze zonen kunnen vragen om te bemiddelen. Ze had niet meteen naar het zware middel van de justitie hoeven grijpen.

Maar genoeg daarover. Nu komt het dus wederom tot juridische uiteenzettingen – en dat op mijn leeftijd (17-9-1900 – 86 jaar).

De rechtsgeldige scheiding van 18-10-1961 was gebaseerd op mijn schuld en mijn schuld alleen, die ik omwille van een ontwricht en ondraaglijk huwelijk op mij nam. Nu, zoveel jaar later, nog steeds die schuld alleen op mijn schouders leggen betekent simpelweg onrecht. Men kan niet tot aan het einde van zijn leven uit wraak- en hebzucht eisen blijven stellen die met werkelijke nood niets te maken hebben.

De alimentatie die ik destijds volgens uw opgaven betaalde, bedroeg meer dan 320 DM, aangezien ik dit bedrag niet van de belasting kon aftrekken. Mevrouw Landewee-Kettler hoefde over dit bedrag géén belasting te betalen. Telt u dit bedrag op bij het bedrag van ongeveer 2500 DM dat deze vrouw voor haar werk als lerares betaald kreeg, dan heeft zij een inkomen ontvangen van in totaal 2800 DM per maand. De rente die ik na mijn pensioen ontving, was niet meer dan een kruimel in vergelijking tot het bedrag dat deze vrouw maandelijks kon bijschrijven op haar bankrekening.

Mevrouw L.-Kettler hoefde bovendien alleen zichzelf te verzorgen, terwijl mijn vrouw Elisabeth en ik met zijn tweeën waren. Ik vraag u: waar blijft de christelijke redelijkheid van deze verwarde vrouw?

Om het openhartig te stellen: ik geloof niet aan een inkomen dat onder het bestaansminimum ligt.

De Duitse personeelsverzekering in Berlijn heeft de laatste decennia gunstige aanbiedingen gehad. Gezien de perspectieven van deze vrouw is het zeer lichtzinnig dat zij daar geen gebruik van heeft gemaakt.

Ik leg u hierbij tevens een afschrift van mijn bankrekening over. U zult zien dat het bedrag dat op mijn rekening staat niet buitensporig hoog is. Tel daarbij het gegeven dat ik mijn werkloze zoon Wolfgang van dit geld onderhoud, en u zult beseffen dat het voor mij financieel onmogelijk is om geld bij te dragen aan het levensonderhoud van mevrouw L.-Kettler. Mijn zoon en ik leven hier zelf onder het bestaansminimum, onder de zwaarst denkbare omstandigheden.

Ik wil u dan ook vriendelijk verzoeken om in plaats van brieven over en weer deze zaak definitief af te sluiten. Ik heb absoluut geen zin om mijn tijd op deze wijze te verdoen. Op mijn leeftijd wil men graag aangenamere dingen doen en zich niet met dit soort onverdraaglijkheden bezig hoeven houden! Ik ben per slot van rekening niet de levenslange strafgevangene van deze vrouw.

Hoogachtend.'

Hij likte de brief dicht en bracht hem diezelfde dag nog naar het postkantoor in Horsefly. Hij voelde zich tevreden en voldaan, alsof hij een kamer had opgeruimd.

DEEL ZES

Een duidelijk geval van doen

22

Alles viel weg, toen hij in 1958 Elisabeth ontmoette in de solistenkamer van het Stadttheater van Stuttgart. Hij had twee
oorlogen achter de rug en hij had zijn huis verloren. Daar
kon je gewichtig over doen, maar niet op dat moment, niet
in die solistenkamer, waar het naar haarlak en zweet rook.
Daar had hij alleen maar oog voor haar.

Zij was zich aan het afschminken – een goede vriendin
van haar had hem meegenomen naar de recital en gezegd:
'Kom op, niet zo verlegen, Elisabeth vindt het juist leuk om
met mensen te praten die iets van muziek weten en u wéét
toch veel van muziek, meneer Landewee.'

En zo stond hij ineens voor haar. Hij gaf haar een handkus en maakte een buiging. Hij stamelde iets onbenulligs
als 'zeer vereerd, mevrouw,' en dacht ondertussen koorts-
achtig na over iets dat niet obligaat en fantasieloos zou klinken. Hij zou haar willen zeggen dat haar Greetje van vlees
en bloed zo echt klonk dat ze alles bezat wat ook aan de binnenkant van zíjn hart klopte en krabde. Ze moest eens weten. Raaskallen, razen, ruisen, flinterdun fluisteren.

Maar hij zei het niet, hij was bang dat hij haar zou af-
schrikken, dus beheerste hij zich, een wohltemperiertes
Klavier was hij. Hij rechtte zijn rug en zei: 'U zingt Greetje
nog mooier dan mijn moeder.' Dat was het grootste compli-
ment dat hij een vrouw kon geven. Maar dat wist zij niet.

Zij keek via de spiegel naar hem op. Haar pupillen schitterden tussen de smaragdgroene oogschaduw, ze lachte, en in haar wangen verschenen jongemeisjes-kuiltjes. Bloosde ze, of had ze met een washand de schmink zo hard van haar gezicht geschuurd dat haar wangen roze oplichtten?

Ze zei: 'Ach, meneer Landewee zei u? Om Schubert te kunnen zingen zoals ik echt zou willen, zou ik meer dan honderd jaar oud moeten worden.' Ze draaide, schoof en prutste wat aan de potjes op haar kaptafel, totdat ze keurig in het gelid stonden, die potjes, van klein naar groot, met het etiket naar voren. Ze zei: 'Als ik eerlijk ben, weet ik zelfs niet of het me dan wél zou lukken, of ik dan wél recht zou kunnen doen aan de perfectie van Schubert en Goethe.'

Die bescheidenheid, die eerlijkheid en dat inzicht bij zo'n beroemde zangeres sierden haar, vond hij. Ze was zo heel anders dan hij gewend was van zijn zus Leonore, die ieder uur van de dag liet zien wat ze kon met haar viool, alles uit het vat haalde wat erin zat voor zichzelf.

Hij keek naar het spiegelbeeld van de zangeres in de kleedkamer in Stuttgart, hij bleef kijken. Hij zag een reusachtige vrouw van ruim één meter tachtig, met een breed gezicht en een brede mond, een slagschip op het podium, maar als ze zong werd alles licht en mogelijk. Hij zoog zich vast aan het beeld van die vrouw, hij viel dwars door haar heen en bleef aan haar voeten liggen.

Na afloop reed hij terug naar Langenburg, waar Hannelore met het eten op hem wachtte. De hele rit naar huis zong hij, en als hij niet zong, jubelde het wel in zijn hoofd.

'In mir ist's hell so wunderbar. So voll und übervoll. Und waltet drinnen frei und klar. Ganz ohne Leid und Groll.'

Hij lachte, hij joelde, hij draaide het raampje van zijn portier open, stak zijn arm naar buiten en liet de wind spelen met zijn vingers.

Hij had twee vrijkaartjes op zak voor volgende zondag in Schwäbisch Hall. Mejuffrouw Bruch had naar de ring om zijn vinger gekeken en hem er twee gegeven: 'Voor u en uw vrouw,' had ze tactisch gezegd. En zo lag de keuze bij hem. Zijn haar wapperde in de wind, hij piekerde er niet over om Hannelore mee te nemen naar het concert. Hij zou alleen gaan. Maar voordat hij ging zou hij in de kasteeltuin witte rozen plukken.

Zijn hand buiten het raampje verkrampte, in gedachten was hij op de terugweg naar het Stadttheater, hij rende, zijn hart hamerde het bloed door zijn hoofd, hij holde, en nog voordat hij bij de zangeres was huilde hij al. Waarom bracht die vreemde vrouw hem zo van zijn stuk, bliksemsnel, met huid en haar, kom hier en ga af? Zoals zijn moeder kon doen, wanneer ze hem riep en zei: 'Speel eens een stukje voor me, Andreas.' Altijd. Ook als er andere dingen te doen waren, huiswerk of houthakken of meehelpen bij de oogst. Altijd Liszt en lange reebruine haren, die geborsteld moesten worden.

Er klonk een klap tegen de bumper van zijn zilvergrijze Mercedes. In de achteruitkijkspiegel zag hij een bruine bal over de weg tollen. Hij remde, parkeerde de auto in de berm en stapte uit. Het was een haas van een kilo of vijf, bloed sijpelde uit ogen en bek.

De druk. Hij had het beest dwars over de buik gereden. Lever, milt en een stuk darm puilden naar buiten, glanzend van het rode en gele slijm. Hij bukte zich, trok de haas aan de oren van het asfalt en droeg hem naar de kofferbak van zijn auto. Daar ontweidde hij het beest provisorisch – rits-rats, het Linder zakmes met hertshoornen handvat en roestvrijstalen lemmet balanceerde als een vioolstok in zijn hand. Hij sneed de kapotte ingewanden uit de buik en verwijderde endeldarm en blaas. De afsnijsels gooide hij met een zwaai verderop in het veld voor de kraaien.

Hij veegde zijn handen schoon aan het gras en begreep toen wat er aan de hand was.

Hij zou er elf plukken. Elf witte rozen. Want elf is het getal van gekken en dwazen. Daarom. Zo voelde hij zich: krankzinnig, stapelidioot dat hij – een getrouwde man van achtenvijftig met vier kinderen – verliefd werd op een andere vrouw.

De dagjesmensen waren weg, met de laatste bus, op de fiets of soms met zijn allen in een auto. Achter hun voorhoofden gloeide de dag nog na. Langenburg, romantische idylle op een langgerekte berg, geurend naar jasmijn en eigengebakken koeken. Innig en vanzelfsprekend lag het daar, net een verhaal van Eichendorff waar je naar greep als de dagen korter werden en de kachels aangingen.

De dagjesmensen keerden terug naar hun woningen in de stad. Natuurlijk, ze waren door de gemeente snel uit de grond gestampt, die flats, en vorstelijk woonde je er bepaald niet, maar je moest toch wat, je was toch blij met ieder dak? In Schwäbisch Hall leefden ze, in Ludwigshafen en soms helemaal in Karlsruhe, met de herrie van de buren in hun oren en benzinelucht in hun neus. Als ze geluk hadden, bezaten ze op het achterhof een klein lapje grond om aardappels, wortelen en prei te verbouwen. Ze hádden geluk, zeiden ze tegen elkaar, want kijk eens hoe de puinhopen in het centrum eerst langzaam, maar dan sneller, almaar sneller, kleiner worden. Ze hádden geluk, zeiden ze tegen elkaar, want kijk eens hoe de etalages van de winkels vol raken, er is weer vlees en bier uit alle windstreken, en we kunnen onze baby's wassen met echte babyzeep zodat hun huid rozerood opbloest en we hun haar in een mooie blonde krul op hun voorhoofdje kunnen draaien, net als in de reclame van Persil.

De Langenburgse kinderen, de Langenburgse vaders en moeders hadden zich ondertussen in hun grote statige huizen achter hun grote statige vakwerkgevels teruggetrokken. Ze zaten op hun gemakkelijke stoelen, sloegen de laatste restjes zondagse taart met de hand naar achteren, bogen zich over naai- en huiswerk. De Langenburgse kerk met het druppeltje echt Heilig Bloed was bezocht, Omi was langs geweest, de etensboel aan de kant, de kinderen naar bed.

Het was al donker toen Andreas onder de middeleeuwse stadspoort doorreed en de onder het booggewelf nestelende duiven deed opfladderden. De wielen van zijn auto roffelden over de kinderkopjes van de Marktstraat.

Bij het grootste vakwerkhuis aan het eind van de straat, een meter of veertig van de ingang van het slot en vlak voordat de straat afboog naar Bächlingen, stopte Andreas. Zíjn huis, hem toegewezen door meneer Gottfried toen hij in 1951 in dienst kwam als rentmeester. Zíjn huis, zo breed en diep als de olietanker die hij laatst op televisie had gezien – een slagschip inderdaad zijn huis, met op iedere verdieping, voor ieder lichtblauw geschilderd venster, bloembakken die uitpuilden van de geraniums, rood, wit en roze, vier verdiepingen voor drie mensen, want zijn zonen Wolfgang, Benno en zeker Friedrich waren alweer een hele poos de deur uit.

Zachtjes deed hij de deur van de garage achter zich dicht. Zijn schoenen zette hij onder aan de trap, de haas hing hij ondersteboven in de kelder aan een haak, vier graden Celsius, naast de aardappels, de uien, het vat met zuurkool en augurken. Hij sloop op zijn sokken over de trap van ruwe baksteen naar boven, waste zijn handen bij het kraantje van de wc op de gang en controleerde zichzelf in de spiegel. Zag hij er anders uit dan toen hij vanochtend wegging? Wat zeiden zijn ogen en zijn haar – zat dat bespottelijk, buitensporig, wild alsof de stroom erop was gezet? En zijn lippen – trilden die niet de hele tijd? Hij wreef over zijn mond, haalde diep adem, snoerde zijn riem nog een gat strakker hoewel het leer al in zijn buik sneed, en liep naar de keuken.

Dat was de plek vanwaar alles in de gaten werd gehouden en opdrachten uitgevaardigd – aan de kinderen, hem, de leveranciers, de dienstmeisjes, de tuinmannen, de loodgieters en schoorsteenvegers. Er werd gekookt, gegeten, het huishoudgeld geteld, huiswerk overhoord, kapot goed versteld, kleine reparaties verricht, en, toen de jongens nog thuis woonden, met de pollepel straffen uitgedeeld. De keuken, daar kon je niet omheen, iedereen moest altijd via de keuken – of je nu naar binnen kwam of de straat op ging.

Andreas deed met een zwaai de deur naar die keuken open. Hij vertrok zijn gezicht tot een lach.

'Pappa!' riep Veronika. Ze sprong van haar stoel en in één beweging in zijn armen. Ze kuste hem, op zijn wangen, zijn gezicht, haar handen kroelden door zijn haar. Hij lachte. Ze liet haar armen los, hij draaide rondjes, en zo – met haar benen om haar vaders middel geklemd – zwierde Veronika door de keuken.

Het meisje gilde van pret, maar Hannelore zei: 'Veronika, doe normaal.'

Andreas stond stil en liet zijn dochter op de grond glijden. 'Genoeg lieverdje, genoeg,' zei hij. Hij gaf Veronika een tik op haar billen en duwde haar van zich af.

Hannelore pakte een bord met aardappels, een gekookte karbonade en rode bieten, veegde de boel in één keer in een pan en stak het fornuis aan. 'Je bent te oud voor dit soort dingen, Veronika,' zei ze. 'Het is niet fatsoenlijk meer voor een meisje van jouw leeftijd om zo met haar vader om te gaan.'

'Heb je je huiswerk al af?' ging ze over op een ander onderwerp, 'je opstel Duits? Straks lees ik het na, en wee je gebeente, juffrouw, als ik nog schrijffouten vind.'

Veronika stak haar tong uit achter Hannelore's rug, zo dat Andreas het kon zien. Ze rekte haar armen boven haar hoofd uit en teemde: 'U denkt toch niet dat ik ú mijn opstel laat lezen?' Veronika maakte een buiging en danste toen met grote sprongen de keuken uit.

Andreas zag meteen dat Hannelore's humeur beroerd was. Ze roerde in de pan alsof er cement in zat. Hij dacht aan het eten dat tante Anna vroeger in Sonnenberg kookte – een braadslee vol paradijsappels met Knödel, vanillepudding met bramensap, suikerbrood met knapperige korsten, als het was afgekoeld sneed Anna er dikke plakken vanaf, staand in de keuken. Ze klemde het brood met haar linkerarm tegen haar lijf en met het mes sneed ze van buiten naar binnen, nooit schoot ze uit, en de dikste plak was altijd voor hem.

Hannelore zei: 'Nou!'

'Wat "nou"?' vroeg hij verbaasd.

'Nou,' zei ze, 'de vorst kon het weer niet vandaag.'

'Wat niet?'

'Groeten,' antwoordde Hannelore. 'Geen knikje kon er-van af. Ik maakte met Veronika een ommetje door het slot-park en op de trap omhoog naar het slot kwam ik hem tegen – hij keek dwars door me heen, alsof ik lucht was. Wat ver-beeldt hij zich wel – en dat met het kind erbij... Ik schaamde me dood!'

Andreas zuchtte. 'Ach, waarschijnlijk zag meneer Gott-fried je niet. Je weet hoe verstrooid hij kan zijn.'

'Ja, toe maar.' Hannelore knikte heftig met haar hoofd. 'Neem jij het maar weer voor hem op. Veronika zei precies hetzelfde.'

Hannelore haalde haar neus op en slikte door, hij zag de spieren in haar keel bewegen. Toen snauwde ze: 'Altijd twee handen op één buik, jullie met zijn tweeën, altijd sa-men tegen mij. Blijkbaar moet altijd één persoon de bonte hond zijn, en die ene persoon is degene die kookt, schrobt, veegt, strijkt, sjouwt en...' Hannelore keek woedend de keu-ken rond, alsof de potjes met kruiden, de pannen, de lepels en al het andere keukengerei haar iets schuldig waren.

Ze roerde zo hard in de pan dat het sap van de bieten te-gen de tegels spatte en nog hoger, tegen de blauw geruite valletjes die langs de schouw hingen en die ze stipt om de week in het sop zette.

Andreas pulkte met een tandenstoker in zijn kiezen, knoopte een servet om en ging aan tafel zitten. Hij zei: 'Het is goed zo, Hannelore. Lauw lust ik het ook wel.'

Hij vond haar lelijk, ja. Ze was zo heel anders dan hij als jongen van veertien had gedacht dat de vrouw van zijn dro-men zou zijn. Hij keek altijd eerst naar het gezicht. Het ge-zicht hoefde niet per se beeldschoon te zijn. Maar het moest wel iets hebben, spikkeltjes in de ogen of de welving van de lippen, iets moest je aanspreken. En daar ging het bij Hannelore al mis.

Ze was blond en fors, met flinke borsten en heupen. Ze had het perfecte figuur om veel kinderen te krijgen. Maar ze had kleine, diepliggende ogen, een ontevreden mond en – wat hij het lelijkst vond – een hoog, kaal voorhoofd. Kaal, omdat haar haarinplant ver naar achter zat, zoals bij de vrouwen op de schilderijen van Lucas Cranach. Venussen, noemde Cranach ze, en Eva's – maar hij had die vrouwen altijd engerds gevonden, wandelende skeletten eigenlijk.

Hannelore's gezicht was scherp, met juk- en kaakbeenderen, waaromheen de huid als een worstenvel gespannen zat. Daarom glom ze altijd als een spiegel. Alsof ze zich nooit waste.

Later, toen de tweeling kwam en Veronika werd geboren, werd hij milder omdat hij zag hoe goed ze voor de kinderen zorgde – altijd een mooi stukje vlees en veel vitaminen, en ondanks de straffen die ze uitdeelde gaf ze toch ook liefde. Soms hadden ze het 's avonds zelfs gezellig. Zij met haar gedichtjes en haar volksschilderkunst in de weer, hij met de muziek.

Na zulke avonden pakte hij af en toe de auto en reed naar Würzburg om iets moois voor haar te kopen. Geen smoezelige huisvlijt of taartjes van de bakker bij hen tegenover, maar een geglazuurde taart met amandelkrullen en chocoladetruffels van een echte, luxe banketbakker. Een bergkristallen vaas vol bloemen, een jurk van Karstadt, oorbellen en lippenstift. Heel misschien, overwoog hij, zou hij haar zelfs een keer een reisje cadeau doen naar Italië. Hij zou haar naar zee sturen met een tas van slangenleer, waarin een lot uit de Lotto zat verstopt die zij zou winnen, in één klap zou ze steenrijk worden en ze zou kunnen doen wat ze maar wilde, kindermeisjes, een huis dat ze nooit hoefde schoon te maken, vriendinnen in overvloed. Misschien dat ze dan zou kunnen lachen, met een kuiltje in haar ene wang – want dat had ze, dat vond hij charmant. Misschien dat haar hart dan een beetje minder streng zou worden, ook eens af en toe 'ja' zou zeggen en niet vooral zou keuren en wegen.

Maar in Langenburg ging het van kwaad tot erger. Hannelore zei: 'De mensen hebben bij ons niets te zoeken. Je denkt toch niet dat ze langskomen omdat ze ons áárdig vinden? Zo dom ben je toch niet?'

Op de vriendinnetjes van Veronika, de vrienden die Benno en Wolfgang mee naar huis namen, had ze eeuwig wat aan te merken. 'Zo ben je daar weer?' zei ze op een manier die niets aan duidelijkheid overliet.

Hannelore stootte met haar wantrouwen iedereen af. Ze voelde zich niet thuis in Duitsland en wilde zich er ook niet thuis voelen. In het begin probeerde Andreas nog wat. Hij kocht Heimatboekjes uit de streek. Na het avondeten zaten ze met Veronika in de huiskamer – huiswerk en verstelgoed op tafel. Andreas las hardop voor: 'Wie zich in een landstreek thuis wil voelen, moet zich eerst de samenklank van landschap, bevolking, zeden, gebruiken en taal eigen maken. In Hohenlohe valt dat niet zwaar. Want alles is daar harmonieus op elkaar afgestemd. Met wat voor harmonie voegt het zware, massieve slot Langenburg zich in het landschap! Geen enkele dissonant klinkt er tussen de dikke muren en de torens en het lieflijke Tauberdal, alles is gegroeid en geworden en zo meesterlijk samengevoegd dat het lijkt alsof de Schepper zelf het palet ter hand heeft genomen om deze streek te schilderen.'

Maar Hannelore prikte haar naald alleen nog maar feller in de zoom van een broek. 'Palet,' snoof ze. 'Harmonieus. Pfff.'

Hannelore koesterde haar heimwee – als een stoof die een pot thee warm hield. De mensen gingen haar mijden, op straat, bij de bakker. En dat versterkte haar in haar boze gevoelens. 'Zie je wel? Heb ik het je niet gezegd?'

Op het laatst kon Andreas die woorden niet meer horen. Hij sloeg op tafel en schreeuwde: 'Mens, als het je hier niet bevalt, dan ga je toch terug?! Er is iedere dag een trein!'

23

Na zes weken concertbezoek in Essen, Karlsruhe, Stuttgart en Dortmund, het verzinnen van smoezen thuis en op zijn werk, van cadeautjes die hij zich eigenlijk niet kon veroorloven, wist hij het zeker: dit gaat niet meer over.

In een oud schoolschrift schreef hij: 'Duitsland is vol ongedierte = de mens. Straten, steden, alles altijd overvol met stinkende auto's. Iedereen – jong, oud, klein, groot – is alleen maar bezig met zich te verplaatsen.

De muziek daarentegen verplaatst zich nooit, ze blijft staan waar ze is en vooral in de buurt van mejuffrouw Bruch verwijlt ze graag. Wat een wonderschone stem heeft deze buitengewone vrouw. Wat een bereik van de hoogste naar de laagste registers. Onverstoorbaar biedt zij het hoofd aan de krankzinnige hektiek om mij heen, een wonder van onvergankelijkheid, standvastigheid en hartstocht.'

Hij maakte proeven met namen, die van hem en haar door elkaar, naast elkaar, aan elkaar. 'Andreas & Elisabeth Bruch', schreef hij, en 'Andreas & Elisabeth Landewee'. En op de regels daaronder, heel vaak, alsof hij strafregels op school schreef: 'Elisabeth Landewee'.

Toen klapte hij het schrift dicht. Hij verstopte het op een plek waarvan het het minst waarschijnlijk was dat Hannelore zou kijken: tussen zijn verzameling jachtmessen in de kast op zijn slaapkamer. Hij had haar verboden daar te komen, hij hield zijn bed, zijn kleren zelf in orde, en wat betreft het samen slapen, sinds Veronika hadden ze dat al niet meer gedaan.

Zij bekende als eerste, want hij – ja, wat was hij in vergelijking tot haar? Thuis op zijn kamer voelde Andreas zich een hele vent, dan zei hij 'Wrrrrrroeoeoemmmmm!' als hij aan haar dacht, alsof er een auto heel hard optrok. Hij oefende gezichtsuitdrukkingen en poses voor de passpiegel. En hij ging nog meer piano studeren.

Dat beviel haar namelijk, als hij haar op de piano begeleidde terwijl zij zong. 'Je hebt een mooie aanslag,' zei ze toen hij voor het eerst voor haar speelde, bij haar thuis in Essen. Zijn handen trilden, zo zenuwachtig was hij toen hij achter haar Bechstein plaatsnam.

Elisabeth luisterde eerst en zong geen noot. En toen ze vervolgens de opmerking over zijn aanslag maakte, toen voelde het alsof hij thuiskwam, echt thuiskwam bij zijn moeder in Sonnenberg. Want niemand, behalve zijn moeder, had ooit gezegd dat hij mooi kon pianospelen.

Van alle broers en zussen was hij de minst muzikale. 'Laat die jongen maar tussen het hout,' zei iedereen altijd, 'daar heeft hij wel vingers voor.' Dat zeiden ze allemaal, behalve zijn moeder. Die vond hem geen b-garnituur.

Hij schreef Elisabeth brieven, hoewel hij vond dat hij geen bijzonder talent had voor schrijven. Hij was zakelijk in woord en daad, hij kon grappen maken en conversatie voeren, maar praten over wat hij vóelde en werkelijk dácht – daar had hij zich nooit in geoefend. Aanstellerij, koketterie, pathetische pogingen om medelijden op te wekken. Hij had er geen boodschap aan. Normaal gesproken dan.

Maar het leven was niet normaal. Zijn hart bonsde, hij wilde haar zo verschrikkelijk graag een plezier doen dat hij tot alles bereid was. 'Zoete lier! zoete lier!' prevelde hij en zijn hart zwol op als hij naar buiten keek. Het was alsof hij voor het eerst zag hoe oogverblindend mooi de wereld was, hoe het zonlicht tussen de wolken door naar beneden viel.

Als vingers van God reikten de stralen naar het land, ze tipten de golvende akkers met bontvee aan, betoverden de bossen, lieten het riviertje verderop in het dal glinsteren als diamanten aan een ketting.

Alles werd een bewijs, alles kreeg betekenis. 'Je toon heb ik lief,' schreef hij in zijn agenda. 'Je dronken onheilstoon! Van hoelang geleden, van hoever komt je toon, heel ver weg, van de vijvers der liefde!'

In het begin had hij nog gezegd: 'Ik schaam me zo, als ik zie wát jij schrijft en hóe jij schrijft, dat kan ik nooit!' Maar Elisabeth had gelachen. 'Mio amore,' zei ze, want het Italiaans bewaarde ze voor hem. 'Je weet dat ik alleen maar gelukkig kan zijn als ik honderd procent zeker weet dat mijn hartenman dat ook is. Maar hoe kan ik dat weten als jij mij niks van jezelf laat zien?'

En daarom zat hij 's avonds na afloop van het werk in zijn studeerkamer en oefende zich in het schrijven. Iedere dag. Want als hij een dag niet schreef, voelde dat als een groot gemis, alsof hij iets heel belangrijks vergeten was maar niet wist wat.

'Nur Musik,' zei zijn vader lang geleden, en hij wist niet hoe waar die woorden zouden worden. Want muziek was de sleutel waarmee hij de deuren naar zijn hart opende.

Toen Elisabeth hem na hun tweede ontmoeting een grammofoonplaat stuurde met de *Slavische Dansen* van Dvořák, schreef ze erbij: 'Ik stuur je Dvořák, omdat je toch ook de muziek uit je vaderland moet kennen. Ik verwed er een fles van de duurste wijn om dat je van deze dansen gaat houden, maar let op dat je de tempi niet te snel speelt, vooral bij nr. 15

etc, ha, ha, ha.'

In het begin schreef hij dingen als: 'Lieve Elisabeth, ik ben graag in jouw wereld en dank je daar van harte voor.' Omdat hij elke brief – de beste versie althans – kopieerde voor zijn huisarchief, kon hij later teruglezen wat hij had geschreven, en dan schaamde hij zich voor de stokstijve zinnen van dat begin.

Een beetje later schreef hij al met meer schwung: 'Mijn eerste gedachte ben jij. Als ik naar een ster kijk, verstuur ik mijn gedachten en gevoelens voor jou.'

En toen hij een week of zes op dreef was en diepten aanboorde waarvan hij niet wist dat hij ze bezat, schreef hij: 'Hoe kan ik, wat mij roert, níet aan jou vertellen? Vanwege het feit dat alles wat me in mij en om mij heen met jou verbindt, tot in mijn laatste gedachten en gevoel. Mijn hele bestaan ben jij.'

Rond die tijd schreef hij ook een brief aan zijn zus Leonore in Holland. Hij verstuurde de brief pas na lang aarzelen.

Zijn huwelijk, bekende hij, was een kwelling, een dagelijkse martelgang die begon bij het opstaan en pas eindigde bij het naar bed gaan.

'Lieve zus, jij weet als een van de weinigen,' viel Andreas met de deur in huis, 'dat er tussen Hannelore en mij nooit van enige affectie sprake is geweest. Waarom Hannelore en ik gingen trouwen... enfin, daar weet je alles van.

Maar nu heb ik een vrouw ontmoet die alles is wat Hannelore niet is. Ze is een beroemde sopraan, magnifiek in haar Schubert- en Beethoven-vertolkingen. Ze is geestig, origineel, niet onbemiddeld, zachtaardig, cultureel geïnteresseerd, en ze heeft een charme waarmee ze iedereen in haar omgeving verwarmt. Met dit vuur, deze vlam, voel ik, wil ik verder in het leven. Dit vuur wil ik niet doven, dat zou als verraad voelen.

Achtendertig jaar lang heb ik het volgehouden. Achtendertig maal 365 dagen heb ik opgeofferd aan de verbitterde Hannelore Kettler. Ik heb me van mijn plichten gekweten als echtgenoot en als vader. Nooit – behalve tijdens die noodlotsjaren – heeft het mijn gezin ontbroken aan eten, een prachtig dak boven het hoofd en altijd de fine des fleurs

van de Duitse aristocratie om mee om te gaan. Benno, Wolfgang en ook Friedrich hebben een uitstekende opleiding gekregen in München en Berlijn, zijn financieel onafhanke-
lijk en komen misschien zelf wel binnenkort thuis met de
vrouw van hún dromen.

Achtendertig jaar, lieve zus, leefde ik in een donkere
grot, met de kinderen als lampjes om mij bij te lichten.
Maar nu ik deze andere vrouw heb leren kennen, die heus
geen groen blaadje is, wat je ook mocht denken, geen sexy
lady van vijfentwintig, maar een door en door beschaafde
vrouw van eenenvijftig, nu pas wéét ik dat het eenzame op-
sluiting was voor mijn ziel. Op dit ogenblik danst mijn ziel,
zoals Nietzsche het zo mooi zegt, in vrijheid. En ik heb zware aarzeling om die dans te beëindigen.'

Hij zette zijn naam onder de brief en schreef er toen nog
een p.s. onder: 'Lieve zus, denk niet dat ik een romantische
dwaas aan het worden ben. Ik ben geheel bij zinnen.' En
daaronder schreef hij in blokletters: IM LEBEN FERN, IM TO-
DE DEIN? NEIN!

Leonore's antwoord kwam snel, per ommegaande post
zelfs. 'Een duidelijk geval van dóen,' schreef ze. 'Kijk, ik ben
een verstandshuwelijk aangegaan omdat ik alleen langs die
weg kans zag om aan het orkest van vader te ontsnappen.
Het was geen makkelijke keuze, net zomin als jouw keuze
voor Hannelore een makkelijke was – maar wat moesten we
dan? Ten onder gaan in de hoempapa-terreur van vader? Ver-
stikken tussen de Sonnenbergse kantklossers en mestke-
vers?'

Nee, dacht Andreas, dat nooit.

'Ik ben nog steeds blij,' schreef Leonore, 'dat ik deze stap
heb gezet, want mijn man is een brave schat die me geen
strobreed in de weg legt. Bij Hannelore ligt dat veel moeilijker, veel afgrijselijker allemaal. Ach, lieve broer, mijn advies
is eigenlijk doodsimpel: áls je de grote liefde van je leven
hebt gevonden, áls het zo is dat Wolfgang, Benno en Friedrich geen zorg meer behoeven, áls het zo is dat je er finan-

cieel niet aan ten onder gaat, dan zou ik deze stap zetten. Achtendertig jaar duisternis is inderdaad voldoende.

En wat God heeft gebonden, kan God ook weer ontbinden.'

De eerste plant op aarde was er maar een, dacht Andreas toen hij om 7 uur 's ochtens in zijn auto stapte op weg naar een stuk bos in de buurt van Gerabronn, waar bomen werden gekapt. Was het een ingeving van de Almachtige geweest, een briljante penseelstreek, zoals Van Gogh zette toen hij besloot om de hemel boven Arles groen te schilderen? Ongeveer 1 miljard jaar geleden ontstond het eerste plantenleven op aarde. Het was een uiterst primitieve, bacterieachtige verbinding – levend eiwit dat de eigenschap had zichzelf te reproduceren uit de omringende stoffen water en koolzuurgas.

Het eiwit leefde op een aardkorst die warm was en pas gestold. Het eiwit leefde in duisternis, want de hemel was bedekt met een dik pak wolken, geen zonlicht drong er doorheen. Het eiwit leefde in een vochtige atmosfeer, want uit de wolken viel altijd regen en die regen verdampte nog voordat ze het warme aardoppervlak kon bereiken. Uit dit eiwit ontstonden andere bacterieachtigen en schimmelachtigen. En kijk nu eens: veertigduizend bacteriën en schimmels, twintigduizend soorten wieren, tienduizend soorten varens, vijfentwintigduizend soorten mossen, spatelvormige, handlobbige, veerlobbige, gezaagde en getande boombladeren, bloemen onmogelijk zo veel om te beschrijven op de wereld. Wat een wonder. Zeker, en ook een zegen.

Maar het grootste wonder was volgens Andreas niet dát al die soorten uit dat ene kleine stukje plantengroen waren geëvolueerd, dat was een kwestie van logica. Het grootste mysterie was: hóe had dat eerste groene plantje kunnen ontstaan? Spontaan? Een ingreep van God? Toeval? De juiste stof op de juiste plaats? Net zoals hij en Elisabeth. Of omgekeerd, zoals Hannelore en hij. Stom ongeluk?

De week na Leonore's brief had hij in grote twijfel doorge-bracht, ondanks het feit dat Leonore het licht op groen had gezet. En ondanks het feit dat het tussen hem en Hannelore nog slechter dan anders ging. Alles aan hem ergerde haar. Als hij de deur opende en ze het geluid van zijn voetstappen beneden hoorde, ging ze gauw naar boven, naar bed, deed alsof ze sliep, als ze in godsnaam maar niet met die man hoefde te praten. Zijn tas, die altijd in de weg stond. Het zand – 'je denkt toch niet dat ik hier voor mijn plezier de he-le dag sta te vegen' – dat van zijn laarzen viel. De tandenbor-stel die overal rondslingerde behalve in de poetsbeker waar hij thuishoorde. De loden jas nonchalant over de haak in de gang geworpen zodat er een punt kwam in de dure stof. Ach, eigenlijk was ieder geluid dat hij maakte, smakken bij de maaltijd, krabben op het hoofd en de rug, eigenlijk was iedere verplaatsing van lucht door zijn toedoen voor haar voldoende om in de aanval te gaan.

Daarom bleef Andreas nog langer van huis dan anders en keek hij wel uit voordat hij tussen de middag nog thuis warm kwam eten. Hij at liever een hapje mee met de pot van een van de pachters- of houtvestersvrouwen. 's Avonds nam hij boterhammen uit de trommel, sneed een plak boter en een paar plakken kaas af, en at dit boven op zijn studeer-kamer op, in zijn eentje en soms met Veronika erbij. De ra-dio stond zachtjes aan, en voor het eerst van zijn leven ge-noot hij van de populaire muziekzender, van de schlagers van Winkler en Freddy Quinn. Al neuriënd voer hij mee met de vissers van Capri, tegen de avond, als de zon onder-ging in zee, hij kocht rode rozen in Florence en hief een glas Chianti op een Italiaanse bella donna.

Hij veegde de kruimels van tafel in zijn hand, gooide die door het open raam naar buiten voor de vogels, legde de binnengekomen brieven van de week op alfabet, verplaatste de rekeningen op zijn bureau van links naar rechts en weer terug, en schreef alles wat hij de volgende dag moest doen op kleine notitieblaadjes, anders vergat hij de helft. Die blaadjes plakte hij op de muur naast zijn bureau, van links naar rechts. Eerst overleg op het kasteel over de pachtopbrengsten, daarna met de auto inspectie van zwijnenketels en jonge aanwas hoogwild, daarna weer overleg, daarna inspectie op de Coöperatie over de graanoogst, waar hij meteen zijn middageten gebruikte. Daarna terug naar het kasteel voor overleg met de aannemer over een nieuwbouwcafé op de binnenplaats, voor de dagjesmensen en toeristen. Vervolgens naar Stöbbel, controle van de jonge kalveren.

Ziezo, alle blaadjes hingen achter elkaar, een dag als een rekstok. Hij kraakte met zijn knokkels, liep naar de wastafel, pakte de tube brillcream, drukte een hoopje crème op zijn hand en verdeelde dat met een kam over zijn meer grijze dan zwarte haar. Haren kammen had altijd een rustgevende werking op hem. Het leek wel alsof zijn luchtpijpen wijder werden zodra de haren door zijn handen gleden, zodra de tanden van de kam orde brachten, iedere haar zijn eigen loop, zeker als het niet zijn eigen haar was.

Bij hemzelf deed hij de scheiding opzij, kaarsrecht alsof hij het mes zette in zijn eigen hoofd. Aan beide kanten van de snee kamde hij het haar secuur naar achter, totdat ieder plekje van zijn blote schedel daadwerkelijk aan het oog onttrokken werd.

Wat als hij zich vergiste in zijn grote liefde? Wat als hij oud aan het worden was, sentimenteel en weekhartig, een speelbal voor lichtzinnige gedachten? Wat als hij zijn verstand volgde? Wat zéi zijn verstand? Wat als Hannelore's wraak niet mals zou zijn? Wat als de jongens hem zouden versmaden, nooit meer een brief op zijn verjaardag, wat als ze een hekel aan hem zouden krijgen?

Wat, kortom, als?

Hij dacht aan de laatste brief die hij van Elisabeth had gekregen. Haar beroep op hem werd dringend. 'Het is gedaan met mijn rust, lieve,' schreef ze. 'het is precies zoals Greetje zingt in *Faust*. Ik wacht alleen nog maar op jou. Over enkele maanden misschien onze eerste kerst samen, o, je weet niet hoe ik me daarop verheug, samen met jou de gelukkige dagen van Christus' geboorte doorbrengen.'

Juist, dacht hij, de finish is in zicht, en hij draaide het glanzende dopje van de brillcream vast op de tube.

24

Op Hauenstein had hij een verdrag gesloten. Hij trouwde met de jonge, zwangere onderwijzeres uit Weipert en zou haar kind zijn naam geven. In ruil daarvoor betaalde de graaf zijn opleiding en kreeg hij een baan als rentmeester op het landgoed Hauenstein, een kilometer of zestig ten noordwesten van Karlsbad.

Andreas kreeg acht boswachters, vier hoveniers, houtvesters, een bakker, een hoefsmid, een slager en tien pachtboeren onder zich. Hij hield toezicht over een gebied dat zich vanaf het dal van de Eger uitstrekte over het halve Ertsgebergte. Hij was negenentwintig jaar oud en werd heer over alle bomen, bergen en dalen, over alle everzwijnen, herten en eekhoorns die er leefden. Hij dacht dat het uiteindelijk met zijn nieuwe vrouw ook wel goed zou komen, dat hij alles onder de knie zou krijgen.

Hij kwam eerst, en Hannelore verhuisde twee maanden later, hem achterna. Meneer Friedrich zei tegen zijn nieuwe rentmeester: 'Voor die halve paardenkop die hier op bezoek komt, zijn er genoeg kamers in het kasteel. Dus neem jij het Fremdenhaus maar.'

Het Fremdenhaus was een oude villa die een eind van het kasteel af stond. Het huis was aan de bosweg naar Schönberg gebouwd, op een open plek langs een beek in het bos, met een tuin eromheen vol metershoge rodondendrons, Japanse kersen en een stokoude jasmijn.

Die eerste twee maanden hoefde hij aan niets te denken, behalve aan het bos en aan het landgoed. Stille weken in huis, niemand die aan zijn kop zanikte, geen vrouw over wie hij eigenlijk van alles dacht. Hij verdrong haar, en over zichzelf dacht hij ook zo min mogelijk na. Hij ging het bos in, de boel verkennen, of hij speelde piano.

Hij stuurde Leonore een ansichtkaart van het kasteel en tekende een pijltje in de rechterhoek beneden: 'Fremdenhaus' priegelde hij ernaast. Op de achterkant van de kaart schreef hij: 'Lieve zus,' en verder Schuberts tekst: 'Oh wie schön ist deine Welt, Vater, wenn sie golden strahlet.' Een afzender was niet nodig, Gabriele zou het wel begrijpen.

Goud straalde de wereld zeker, en vooral 's morgens vroeg, als hij de luiken en het raam van zijn slaapkamer opende en de beek door de tuin hoorde stromen. De kikkers kwaakten en hij snoof de geur op van aarde, paddestoelen en bloeiende kruiden. Haastig kleedde hij zich aan en floot Dina, de jonge dashond die hij voor de jacht africhtte, en samen liepen ze door de tuin het bos in. Iedere stap die ze zetten liet een spoor achter in het bedauwde gras. Hij stond stil, draaide zich om naar zijn huis en zag een veld vol parels die langzaam verdampten in het zonlicht.

Ze trouwden in juli 1929. Leonore en oom Hermann waren getuigen, maar verder nodigde hij geen gasten uit. Waarom zou hij ook? Feitelijk viel er niet veel te vieren. Ook niet toen vier maanden later de kleine Friedrich werd geboren.

Andreas ging niet naar boven, naar het kraambed, waar de kraamvrouw lag. Hij deed niet aan gelukswensen, aan kraamsuiker en glaasjes sekt. Hij vroeg de dokter op de gang hoe het met moeder en kind was gesteld, en dat was dat. Hij hoefde ze geen van beiden. Hij wilde de jongen niet in de morgen, niet in de middag en niet in de avond.

Later, toen de baby groter werd, ook niet. Hij deed niet aan verjaardagen en cadeautjes met kerst. Wat betreft het kind droeg hij haar op om het zo ver mogelijk uit zijn buurt te houden. Als de jongen huilde, hoefde hij bij hem niet om troost te komen. Als hij lachte, zei hij: 'Haal hem weg, ik heb last van hem.'

Hannelore zei alleen maar: 'Als dat is wat je wilt, dat ik de jongen bij je weghoud, goed.' Dat waren de enige woorden die ze er ooit over repten.

Hij dacht was ervan overtuigd dat hij zo het goede deed, dat dit de manier was om van zijn huwelijk een succes te maken.

Hannelore, de graaf en hij begroeven de zaak. Het kind werd gedoopt alsof het een echte Landewee was. Hannelore noemde hem Friedrich, want met Friedrich kon je in het Ertsgebergte alle kanten op. Zo heette de helft van de jongens daar, en toevallig ook de graaf.

Hij overlegde met Leonore. Moeder was vier jaar dood en vader was opnieuw getrouwd, Andreas en zijn zussen waren toen in feite wees. Zijn oudste zus Gabi wilde hij niet om raad vragen. Zij zou zich onmogelijk kunnen voorstellen dat er mensen waren die niet uit liefde trouwden, want zo hóórde het nu eenmaal, en als het niet zo was, dan hield je in ieder geval de schijn op. Zo deed zij het ook, met die ambtenaar uit Holland die ze had getrouwd en van wie pappa had gezegd dat hij een lot uit de loterij was.

Monika, zijn jongste zus, was te jong.

Bleef Leonore over – Leonore, de zakelijke. Leonore, de pestkop. Leonore, die zelf ook om een bepaalde reden was getrouwd met een landmeter uit Holland. En die reden was niet de liefde.

Leonore zei dat hij het moest doen. Ze schreef: 'In Holland ben ik eerste violiste geworden bij een gerenommeerd orkest. Het bevalt me uitstekend, ik wind de dirigent om mijn pink, mijn leerlingen dragen me op handen en alle mannelijke orkestleden hebben een oogje op me.'

'Ik heb geen spijt,' besloot ze. 'Dus doe net als ik. Gebruik je verstand en wees geen sentimentele dwaas.'

En dat deed hij. Hij hield zich doof voor het geklets over het meisje uit Weipert dat met haar dikke buik in een witte jurk voor het altaar stond. Het geklets verstomde, sneller dan hij had verwacht. Kennelijk waren de mensen wel wat gewend als je jong was en verliefd. En zelfs pastoor Langer kneep een oogje toe toen hij Andreas en Hannelore in de kapel van Hauenstein tussen de gotische mariabeelden de zegen gaf. Ach, zo'n jong godsvruchtig stel dat iets te veel levenslust bezat, daar had toch iedereen begrip voor.

En daarmee was de schande uitgewist. Geen haan die ernaar kraaide, naar het hoe en waarom van de oudste Landewee – behalve hij dan en Leonore, en natuurlijk de graaf en Hannelore.

De lente was laat in 1929, en misschien had meneer Friedrich daarom wel wat gezien in een beetje plezier met een jonge vrouw, ook al was ze een lerares met een strenge mond, die haar dunne blonde haar in twee harde knotten op haar oren droeg, een stoppelveld van spelden als je er met je hand over streek.

Ze maakte met haar schoolkinderen een uitstapje naar de boomkwekerij op Hauenstein. Andreas stelde zich voor hoe ze de kinderen onderbracht bij de bakkersvrouw die hen met limonade en krentenbrood zoet hield. Zelf ging Hannelore mee op een privé-rondleiding door het kasteel.

Ze vertelde nooit waar het precies was gebeurd. Maar iedere keer als Andreas zijn rondgang maakte door de kamers en de zalen van het kasteel, iedere keer als hij op kantoor bij de graaf kwam om over de hout- en pachtopbrengsten of de aanschaf van nieuw gereedschap te spreken, gingen zijn gedachten die kant op.

Deden ze het hier, op het tapijt voor de open haard, terwijl zesenzestig hertenschedels op hen neerkeken? Verkozen ze de slaapkamer met de Cézanne aan de muur?

'Dat schilderij moet u nodig zien, gnädiges Fräulein, zo mooi als de kunstenaar de lichamen van deze baders pos-

teerde in het avondlicht, zo vindt u het in de hele Tsjecho-
slowaakse Republiek niet.'

Andreas bekeek de violette kleuren op het doek, de golvende lijnen van buiken, schouders en tailles, en liep ach-
teruit, tot de rand van het bed in zijn knieholten stootte en
hij zijn evenwicht verloor. Ging het zo, van het hogere naar
het lagere, van de kunst naar de lust? Of vonden Rapunzel
en haar prins elkaar in blinde drift, op de koude trappen
naar de torenkamer?

25

Hannelore huilde niet. Ze vergoot geen traan.

Ze rookte de ene filtersigaret na de andere. Het pakje Belinda's, waar ze doorgaans een week of langer mee deed, joeg ze er op die maagdelijke morgen in één keer in haar keuken doorheen.

Toen Veronika twee uur later beneden kwam, zag de keuken blauw van de rook en stonk het er naar verbrand ei, verbrand vet en vlees.

Hannelore had niet stiekem gerookt zoals ze normaal deed, even voor het open raam of op de wc gauw een paar trekjes, want stel dat Andreas met zijn *mens sana in corpore sano*-gedoe het zou zien. Ze had de peuken bedachtzaam in haar bord met ei, spek en brood uitgedrukt totdat alles siste, walmde en stonk. Toen was ze opgestaan en het huis uitgelopen. Ze liet voor één keer de boel de boel – die liet ze Veronika.

Veronika bekeek de ontbijttafel vol walging, gooide de sigaretten met bord en al in de vuilnisbak, zette de ramen tegen elkaar open en riep: 'Moeder! Waar ben je?'

Maar het enige antwoord kwam van de poes die om melk mauwde. Veronika duwde het beest van zich af. Ze keek in de kelder, alle boodschappentassen hingen roerloos in het gelid. Veronika keek in de gang, haar moeders schoenen waren weg. Veronika keek boven, moeders kleren lagen nog op haar bed en dat bed was niet opgemaakt. Veronika keek in de badkamer, op alledrie de wc's, ze liep van de zolder naar de kelder, maar nergens vond ze haar moeder.

Ze liep naar de telefoon en belde het nummer van de werkkamer van haar vader op het kasteel, maar daar nam niemand op. Ze trok aan haar lip, wie zou ze nog meer kunnen bellen? De slager van hiernaast? Haar broers? Nee, die hadden geen telefoon. Die feeks van een Schöller dan, bij wie haar moeder wel eens uit roddelen ging?

Veronika haalde adem en draaide het nummer.

'Goeiemorgen, mevrouw Schöller,' zei ze met haar liefste stem, 'met Veronika Landewee. Het spijt me dat ik u zo vroeg op de morgen stoor, maar' – ze probeerde een trilling in haar stem te onderdrukken – 'weet u soms of mijn moeder vandaag een afspraak bij uw man had voor haar haar?'

Mevrouw Schöller was niet verbaasd dat Veronika zo vroeg belde. 'Ach Veronika, wat goed dat ik je hoor,' riep ze uit. 'Je moemsi is inderdaad hier, lieve schat.' Ze liet haar stem een toonaard zakken: 'Maar niet om haar haar te laten doen.'

Veronika hoorde een geluid dat op kokhalzen leek. Toen hoorde ze mevrouw Schöller weer. 'Ze is een beetje in de war. Ik bedoel je moeder, schat. Kom maar gauw hierheen.'

Hannelore was in haar peignoir de straat opgelopen. Ze had niets anders eronder aan dan een doorkijknachtpon, en instappers zonder kousen aan haar voeten. Het rare was dat ze zich later helemaal niets van die ochtendwandeling herinnerde – niets van de haast waarmee ze het huis had verlaten, niets van de schuurplekken die ze op haar blote hielen kreeg van de harde schoenen, zigzaggend de Marktstraat over, steeds verder van huis vandaan, onder de stadspoort door naar het nieuwe gedeelte, als een demente speurhond die zijn omgeving nog wel afsnuffelt, maar niet meer weet waarnaar hij zoekt.

Ze had de bakker niet gezien die haar voorbij zag komen en met het brood in zijn handen naar buiten liep om haar na te kijken. Ze had de man van de souvenirswinkel niet haar naam horen roepen. Voor het eerst in haar leven had ze zich voor niemand gegeneerd.

Schöller, van de kapperswinkel, stond net zijn ramen te zemen toen Hannelore voorbijdraafde. Hij had haar bij haar arm gepakt en zijn naar haarlak, haarolie en aftershave geurende winkel binnengetrokken. Daar had hij haar op een stoel gezet en warme thee te drinken gegeven. Schöller was een aardig mens, die lang geleden gedroomd had van een carrière bij de beste modehuizen van Parijs – Courrèges, Chanel. Maar toen kwam het lidmaatschap van de Partij en de oorlog erachteraan, en kon je dat beter niet meer zeggen, dat van je droom over Frankrijk en elegante kapsels voor dames én heren. Dertig jaar lang werkte Schöller nu als kapper in Langenburg en in die jaren had hij zoveel hoofden onder handen gehad, zoveel modellen geknipt waar hij zelf de aardigheid niet van inzag, dat hij nergens meer van opkeek.

Schöller gaf Hannelore de tijd. Hij redderde met kopjes, plantte haar naast de ficus in een hoekje van de zaak waar de zon naar binnen scheen en legde een *Freundin* op haar schoot. Hij instrueerde zijn vrouw, die nieuwsgierig binnenkwam, uit de winkel weg te blijven. 'Vort schatje, straks,' gebaarde hij, 'straks krijg je alles te horen. Nu moet het even stil zijn.' Hij draaide de deur weer op het nachtslot en pakte de bezem. Vegen had altijd nut in een kapperszaak, ook al leek de grond brandschoon.

Omdat een eerlijke leugen niks schaadt, vertelde Hannelore aan Schöller dat ze vervelend nieuws van een nicht had ontvangen, ze mompelde iets over een ongeval. Ze zorgde dat ze haar verhaal met genoeg details garneerde om geloofwaardig te laten klinken. En toen Veronika een halfuur later op het raam van de winkel klopte, kon Hannelore Schöller alweer recht in de ogen kijken en haar dochter glimlachend over de wang strijken.

Thuis, dacht ze, als ik eerst maar thuis kom, dan verzin ik daar een oplossing. Er ligt altijd nog wel een methode in het verschiet.

Vroeg in de ochtend was ze opgestaan, om halfzes, heel Langenburg was nog in diepe rust vanwege de schoolvakanties. Maar vanuit Bächlingen in het dal beneden hoorde ze de koeien al loeien en aan hun kettingen rukken, ongeduldig als de beesten waren om het land op te gaan. Ze hoorde melkbussen rammelen en af en toe een flard van een schreeuw van de melkknechten – elk geluid van beneden steeg omhoog in het stille dal.

Hannelore pakte de nieuwe peignoir die ze de week daarvoor met moederdag had gekregen uit de kast en wikkelde het cellofaan eraf. Een lichtroze peignoir was het, met een capuchon die ruim over haar hoofd viel en bestikt was met gele en auberginekleurige theerozen. Ze trok hem aan, bekeek zich in de spiegel – en dat viel niet tegen, moest ze bekennen. Ze knikte zichzelf bemoedigend toe: 'Van deze dag ga je een goede dag maken.' Want dat was het prettige van nieuwe dagen en vooral van maagdelijke ochtenden als deze: ze droegen de belofte in zich van iets dat heel goed in orde kon komen, iets dat nog niet bezoedeld was door oude koeien die in de sloot lagen te stinken.

'Heilige Maagd, u weet, ik doe mijn best,' zei Hannelore en vouwde haar handen. Toen doopte ze haar vinger in het bakje water dat onder het Mariabeeldje hing en tekende een kruisje op haar voorhoofd. Zo ging ze naar beneden om het ontbijt klaar te maken, zo goed als ze kon, ook al was ze geen keukenprinses. Ze bakte eieren met uien en spek, deed de roomboter in plakken op een schoteltje en sneed het brood.

Die ochtend stond Andreas op met het vaste voornemen om vandaag de definitieve stap te zetten. Hij zou zijn zonen per brief inlichten. Veronika zou hij het die avond vertellen. Hij zou haar mee uit eten nemen en alle gangen die hij voor haar bestelde gebruiken om haar de situatie rustig, langzaam en vooral duidelijk uit te leggen. Ze was ten slotte alweer een grote meid van twaalf. Ze zou begrijpen dat ze op haar leeftijd beter niet bij haar vader maar bij haar moeder kon gaan wonen.

Hij bracht het nieuws aan Hannelore vlak voordat hij naar het werk moest. Het gaf zijn toekomstige ex-vrouw de hele dag tijd om na te denken. En dat was het beste, vond hij. Dan kon ze niet meteen duizend-en-een verwijten naar zijn hoofd slingeren die toch alleen maar afleidden van dat ene gegeven dat hij moeiteloos met wel duizend verschillende woorden kon omschrijven: ik ga bij je weg, ons huwelijk is kaputt, het is uit, auf Wiedersehen.

De middag daarvoor had Andreas zijn werkgever al ingelicht. Omdat Hohenlohe een naam was waarmee in Duitsland bijna alle deuren opengingen, omdat Andreas het zonder referentie op zijn curriculum als rentmeester in elke deelstaat wel kon vergeten, én omdat hij een mooie functie had, de mooiste die je in zijn vakgebied kon krijgen – hij had zich in twaalf jaar in zijn nieuwe vaderland opgewerkt van gewoon Förster tot fürstlicher Oberforstmeister – lichtte hij als eerste meneer Gottfried in.

Van de kant van de vorst kwam geen bezwaar. Privé-zaken gingen hem niets aan, zei hij. Alleen over het huis aan de Marktstraat was hij stellig. Als Andreas met zijn nieuwe vrouw elders ging wonen – wat Elisabeth wilde – moest Hannelore natuurlijk verhuizen. Dat dát duidelijk was.

Andreas schonk koffie in, schoof het bord met brood, eieren, uien en spek van zich af, en nam een hap adem. Toen vertelde hij, aanvankelijk nog aarzelend en schor, maar al snel steeds helderder en expliciter, alles over het nieuwe leven dat hij ging leiden met de vrouw die hij had ontmoet en die zijn grote liefde was. Twee zielen in een lichaam – dat zei Andreas.

Dat Hannelore niet wilde blijven zitten aan de keukentafel maar opstond en verwoed in kasten en laden ging rommelen, kon hem niet schelen – hij had al zoveel jaren tegen een rug en een nek aan gepraat. Dat ze spontaan een glas uit haar handen in de gootsteen liet vallen, toen hij het woord 'scheiding' liet vallen, viel hem evenmin op, zo in vervoering raakte hij door de manier waarop hij over zijn splinternieuwe leven vertelde. Dat Hannelore ergens vandaan een pakje filtersigaretten opdiepte, noteerde hij weer wel. Mijn God, Hannelore, roken, dacht hij, is het al zo erg met je?

En die gedachte, dat moment van compassie dat één seconde lang aangenaam warm door zijn lichaam gleed, maakte dat hij zich nog meer in zijn recht voelde staan dan daarnet. Hij was niet alleen maar harteloos en wreed. Hij was in staat tot medelijden met de vrouw die hij verfoeide en die nu met haar hoofd in haar nek rook stond uit te blazen en zo niet alleen haar eigen maar ook zijn longen vergiftigde. Het was zijn goed recht, dacht hij, eindelijk koos hij voor zichzelf in het leven, niet voor het geluk van zijn kinderen, niet voor dat van anderen maar voor zijn eigen geluk.

Hij zei: 'Uiteraard betaal ik alimentatie voor jou en Veronika. Maar het zou verstandig zijn om na te gaan wat je kansen zijn op de arbeidsmarkt. De jongens zijn de deur uit, Veronika gaat volgend jaar naar het gymnasium en heeft weinig zorg nodig. Ik denk dat er genoeg mogelijkheden zijn om je oude beroep weer op te pakken. Om ervaren krachten in het onderwijs zitten ze altijd te springen.'

Hij zei ook: 'O ja, en wat betreft het huis: juffrouw Bruch en ik gaan hier niet wonen, dus de huur wordt opgezegd.' Hij maakte een kalmerende beweging met zijn hand. 'Niet meteen hoor, je krijgt alle tijd die je nodig hebt om een nieuw huis te zoeken. Maar niettemin wil ik je aanraden om deze zomer alvast uit te kijken naar ander onderdak, meneer Gottfrieds geduld is niet onuitputtelijk.'

Hij stond op, veegde zijn mond af aan zijn servet en pakte zijn tas. 'Ik ga aan het werk. Ik wil je best helpen zoeken als je dat wilt. Niet te dicht in de buurt, lijkt je niet? Schwäbisch Hall, is dat niets voor je? Die keer dat we de stofzuiger gingen kopen, vond je het zo'n aardige stad.'

Andreas wachtte Hannelore's antwoord niet af, maar

liep de keuken uit, de trap af, deed de garagedeur open, stapte in zijn auto en reed rustig en beheerst de garage uit, alsof het een doodnormale dag was, die begonnen was zoals alle andere doodnormale dagen van zijn leven tot nu toe begonnen waren.

DEEL ZEVEN

Zalmtrek

26

Hij moest zijn winterjas korter maken. Zijn bed verschonen. Zijn haren knippen. Het kippenhok schoonmaken. Zijn schoenen verzolen. De vleugel stemmen. Het klapperende luik vastzetten. Sperziebonen afhalen. Iets aan de slakken doen in de moestuin. De heg snoeien.

Hij moest.

Hij zuchtte, pakte zijn aantekeningenschrift en sloeg het open.

Hij schreef: 'Als.' En nog twee keer: 'Als. Als.' Hij tekende drie cirkels om de woorden, en van die cirkels maakte hij een zon, en nog een en nog een.

Hij kauwde op de achterkant van zijn pen. Hij keek naar de zonnestralen in zijn schrift en probeerde zich te concentreren.

Toen schreef hij opeens een hele zin. 'Aan als heb je niets.'

Zo, dacht hij, die zit.

Als ik toch dit... of als ik toch dat... gezwets. Hij scheurde het blaadje uit zijn schrift en verfrommelde het.

Hij wist niet waarom.

'Je kunt ze nooit allemaal te vriend houden,' zei hij hardop tegen de muur.

De één wel, de ander niet. Geef je de een een vinger, dan is de ander boos dat hij niet een hand krijgt. Het is nooit genoeg. Gieren zijn het.

Hij fronste. De rimpels in zijn voorhoofd werden nog dieper, zwarte strepen, kloven, ravijnen, scheuren.

Hij wilde best terugkijken. Maar voorzichtig: liever spieken dan kijken. Sommige dingen waren nu eenmaal troebel, daar moest je niet in gaan zitten wroeten, dat had helemaal geen zin.

Hij wilde zich best proberen voor te stellen hoe het zou zijn geweest, als hij niet met Hannelore was geweest. Dan was er ongetwijfeld een ander gekomen, en andere kinderen. Sonnenbergse kinderen, met donkere haren misschien. Geen Elisabeth. Massa's bruine krullen.

De oorlog schoot door zijn hoofd, altijd weer die oorlog. Op televisie, op de radio, in de kranten die Veronika hem nog elke maand opstuurde. Steeds vaker. Mocht hij daar eindelijk van verlost worden? Voor mensen zoals hij en Elisabeth veranderde er toch niets toen de oorlog uitbrak?

Een dikke bromvlieg trok zijn aandacht. Het beest lag op zijn rug in de vensterbank en tolde wild zoemend in het rond.

Wasja lachte naar hem, kuiltjes in haar wangen, vlechten om haar oren gedraaid.

Meneer Jandl zei: 'Andreas, niet als een aardappelzak achter de piano.'

Mamma, dacht hij, wat had ik dan moeten doen?

Hij stak zijn kin naar voren, zijn benen hield hij stijf tegen elkaar, zijn vingers bewogen onafgebroken langs elkaar heen.

'Nooit goed geweest in schaken,' mompelde hij. 'Leonore wel. Mamma wel. Hannelore wel.'

Vooruitdenken, calculeren, strategische stappen zetten. Niks voor hem. Hij was geen tacticus. Nooit geweest.

Een spiertje in zijn rechteroog begon te trillen. Hij legde een vinger op zijn kloppende ooglid en drukte totdat het trillen stopte. Hij slikte. Zijn mond was kurkdroog. Hij moest wat drinken. Hij begreep niet waarom hij plotseling bang was. Hij kreeg het benauwd, zijn rug werd nat van het zweet. Hij zei hardop: 'Mamma.'

Opeens stond Wolfgang achter hem.

'Had je me niet gehoord?' zei Wolfgang. 'Ik klopte toch heel hard, hoor.'

'Nee, jongen, nee,' zei hij en borg haastig zijn schrift en zijn pen weg. Hij veegde met zijn hand zijn voorhoofd af. 'Ik was bezig met wat papierwinkel, maar nu ga ik...' Hij keek onzeker rond.

'Laat toch. Blijf toch zitten,' zei Wolfgang. 'Hier, ik heb iets voor je. Kijk.' Hij haalde een plat, in rood papier ingepakt pak achter zijn rug vandaan. 'Voor jou. Iets speciaals. Omdat je bijna negentig bent. Toe maar. Pak maar uit. Dit is echt. Dit is hoe het echt klonk.'

Andreas pakte het cadeau aan, maakte het papier los, zette zijn bril op en las wat er op de hoes stond. Hij zei geen woord, geen bedankje, niets. Hij beet op zijn lippen.

Heel voorzichtig legde hij de plaat voor zich op het bureau. Hij schoof de langspeelplaat van zich af, haalde hem voorzichtig weer naar zich toe, en duwde hem weer van zich af. En iedere keer dat hij de plaat naar zich toe haalde, bleven de vereelte toppen van zijn vingers een fractie van een seconde langer rusten op de foto op de hoes.

Wolfgang kon niet wachten totdat zijn vader jarig was. Hij had via vrienden in Berlijn-Charlottenburg een muziekwinkel gevonden met meer platen, meer muziekboeken en muziekcatalogi in de rekken dan hij ooit had gezien. Het was zomer 1990 en hij was voor het eerst weer in Duitsland. Hij had Joseph gevraagd zijn vader te verzorgen, te helpen met de beesten en met alles wat er onverwacht voorbijkwam.

Hij bezocht Veronika, Benno en Friedrich. Met alledrie had hij het over vader gehad. 'Een lastig kind,' zei Wolfgang in Karlsruhe aan tafel bij Veronika, terwijl hij de bolletjes mozarella met tomaat en basilicum weglepelde alsof het pap was. 'Het houdt niet op, geen seconde rust, alles moet je hem voorkauwen en klaar zetten, anders raakt hij zijn noorden kwijt. En dan die verhalen, steeds weer dezelfde verhalen.'

'Denk je er nooit eens over om terug te komen?' vroeg Veronika. Wolfgang zei: 'Heb je nog wijn, of eigenlijk liever bier?'

In de Harz, bij Benno, was hij mee op jacht gegaan. Ze hadden, net als vroeger, zij aan zij door het bos gelopen, helling op en af, met hun jagerstas bungelend op hun linkerdij en het geweer in hun rechterhand. Ze hadden, zonder gerucht te maken, anderhalf uur gekromd tussen de braamstruiken gewacht, en ten slotte hadden ze een reebok geschoten. Op de terugweg zei Benno: 'Ik benijd je niet.' En na een korte stilte: 'Helemaal niet meer.'

Friedrich daarentegen, die in de buurt van Badenweiler boswachter was geworden en na de dood van zijn eerste vrouw met een steenrijke jeugdliefde was getrouwd, Friedrich praatte aan één stuk door. Dat hij nu, na al die jaren pas, begreep waarom vader niets van hem had moeten hebben. Dat had zijn vrouw hem duidelijk gemaakt. Ze had gezegd: 'Je líjkt toch helemaal niet op een Landewee, dat vindt je moeder ook.'

Friedrich had zich naar Wolfgang toegedraaid in de open Mercedes cabriolet. 'Jij wel,' zei hij. 'Jij bent er wel een. Jij krijgt alles, terwijl – wat maak jíj nou klaar in het leven? Kinderen? Een baan? Een vrouw?' Wolfgang had naar zijn handen gestaard en gezwegen.

Berlijn kwam als een verlossing, een week vrijaf. Hij zat een hele middag op de grond, tussen stellingkasten vol stoffige partituren en beduimelde muziekgeschiedenissen. De eigenaar van de winkel was behulpzaam, totdat Wolfgang de naam van de dirigent en het jaar van de uitvoering noemde. Het gezicht van de verkoper verstrakte. 'Weet u wel dat het heel foute muziek is die u daar zoekt?'

'O?' zei Wolfgang, 'en er speelt nog wel familie van me mee.' Goed beschouwd was dat laatste niet waar – maar wat zou dat?

Toen hij de opname in de catalogus vond, bracht hij het boek naar de toonbank en wees aan wat hij wilde. Hij stelde zich voor hoe zijn vader de plaat uit de hoes zou halen, op de pick-up zou leggen in de grote woonkamer, en dan het volume op hard zou zetten. Uit acht boxen tegelijk zou de *Negende* klinken. Zijn vaders muziek. Zijn lievelingsmuziek. Geen foute muziek.

Ineens dacht hij: zou het wel goed gaan met die oude man, eet hij wel goed, wat doet hij nu, en zou Joseph wel een oogje in het zeil houden, op dit tijdstip van de dag? Hij zag niet de woede waarmee de winkeleigenaar de bestelling noteerde.

27

Ze begon opnieuw.

Twintig seconden langzaam inademen, twintig seconden de lucht vasthouden, en dan in twintig seconden weer langzaam uitademen.

Opnieuw.

In, vasthouden, uit... in, vasthouden, uit...

Langzaam keerde de rust terug. Met iedere slag van haar hart bruiste zuurstofrijk bloed door haar lichaam en vulde haar longblaasjes. Ze draaide rondjes met haar hoofd om te controleren: halsspieren soepel, nek ontspannen. Toen sperde ze haar mond open, net niet wagenwijd.

'Fräulein, wat heb ik nou gezegd!' Norbert Zettel hield op met spelen. Geërgerd draaide hij zich naar haar toe. 'U maakt fouten alsof u pas met zingen begint. Niet omhoog met uw hoofd, maar omlaag. Anders kunt u nooit goed van boven op de tonen neerkomen.' Zettel zette zijn vingers weer op de toetsen van de Bechstein en begon opnieuw aan het laatste deel van Beethovens partituur, bij de maat waar de bariton zijn solo begint.

Elisabeth wachtte, haalde adem en wachtte, voor de achtste keer vanmiddag. Ze probeerde de moed niet op te geven en zei tegen zichzelf dat alles altijd wel ergens goed voor is. Je kunt het, dat weet je, je bent immers een groot talent, dat hebben al zoveel mensen tegen je gezegd.

Zettel keek haar richting uit, hij speelde bariton, koor,

bariton en weer koor, en toen viel ze in, op de d-twee, de solo voor sopraan. Bij de naar boven gaande tonen dacht ze omlaag, en ging ze omlaag, dan dacht ze de hoogte in, precies zoals Zettel het haar had geleerd.

Volgens haar ging het goed nu, het ging helemaal zoals het hoorde. Alle noten op de woorden 'Wer ein holdes Weib errungen, mische seinen Jubel ein' borrelden gemakkelijk omhoog. Alle noten van de *Ode an die Freude* gleden soepel aan, met voldoende draagwijdte en kleur.

Zettel speelde en zij volgde, tot aan het moeilijkste deel van haar solo. Ze zong: 'Alle Menschen werden Brüder, wo dein sanf-', en dan volgde een serie ingewikkelde triolen.

Ze wilde net haar zin afmaken, toen Zettel stopte met spelen en de klep van de vleugel met een klap dichtsloeg.

'We scheiden ermee uit,' zei hij. 'Deze partij lukt niet meer vandaag. Er komen kolen in plaats van diamanten uit uw mond, Fräulein.'

Zettel gleed met zijn handen licht over de lessenaar van de vleugel en draaide ze toen om, de palmen naar boven.

'Geduld alstublieft, geen haast. Níet uw adem leegstorten als een emmer dweilwater, maar langzaam de lucht in klank omzetten.'

Zettel stond op, rekte zich uit en staarde toen langs haar heen de grauwe Berlijnse schemer in. 'Morgen kom ik terug,' zei hij. 'Denkt ú aan de diamanten, dan denk ík aan het kussen waarmee ik ze zal opvangen.'

De jonge operazangeres Elisabeth Bruch keek de oude man uit het raam na. Iedere dag hetzelfde verhaal over die diamanten en over waarom goed niet goed genoeg was voor een solist. Goed was de eerste de beste conservatoriumstudent. Wie goed was kwam in een koor terecht en als je de top ambieerde, was dat hetzelfde als de goot.

Ze zag haar leraar door de natte sneeuw glibberen, gesticulerend, in gesprek met niemand, zijn jaspanden fladderend achter zich aan. Als ze hem zou tegenkomen op straat, zou ze hem nog geen pfennig geven. Met haar ogen volgde ze de man tot hij de hoek om was, de U-bahn in op de Nollendorfplatz. Op naar de Berliner Philharmoniker, voor de repetitie van het koor.

Afgelopen nu. Ze draaide zich om, dronk haar glas water leeg en bracht de andere vuile glazen naar de keuken. Ze zette de ketel op het vuur, schoof de vuile ontbijtborden en het avondeten van gisteren in de gootsteen en pakte de spons. Terwijl ze wachtte totdat het water kookte, schoot het door haar heen: over twee weken première.

Op aanplakbiljetten langs de Kurfürstendamm, op de Potsdamer Platz en Unter den Linden stond: 'Wilhelm Furtwängler dirigeert de *Negende* van Beethoven.' Daaronder in kleine letters haar naam en die van haar collega, bariton Leopold Werninger. Dwars over het affiche heen een rode dwarsbalk, al tijden. Die balk riep: 'Uitverkocht!'

Ze probeerde die balk te negeren, ze probeerde alles te negeren, want als ze dat niet deed werd ze slap in haar benen en moest ze kokhalzen.

Drie maanden geleden was het, een week voor kerst, toen Furtwängler haar als sopraan vroeg voor de solo-partij van de *Negende*. En natuurlijk zei ze ja.

Bij de eerste algemene repetitie had de dirigent hen allemaal, koor, orkest en solisten, toegesproken. 'Nooit,' zei hij, 'heeft een musicus meer van de harmonie der sferen, van de klank van de goddelijke natuur geweten en doorleefd dan Beethoven zelf. Dankzij hem pas zijn Schillers woorden: "Brüder! Überm Sternenzelt muss ein lieber Vater wohnen" werkelijkheid geworden, hoog boven elk begrip van taal uit.'

Haar hart had tegen haar ribben gebonkt, in haar keel prikten de tranen. Ze zei tegen zichzelf: 'Daar sta je dan, dochter van een meubelmaker uit Lotharingen. Je had de klei nog onder je voeten en het stro achter je oren, toen je zes jaar geleden in Berlijn aankwam. En nu zing je toch maar mooi op het beste podium van de wereld, met de beste musici van de wereld.'

Ze was overmoedig en naïef geweest. Ze dacht: 'Ik ga muziekgeschiedenis schrijven.' Ze had in de bibliotheek van de Berliner Philharmoniker gezeten en gelezen dat ze deel ging uitmaken van een traditie die terugging tot de eerste uitvoering van de *Negende* in Wenen in mei 1824, toen Beethoven, al stokdoof, naast de dirigent stond om de begintempi aan te geven, maar het donderend slotapplaus van het publiek niet kon horen. Ze rilde van ontzag. O, wat was ze trots dat zij de gift van Beethovens genie mocht doorgeven.

Ja, de gift van zijn genie, zo voelde ze dat. Ze had de hele week lopen zingen.

Maar nu werd ze al zenuwachtig van het geluid van de fluitketel. 'Kom al, kom al,' suste ze en haalde de ketel van het vuur. Ze goot de afwasbak vol met warm en koud, en liet in het dampende water een klein stukje zeep oplossen. 'Niet te veel meid, zuinig,' zei haar moeder altijd, en zij dacht: 'Niet te veel. Nee, nooit iets te veel.'

De zeep prikte. Haar ogen gingen ervan tranen, haar neus kriebelde. Ze trok haar schouders op, knikte haar hoofd om te niezen, en rook toen, ja wat rook ze eigenlijk? Een andere lucht, scherper en viezer dan die van goedkope zeep.

Ze rook aan haar handen, trok met haar schouders en tilde haar armen op. Een grote donkere vlek in de armsgaten van haar blouse. Kreeg ze die er nog wel uit, kringen van zo ontzettend veel opgedroogd zweet? Als ze bij Zettel al zo zweette, wat moest het dan straks bij de première wel niet worden?

Wat kon ze eraan doen? Pleisters? Verband? Ze kon het moeilijk aan die oude Zettel vragen. Ze trok een jurk met heel erg wijde mouwen aan, dat in elk geval.

Zwakte, ze haatte het.

Toen vader thuis tegen haar schreeuwde: 'Als jij wilt gaan zingen, madame, dan kom je er bij ons nooit, ik herhaal nooit, meer in,' had ze hem vierkant uitgelachen. Hij kon haar wat, haar koffer stond al lang en breed gepakt boven in haar slaapkamer. Ze droeg de koffer de trap af, ketste op haar hoge hakken het erf af en nam de boemel naar Würzburg.

Onderweg keek ze niet naar de bloeiende wijnbergen, niet naar de dekschuiten die in de zon op de blinkende rivier schommelden. Ze zag de eeltknobbels op haar vaders handen, zijn smerige nagels, zijn haren en baard, die altijd onder de houtstof zaten, zodat hij al een oude en afgeleefde man leek toen hij nog maar veertig was.

Ze dacht aan het gesloof van haar moeder, altijd de perfecte huisvrouw spelen met niks in huis, en rook de weëe lucht van de aardappelstamppot met eieren en jonge kaas, het armzaligste armenvreten dat ze zich kon voorstellen.

Zij pakte de dingen anders aan. Fanatiek, precies, gecontroleerd.

Neem nou zoiets als de afwas. Zij tilde bord, glas, pan voorzichtig op en dompelde het servies onder in een badje sop. Allemaal, oud of nieuw, mét bloemetjes of zonder, verdienden ze haar onverdeelde aandacht. Heel langzaam waste ze vet en vuil van ze af. Schoonmaken, reinigen, stuk voor stuk, van links naar rechts, van het zwart gespikkelde granieten aanrecht via de gootsteen weer naar het aanrecht, in een kalm, geruststellend ritme. En als alles in het afdruiprek stond, was ze tevreden.

Maar vanavond was het niet genoeg. Ze keek de keuken rond. Wat nog meer? Ze schuurde de pitten van het fornuis, dweilde de keukenvloer en verwijderde de aanslag van de keukenlamp. Ze controleerde de voorraadkast op muizenkeutels en lapte ten slotte de ruitjes van de bordenkast.

Alles blonk en straalde en geurde op de plekken waar het stralen moest. Maar echt geholpen tegen de zenuwen had de poetsbeurt niet. Ze sprak zichzelf toe: 'Kom op Elisabeth, wanneer leer je je beheersen? Dat moet als zangeres. Dit is een concert zoals je er al zovele hebt gehad. Stil nou, Bruch. Stil nou, Elisabeth toch.'

De Führer zou er zijn, de *Negende* was zijn lievelings-symfonie, Furtwängler zijn lievelingsdirigent. Goebbels had getelegrafeerd dat hij zou komen. Richard Strauss zou er zijn, samen met de familie Bechstein en Von Karajan. Himmler, Heydrich, Eichmann, Müller, en ach, die aardige meneer Frank, die haar laatst nog zo vriendelijk had uitgenodigd voor een recital in Krakau: allemaal kwamen ze. De *Negende* van Beethoven, geprogrammeerd voor de eerste drie lentedagen van 1942, gold nu al als hét hoogtepunt van het muziekseizoen in Berlijn.

Ze móest er een succes van maken. Ze mocht niet falen.

Ze deed haar schort af, liep naar het dressoir in de woonkamer en pakte haar *Gedachteboek* uit de lade. Ze bladerde naar een passage die ze bijna tien jaar geleden had opgeschreven, toen de Führer op de partijdag in Neurenberg een rede hield.

Ze las: 'Hij die door de Voorzienigheid is uitverkoren de ziel van een volk aan de wereld te onthullen, haar in tonen te laten klinken of in steen tot spreken te brengen, lijdt onder het geweld van een almachtige, hem beheersende dwang. Hij zal zijn eigen taal spreken, ook wanneer de wereld hem niet begrijpt of begrijpen wil. Hij zal liever iedere last op zich nemen dan ook maar één keer de ster ontrouw te worden, die hem innerlijk leidt.'

Die laatste zin had ze drie keer onderstreept.

Ze sloeg een lege bladzijde op en schreef: 'De *Negende*: een adagio als een gebed. Iedere overwinnaar verandert in een smekeling, iedere heiden wordt christen. Nooit ben ik helemaal alleen.' En dwars over twee bladzijden heen schreef ze in grote blokletters: 'OOK ALS IK HEM NIET ZIE, GELOOF IK IN GOD.'

Het was een toevalstreffer dat in de nacht van 9 op 10 april 1941 de Berliner Staatsoper werd gebombardeerd door een Engels vliegtuig. Ze was er doorheen geslapen, de avond daarvoor was ze met een stel blazers van het orkest eerst naar de bioscoop geweest in het Ufa-Palast am Zoo en daarna waren ze doorgezakt in café Charlott. Gegierd van het lachen hadden ze om de olifantenparodie die de eerste hoornist op Richard Strauss opvoerde. Retteketèt, daar komt Richard, de vette olifant!

Maar de volgende morgen werd ze met hoofdpijn wakker, en toen ze de radio aanzette, hoorde ze Rijksmaarschalk Goering schreeuwen. Buiten zinnen van woede was hij, haar radio barstte zowat uit elkaar. Zíjn Staatsoper Unter den Linden een rokende puinhoop.

Sindsdien was ze op haar hoede, want je kon toch niet geloven wat er tegenwoordig in de kranten stond, namelijk dat ze in Berlijn veilig was voor de vijand. Voordat ze het podium van een concertzaal opging, controleerde ze daarom alle nooduitgangen en vluchtwegen. Soms was ze er wel een uur mee bezig. Ging het luchtalarm af, dan stopte ze halsoverkop met zingen en baande zich een weg naar de uitgang, het gebouw uit, over de verduisterde straten terug naar huis, snel de kelder in.

Maar op de avond van 22 maart bleef het luchtruim boven Berlijn leeg. Op 22 maart 1942 straalde het gebouw van de Berliner Philharmoniker uit al zijn ramen en was bijna iedereen verkouden. In de coulissen hoorde ze het gerochel, gehoest en geproest vanuit de zaal. En in de kleedkamer mopperde iedereen: over het slechte weer dat maar aanhield, de verschrikkingen, lieve God, waar de Wehrmacht aan het Oostfront onder leed (afschuwelijk strenge vorst, ijzige sneeuwstormen en metershoge sneeuwhopen), en over de nieuwe rantsoenen voor aardappels, brood, vet en koffie.

Toen klonk de gong en ging iedereen naar zijn plaats.

Haar plaats was voor op het podium, pal voor de lessenaar van Furtwängler. Leopold stond naast haar, hij raakte even de mouw van haar ruitjesjurk aan. 'Het gaat vast goed hoor, Elisabeth. Over anderhalf uur lachen we weer en drinken we champagne. En morgen gaan we ontbijten met echte koffie en gebakken eieren met spek.'

Werniger zweeg, want Furtwängler kwam binnen. Een daverend applaus barstte los.

Ze dwong zichzelf de zaal rond te kijken. Ze zag de Führer vooraan, glimlachend, zijn benen ontspannen uit elkaar. Naast hem Goering en Goebbels, met hun vrouwen in glitterende japonnen. Ze zag de microfoons van Radio Berlijn boven zichzelf en boven het orkest hangen. Toen zag ze niets meer. De zaal werd een mist van wit, zwart en rood. Haar zintuigen vernauwden zich, concentreerden zich op één ding, één toon.

Heel zacht en gelijkmatig zetten de kornetten en celli die toon in. Somber en koud klonk het, als een poolwind die over een bevroren meer joeg. Vervolgens, kort, afgemeten en dreigend, de violen, zij maakten de krassen in het ijs.

Zo had Furtwängler het hun tijdens de repetities voorgehouden, en zo voerde hij de *Negende* op: als een apocalyptisch visioen, slepend in de langzame tempi, en in de snelle passages zo wild en woest dat het orkest heksentoeren moest uithalen om zuiver te spelen.

Ze had geen idee. Ze zag niet hoe de blazers en strijkers zwoegden, ze merkte het zweet niet dat om haar heen op de instrumenten viel. Ze telde, wachtte en telde, en probeerde haar ademhaling en hartslag onder controle te houden.

Na zestig minuten opende Werniger de *Ode an die Freude*. 'O Freunde, nicht diese Töne!'

Twee minuten later tilde Elisabeth haar gezicht op naar Furtwängler en volgde het puntje van zijn bâton. Ze zoog haar longen vol lucht, en kijk, op een foto die een fotograaf dat ogenblik van haar nam, was het alsof er licht door haar heen stroomde – in, uit, in, en daar ging ze. Ze brandde: 'Wer ein holdes Weib errungen, mische seinen Jubel ein.'

Furtwängler zwiepte, hamerde en zwaaide, steeds sneller zweepte hij haar op. Hij sloeg niet de maat, niet de maat, want maat, dat liet hij over aan haar eigen inzicht. Furtwängler joeg haar alleen maar op met zijn stokje. Hij eiste blijdschap, in godsnaam wees blij, of ik knoop jullie op aan een lantaarnpaal, Berlijn heeft er zoveel en ze zijn schitterend bovendien. Wees blij, of ik voer jullie vlees op aan de honden, jullie botten verbleken in de wind en jullie zielen, jullie zielen zullen splijten van verdriet.

Na afloop in de kleedkamer voelde ze zich doodmoe van het zingen en van alle spanning vooraf, alsof ze in één ruk van hier naar Spandau en terug was gelopen. Ze zakte op de kruk voor haar kaptafel, ze had geen zin in wijn met bellen, in lachen en klinken en o-schat-wat-deed-je-het-magnifiek.

Laat mij maar hier op mijn kruk, dacht ze. Ik heb helemaal nergens zin in.

Toen Zettel de volgende dag bij haar thuis langskwam en vroeg hoe ze het concert had gevonden, vertelde ze hem dat ze meteen naar huis was gegaan, zo neerslachtig had ze zich gevoeld. Ze vertelde hem niet méér, niet hoe ze met een kussen op haar hoofd in haar bed en de dekens daaroverheen dacht dat het nooit wat zou worden met dat zingen van haar.

Zettel knikte alleen maar en zei: 'Uitstekend, Fräulein Bruch, uitstekend. Treurigheid is perfect, het is de enige juiste gemoedstoestand waarin u de finale van de *Negende* mag zingen.'

Feuertrunken dus.

Een paar honderd kilometer verderop, op het landgoed Hauenstein in de bossen van Noord-Bohemen, gooide Andreas nog een blok hout op het vuur van de kachel in de keuken. Hannelore was boven. Ze bracht de kinderen naar bed en ging daarna zelf ook slapen, had ze gezegd. Andreas vond het wel prima zo. Geen kinderen, geen vrouw, geen graaf, geen boswachters, geen familie, geen herrie aan zijn kop. Hij had het rijk alleen.

Hij peuterde in zijn oor, krabde tussen zijn benen, pakte zijn bemodderde jachtlaarzen, een borstel en een pot vet, en plantte die voor zich op de keukentafel. Hij reikte naar de knop van de radio en stemde af op Berlijn, op de uitvoering van de *Negende* van Beethoven onder leiding van Furtwängler.

Er klonk geknars uit het kastje. Hij hoorde gehoest en geproest, na zes maten al. Maar hij vergat zijn irritatie daarover. Want dit was Beethoven. Beethoven wiegde, verleidde, sleurde hem mee.

Hij vergat zijn laarzen op tafel. Hij vergat het vuur dat in de kachel uitdoofde. Hij vergat alle dingen van die dag – de teleurstelling bij de inspectie toen hij merkte dat de jonge aanplant was aangevreten door het wild. Hij luisterde zo aandachtig naar de muziek dat hij niet merkte hoe de kou van buiten langzaam de keuken in bezit nam.

Er was niets meer behalve pauken die ontploften, kreunende contrabassen, trompetten en schitterend gezang. Hij hoorde een diepe bariton, een volle tenor en een volle mezzosopraan. En toen hoorde hij een hem onbekende stem: een dramatisch maar jong geluid. De sopraan zong vol en diep – net als zijn moeder had gezongen –, in de hoogte was ze nog wat bleek.

Andreas leunde naar voren en schatte hoeveel die stem kon groeien. En voor hij het besefte, neuriede hij mee, met het koor, met Schiller en Beethoven. Voor zijn gevoel zong de hele wereld met hem mee:

'Freude, schöner Götterfunken
Tochter aus Elysium
Wir betreten feuertrunken
Himmlische, dein Heiligthum!'

Toen de laatste maat was gespeeld, toen fluit, viool, bekkens, pauken en trombone de laatste klap hadden uitgedeeld, werd het muisstil in de keuken. Die stilte duurde twee minuten en toen barste de herrie los in Berlijn. Andreas hoorde hoe het Berlijnse publiek joelde, schreeuwde, klapte en floot. Hij hoorde hoe de verslaggever van Radio Berlijn probeerde om boven het lawaai uit te komen. 'Luisteraars! De Führer krijgt een zakdoek aangereikt en droogt zijn ogen. Dit is een historische avond. Leve de moed van Beethoven. Leve de virtuositeit van Furtwängler!'

Maar Andreas wilde dat allemaal niet weten. Hij was maar in één ding geïnteresseerd: wie was die jonge sopraan voor wie de Führer omstandig boog en die hij bedankte met een eervolle handkus?

Hij draaide de knop van het radiotoestel uit. Elisabeth Bruch. Bij het horen van haar naam hadden zijn pupillen zich één seconde vernauwd, alsof hij op jacht was en een prooi in het vizier kreeg. Toen keek hij weer naar de bemodderde laarzen op tafel – nog steeds even vuil –, en begon zuchtend te poetsen. De naam van de zangeres borg hij op in een ver hoekje van zijn geheugen. Zestien jaar later pas diepte hij die naam weer op.

28

De volgende ochtend was Andreas laat voor het ontbijt. Opeens was er zomaar een gat geweest van anderhalf uur.

Hij had voor zijn kast gestaan en sokken gezocht. Dat stond hem scherp voor de geest – die la met bollen grijs, bruin en zwart, pluizen eraan, een nest muizen. Hij wilde de dikke blauwe met een rood biesje en de zachte onderkanten, die Elisabeth voor hem had uitgezocht bij de Coöperatie in Gerabronn. 'Dat is een mooi dik paar en niet duur bovendien,' zei ze en graaide de sokken uit een bak met uitverkoop. Hij kreeg ze voor zijn verjaardag, hoewel hij zulke dikke pas van de winter zou dragen. Hij droeg ze sindsdien iedere winter, en hier in Black Creek ook in de zomer, want koude voeten had hij altijd.

Koude voeten, kale voeten, hamertenen, eksterogen, aderen die als darmen zo dik over de wreef van zijn voet liepen, barsten in het eelt, schubben op de huid. Nu hij toch zo veel over voeten nadacht: hij moest nodig zijn nagels knippen. Daar kwamen die gaten in zijn sokken natuurlijk van. Hij zocht naar de nagelknipper – hij rommelde tussen zijn spullen op de plank naast zijn bed, op het aanrecht, in zijn keukenkastje, zijn potlodenbakje, opnieuw in zijn klerenkast. Hij zocht, maar hij vond niks, en uiteindelijk wist hij niet meer waarnaar hij nu eigenlijk zocht. Maar toch rommelde hij door. Hij haalde alles overhoop.

Dat zei Wolfgang althans, toen hij bij hem aan de deur

kwam om te zeggen dat de mudd koud werd. 'Wat ben je nu weer aan het doen?' riep hij bij het zien van de puinhoop in de cabin. Driftig begon hij op te ruimen – de sokken weer in de kast, muziekboeken op de plank, het bestek en de borden in de kastjes. 'Ik kan je blijkbaar niet meer alleen laten.'

Andreas zakte op de rand van zijn bed. Hij tilde zijn handen omhoog: 'Ik weet het ook niet meer. Ik was iets kwijt,' fluisterde hij.

Wolfgang nam hem mee naar het grote huis, waar het ontbijt klaar stond. Andreas stak zijn lepel in een kom met yoghurt en dacht aan de langspeelplaat die hij van Wolfgang had gekregen. Hij had er zijn handen niet af kunnen houden. Hij kreeg het er warm van in zijn hoofd en zijn buik. Zo'n cadeau was het.

Hij humde het refrein van *Ode an die Freude*.

'Zei je wat?' vroeg Wolfgang smakkend.

'Ze is mooi,' zei hij.

'Wie? Wie bedoel je?'

'Elisabeth, in de *Negende*.'

Wolfgang knikte afwezig.

'Hier is ze thuis, hè. Echt thuis.'

'Ja,' zei Wolfgang, 'nu hoef je niet meer je adelaar met een boodschap omhoog te sturen.'

Wolfgang schraapte zijn kom leeg. Hij schoof zijn stoel naar achteren en rekte zich uit. 'Zullen we hem straks eens draaien? Het is misschien jammer dat de platenspeler in je cabin kapot is, maar hier is de akoestiek beter.'

Andreas knikte. 'Dat is goed.' Maar intussen dacht hij: wat kletst hij nou? Ik heb vanochtend toch muziek geluisterd?

'Wat denk jij ervan,' vroeg Andreas later. 'Als ik in september negentig word, zullen we dan een feest organiseren? Een groot feest, waar we platen draaien en de tafels vol eten staan?' Hij herhaalde, tegen niemand in het bijzonder: 'Wat denk jíj daarvan?'

'Een feest?' vroeg Wolfgang verbaasd. 'Op Black Creek? Maar wie wil je dan uitnodigen?'

'Nou, gewoon iedereen,' antwoordde hij. 'Mensen van hier maar ook van daar. En de familie met aanhang en kinderen.'

Wolfgang pakte het stadskrantje van Williams Lake en sloeg dat open. 'Ik weet het niet, hoor. Kennen wij mensen die we echt graag over de vloer zien? Ik bedoel: niet alleen als er iets kapot is, maar zomaar, voor de gezelligheid?'

Andreas somde op: 'Joseph, Will, de Oberhausens, Jenny Reynolds.' Hij stopte: 'Luister je wel?'

'Tuurlijk,' zei Wolfgang vanachter de krant, 'ik hoor alles wat je zegt.'

Andreas vervolgde. 'Dat zijn er al veel. We hoeven nu toch niet alles al helemaal rond te hebben. Het is maar een idee, een feestje.'

Wolfgang keek naar zijn handen met de lange, slanke vingers. Perfect om piano mee te spelen – hij beheerste zelfs Rachmaninov –, perfect om de mis mee op te dragen, perfect om een dier te strelen. Hij zuchtte. Op Black Creek vlogen de jaren voorbij en veel volk kwam er niet over de vloer.

'We kunnen de andere cabins opknappen,' zei Wolfgang ten slotte. 'Negentig is inderdaad een mijlpaal. De gasten kunnen in de cabins slapen, en anders in tenten. We slachten een schaap en gaan barbecuen, of bij slecht weer doen we het binnen, in alle cabins feest.'

Wolfgang balde zijn handen tot vuisten. Hij dacht: dat feest zou een kans kunnen zijn. Een kans om kennis te maken, want je weet maar nooit wie er mee komt. Misschien kwam er wel een vrouwenhand mee, een vrouwenhand die wilde blijven en niet te beroerd was om voor hem te koken, zijn spijkerbroeken te wassen, het huis schoon te houden en de beesten te verzorgen nu zijn vader dat niet meer kon. En misschien deed die vrouwenhand ook 's nachts haar best.

Daarom zei hij: 'Ja, het zou leuk zijn, Veronika en Benno een keer hier. En misschien wil een van de andere gasten wel hier blijven wonen als ze zien hoe mooi het hier is, hoe schoon en rustig. Een extra hand kunnen we goed gebruiken.'

Andreas zag het voor zich, zijn verjaardagsfeest: met zijn allen aan lange tafels in het gras, schalen vol vers geplukte frambozen erop, ze zouden lachen, zingen, pianospelen en misschien zelfs wel dansen op tafel, zoals Elisabeth en hij vroeger, als ze had opgetreden. Met zijn allen, met het hele orkest en alle zangers, gingen ze souperen. 'Verheft jullie harten, broeders, hoog, hoger. En vergeet ook de benen niet. Til ook de benen op, jullie goede dansers, en beter nog, ga op jullie hoofd staan,' zei hij.

Iedereen bij elkaar, al zijn kinderen rond zijn tafel. Dat zou mooi zijn, en over de ruzies van vroeger zouden ze zeggen: 'Zand erover. Ben je gek? Ik ben het nu al vergeten. Daar maken we toch geen punt meer van.'

Wolfgang liep naar het aanrecht en pakte een lap om de tafel schoon te vegen. Toen haalde hij de stofzuiger te voorschijn, die aan alle kanten met touw en plakband bij elkaar werd gehouden, en stopte de stekker in het stopcontact.

Onder het zuigen riep hij: 'Het is handig als je een lijst opstelt met namen en dan de adressen erbij zoekt! Zo kun je nakijken of je niemand vergeet!' En na een pauze: 'Trouwens, ben je van plan om hém ook uit te nodigen?'

'Ja,' zei Andreas terug. 'Jazeker! Iedereen is welkom. Dus ook Friedrich.'

En op dat ogenblik klonk er een knal en schoot er een steekvlam uit de stekker van de stofzuiger.

Wolfgang keek ontreddderd naar het rokende apparaat. De stofzuiger was een echte Siemens, hun eerste elektrische stofzuiger, in 1952 in Schwäbisch Hall gekocht, in een tijd dat het leven hen weer aarzelend toelachte. Ze konden zich niet alleen een stukje vlees op zondag veroorloven, maar soms zelfs doordeweeks.

Dat dingen zo kapot konden gaan dat ze niet meer te repareren zijn, daar wilde Wolfgang niet aan, nooit, als kind al niet. Andreas hoorde hem al een uur boren en zagen, maar nu hoorde hij alleen nog maar de hakbijl. Precies zoals hij het had geleerd: niets weggooien, alles ontleden, sorteren. We kunnen alles opnieuw gebruiken.

Andreas deed zijn muts over zijn oren, trok wanten en overschoenen aan en liep over het grintpad terug naar zijn cabin waar de kachel knetterde en knalde. Wolfgang had de kachel opgepord en er nieuw hout opgegooid. Hij strekte zijn handen uit naar de vlammen en merkte dat zijn vingers trilden.

Iedereen terugzien, hoe zou dat zijn? Hoe zouden ze het vinden? Waar zouden ze over praten? Zouden ze hem nog herkennen?

Veronika met haar dochter, hoe heette dat meisje ook alweer?

Benno zou zoveel lawaai maken dat hij geen tijd had om naar een ander om te kijken. Frau Baches, de huishoudster uit Rothenburg, zou hij schrijven. En ook Friedrich zou hij uitnodigen. Zelfs Friedrich.

Friedrich zou nog wel het meeste schrikken. Het was bijna dertig jaar geleden dat ze elkaar voor het laatst hadden gezien. Toen hij met Elisabeth ging samenwonen, was Friedrich als een blok voor zijn moeder gaan staan. Als enige van de kinderen deed hij dat. Benno en Wolfi waren te druk bezig geweest met achter de meisjes aanzitten, en zij vonden het eigenlijk ook wel best. Veronika was nog te jong. Alleen Friedrich was woedend geworden, voor het eerst in zijn leven. Hij had tegen Andreas gezegd: 'Een man die zijn vrouw en zijn vier kinderen in de steek laat, zo'n man verdient geen respect.'

God zal me bewaren, dacht Andreas. Alles voortdurend op het scherpst van de snede. Zo heel anders dan hier, waar een dag niet telt en waar het water altijd langzaam stroomt, zelfs als het lente is en het smeltwater van de bergen komt. Friedrich misschien toch maar niet, en opeens wist hij weer wat hij gezocht had die ochtend: zijn nagelknipper.

29

Ze zaten op de veranda. Er stegen miljoenen gele stipjes uit de beukenhaag omhoog. Wolfgang keek naar de luizen die uitvlogen en at ondertussen een appel. Andreas zei: 'Ik moet maar weer eens spuiten.' Wolfgang haalde zijn schouders op. 'Wat heeft dat nou voor zin?' zei hij. 'Heb je eindelijk die uitnodigingen voor je feest verstuurd?'

Andreas knikte. Hij beet een lang stuk draad af van het klos zwarte garen waarmee hij het gat in een van de ellebogen van zijn houthakkershemd repareerde.

'En? Al wat gehoord?'

'Zeker, zeker,' mompelde Andreas. 'Ik heb van Joseph gehoord dat hij komt, en Will komt. En verder heb ik bij Jenny Reynolds en de Oberhausens uitnodigingen in de bus gedaan. Bij de ijskraam van Angela ben ik laatst nog langsgeweest en verder bij iedereen in Horsefly zo'n beetje. Nee, ik geloof niet dat ik iemand vergeten ben.'

Hij trok de stof op de plek van het gat tegen elkaar aan en reeg de kanten met grote driedubbele steken bijeen. Stoppen had hij nooit geleerd, maar dit wel. Ach, hij hoefde er niet mee naar de kerk.

'Het is nog vroeg, hè,' zei hij, 'het duurt nog een dikke maand voor het zover is.'

'Ja, dat weet ik wel,' zei Wolfgang, 'ik bedoel ook niet of je van de buren al wat hebt gehoord. Ik bedoel: heeft Veronika al geschreven of ze komt? En de anderen?'

Andreas zweeg. 'Wat stinken die vissen, hè,' zei hij ten slotte, want de zalmtrek was begonnen.

'Benno? Friedrich?' vroeg Wolfgang.

Andreas knikte. 'Veronika heeft geschreven dat ze zo goed als zeker komt. Geld is geen probleem. Benno wil ook graag komen, maar voor hem telt geld wel – dus ik dacht: ik wil best bijspringen, de helft van zijn ticket bijvoorbeeld betalen.'

Hij stak met kracht de naald door de dikke flanellen stof. 'Alleen Friedrich, van hem heb ik nog niks gehoord.'

Wolfgang zweeg. Voor zover hij wist was hij de afgelopen weken steeds naar het postkantoor in Horsefly gereden. Hij had nooit iets van een brief van Benno of Veronika uit Duitsland gezien. Wel rekeningen en een brief van de krant in Williams Lake, dat ze zijn tekeningen en gedichten niet wilden afdrukken.

'Gut,' zei hij, en gooide het klokhuis van de appel met een grote boog naar de kippen die verderop in het gras rondscharrelden. 'Wat gek dat je me niet meteen hebt verteld dat er post van Veronika en Benno was.'

'Verdomde naald!' riep Andreas op dat moment. Hij stak zijn wijsvinger in zijn mond en zoog het bloed op dat uit het gaatje in zijn vinger opwelde.

Hij snauwde: 'Ja, gek hè. En waarom niet? Vergeten denk ik. Een mens vergeet wel eens wat.'

Hij lag op zijn buik op de grond en tastte in het donker onder zijn bed. Hij trok drie bestofte koffers te voorschijn en ritste ze open. Hij zag wurmen kruipen, dode motten en vliegjes liggen tussen de agenda's, de foto's, de opschrijfboeken, de juwelendoosjes van haar en het ondergoed. Hij vond nog meer gedroogde rozen die hij in de tuin in Rothenburg had geplukt. Hij vond kattenbelletjes die hij aan Elisabeth had geschreven.

'Goeiemorgen lieveling, ik hoop dat je heerlijk hebt geslapen. Ik heb de wasmachine gemaakt!'

En op een ander blaadje las hij: 'Ik heb haast: je sinaas-appelsap staat in de ijskast.'

Hij glimlachte. Elisabeth stoorde zich aan die doorde-weekse teksten. Haar briefjes aan hem klonken heel anders, die klonken zo: 'O namenlose Freude, Mein Mann an mei-ner Brust. O namenlose Freude, An Leonores Brust!'

'Florestan en Leonore,' zei ze, en dan wist hij dat ze ge-lukkig was en dat er geen haar op haar hoofd spijt had van hem.

'Natuurlijk liefste,' zei hij. 'Echte trouw gaat nooit ver-loren.'

En toen vond hij de brieven.

Het was een vergeten bundeltje brieven, bij elkaar ge-bonden met een donkerblauw fluwelen lint. Tussen het lint zat een verschrompeld klavertje vier. Toen hij met zijn vin-ger het klavertje aanraakte, verpulverde het. Het lint was broos geworden. Voorzichtig peuterde hij het los. Hij vouw-de het bovenste blaadje open en herkende het handschrift van Veronika.

Plotseling herinnerde hij het zich weer: de vertrekhal op de luchthaven van Frankfurt, vlak voor de douane, de Bock-wurst die ze bij een karretje hadden gekocht om de tijd te doden, Veronika die onhandig met een pakje brieven had staan friemelen.

Een paar avonden voor zijn vertrek had ze aan de dames van de Fränkische Vereinigung für Volkskunst, die iedere twee weken bij haar op de thee kwamen, zijn verhuizing naar Canada aangekondigd: 'Mijn vader gaat Duitsland ver-laten. Ja, hij heeft de knoop doorgehakt. Ik zei jullie toch: hij is ontheemd. Hij beseft dat er niets is waar je je aan kunt hechten.'

De zilveren lepeltjes waren stil blijven staan in de kopjes, het zilveren suikertangetje hing roerloos boven het mandje met klontjes, de amandelkrullen verkruimelden op de sofa. Naar Canada?

Veronika nam haar lievelingspop Kaja op schoot en borstelde de dikke bruine vlechten – honderd slagen iedere dag, dan blijft het haar glanzen. Ze borstelde zwijgend, zonder op te letten, zoals ze deed als ze van Elisabeth de bessen moest rissen voor de jam of de was opvouwde. Veronika's ogen dwaalden over haar vader en over iedereen in de kamer, over haar verzameling porseleinen hondjes en poesjes, de flamboyante schilderijen van haar man, door het raam naar buiten, naar de wijnbergen die naast haar tuin begonnen – alsof niet haar vader maar zij het land van haar jeugd daar ergens tussen de wijnstokken was kwijtgeraakt.

Op het vliegveld hadden de tranen vlekkerige strepen op haar gezicht achtergelaten. Ze had hem een stapeltje brieven in de hand gedrukt, en was toen weggelopen zonder nog één keer om te kijken of te zwaaien, laat staan dat ze nog iets zei. Dat was hem tegengevallen van zijn koninginnetje. Want daar stond hij dan toch maar mooi – met twee Bockwursten gloeiend heet nog in zijn hand.

Maar hij maakte zich er niet druk om. Hij was te opgewonden geweest over zijn eerste intercontinentale vlucht en over het feit dat hij weldra Wolfgang zou zien. Hij had het bundeltje met brieven weggestopt. Hij wist niet eens meer waar.

De brief die Veronika hem dertien jaar geleden had geschreven was een lange brief en een mooie. De kantlijnen van het papier waren versierd met groene wijnranken en rode en gele roosjes ertussen. Die aandacht voor details had ze van haar moeder geërfd. Hannelore had met redelijk succes gedicht en getekend, want de Sudeten-Duitse heimweekrant waar ze op geabonneerd waren drukte die dingen graag af.

Andreas zette zijn bril op en begon te lezen. 'Nu je uit Duitsland weggaat, lieve pappa, en je op een plaats gaat wonen die ik niet ken, in een land dat me net zo vreemd is als China of de Maladiven, wil ik je iets vertellen over vroeger.

Natuurlijk, ik weet: je bent met je hoofd heel ergens anders. Jij kijkt vooruit: naar hoe het zal zijn in Canada en vooral naar het samenwonen met Wolfi. En toch schrijf ik je deze brief, want ik wil dat je wéét. Ik wil dat je weet waarom we het, in mijn herinnering, zo ontzettend goed samen hebben gehad. Maar er is ook een andere kant. Helaas, want die was niet goed. En waarom dat zo is, probeer ik uit te vinden. Daarom schrijf ik je.

Je bent nog nooit zo ver van mij weggegaan, en misschien is dat een teken. Want misschien durf ik daarom nu te zeggen wat me al zo lang op het hart ligt.' Veronika had de laatste woorden van de alinea met blauw potlood onderstreept: 'Wees alsjeblieft niet boos.'

Andreas las niet verder. Hij staarde naar zijn sokken. 'Engelenhandjes,' zei zijn moeder vroeger, als hij haar haren borstelde.

Hij pakte Veronika's brief weer op.

'Ik vond je geweldig, pappa,' schreef zijn dochter. 'Weet je nog hoe we op Heiligabend samen door de sneeuw langs de pachters gingen met onder onze arm de cadeaus ingepakt voor kerst? Ik mocht met je mee in mijn mooiste jurk, met witte kniekousen en schoenen met hakjes aan. Mamma vlocht mijn haar en zette er rode strikken in. Ik was jouw kerstengeltje, zei je tegen me, mooier dan de ballen in de boom. Bij ieder huis werden we ontvangen met wijn en een groot stuk taart – wat vonden we dat allebei een walgelijke combinatie. En als we buiten stonden lachte ik me kapot, want jij kon dat slome Hohenloher dialect zo perfect imiteren. "Oh Madlich, wie eine schääne Klaadlich du trägst."'

Steeds sneller las Andreas, van linksboven naar rechtsonder. Zinnen sprongen uit het wit te voorschijn en verdwenen weer, zoals herten die ineens voor je koplampen opduiken en dan weer verdwijnen in het bos.

'Ik wilde onder geen beding bij mamma blijven wonen,' las hij. 'Ik gaf mamma de schuld van alles,' stond een zin verder. Hij sloeg twee alinea's over. 'Jij ging weg en liet mij achter.' En ergens stonden de namen van zijn zussen Gabriele en Leonore. 'Ik wilde nooit jaloers zijn vanwege jou, zoals tante Gabi en tante Leonore dat waren geweest, nooit twee honden die vechten om één bot.'

Tegen het eind van de brief trof hij alleen nog zinnen waar grote vraagtekens achter stonden.

'Waarom liet je me in de steek?' schreef Veronika. 'Waarom liet je Benno en Friedrich in de steek? Was er dan niemand meer die je belangrijk vond, pappa? Ging het alleen nog maar om jou? Wie van jou het meeste hield, kreeg de meeste liefde terug – zat het zo simpel in elkaar? Boodschappen doen en gelijk oversteken? En als de ander niet voldoende wisselgeld bij zich had, dan ging de koop niet door?'

Andreas las niet verder. Zijn handen beefden. Hij legde het pakje brieven naast zich op bed en wreef over zijn gezicht. Zijn bloed bonkte tegen zijn slapen. Hij probeerde rustig te ademen. Hij kon niet tegen confessies en al helemaal niet tegen confessies van de vrouwen in de familie.

Hij vouwde de brieven op en drukte het fluwelen lint weer om het papier heen. Een knoop leggen ging niet meer, daar was de stof te fragiel voor geworden.

Hij bleef die avond in zijn cabin, ook toen Wolfgang op de deur klopte en zei: 'Het eten is klaar.'

'Ik heb geen honger,' riep hij terug. 'Ik blijf hier.' Hij had twee appels, een paar wortelen uit de moestuin en een hard gekookt ei op het aanrechtje liggen. Dat was zat. Hij opende met de pook de gloeiende klep van de kachel en gooide twee, drie, vier nieuwe blokken hout op het vuur. Het hout knetterde en siste, schreeuwde 'pieu' en 'boef' – alsof er mitrailleurs en kanonnen afgingen in het vuur. Hij stookte hard, niet alleen maar omdat rond deze tijd de avonden al klam en kil werden, met vocht dat langzaam uit de grond omhoog trok langs zijn benen, naar zijn knieën en al die andere botten die zeer deden van de reumatiek.

Hij klapte de klep van de vleugel open en rommelde tussen zijn muziekboeken. Hij trok zijn sloffen aan, sloeg de sprei van zijn bed om zijn schouders en trok de kruk dichter bij de piano. Er hing een druppel condens aan het puntje van zijn neus. Die druppel viel op de toetsen toen hij naar voren boog om de noten in het muziekboek te kunnen lezen. Hij probeerde een stukje Brahms, een stukje Beethoven – maar niks beviel hem. Het tellen verveelde hem en zelfs zo'n makkelijk begin als dat van de tweede pianosonate van Beethoven ging fout. Toen zijn vingers voor de derde keer bij de zevende maat misgrepen, stopte hij en stond op van zijn kruk.

Hij ging op de rand van zijn bed zitten en krabde achter op zijn hoofd. Hij wist dat hij ergens diep over moest nadenken. Hij zei hardop: 'Landewee, denk na,' op de toon die Friedrich tegen hem aansloeg nadat hij van Hannelore was gescheiden. 'Meneer Landewee,' dat was hoe Friedrich hem sindsdien noemde. Niet meer pappa of zelfs niet pa.

Maar op de een of andere manier lukte het denken niet. Zijn gedachten zwommen weg, steeds verder weg van de kant. Telkens als hij dacht: nu heb ik beet, werd alles weer wazig en vol watten.

Hij mompelde: 'Beethoven, ja dat was een genie.'

Hij bedacht dat hij de vleugel moest stemmen. Toen hij in Black Creek kwam stemde hij de piano iedere drie maanden. Iedere drie maanden was hij een hele ochtend met zijn stemhamer en stemvork in de weer.

Maar als het de ene dag stralend weer was, dan hoosde het de volgende dag en kon hij feitelijk opnieuw beginnen. Want in een nacht was de vleugel ontstemd. Het begon ermee dat hij de laagste en de hoogste octaven niet meer stemde, dat scheelde tijd, en ach, die toetsen gebruikte hij toch haast nooit. Vervolgens stemde hij alleen nog maar de octaven zuiver, de intervallen liet hij zitten. En uiteindelijk bedacht hij: als het hout met die temperatuur- en vochtwisselingen uitzet, dan krimpt het op den duur ook wel weer. Dus waarom wacht ik niet gewoon eventjes? Kijken wat de piano zelf doet.

'Ik weet het, Elisabeth,' mompelde hij, 'ik stel je teleur.'

Hij staarde naar de versleten leren pantoffels die hij had uitgeschopt. Hij gaapte en dacht: Kom, ik kruip er alvast in.

30

'Kom je nog?' riep Wolfgang.

'Jaha,' bromde Andreas. Hij legde de zesentwintig foto's van Elisabeth die hij uit de koffer onder zijn bed had gehaald op een stapeltje. Hij spreidde de foto's op zijn bureau uit en veegde het stof van ze af. Hij had haar zesentwintig keer op de flank van een heuvel. De wind waaide haar haren over haar schouder los en zij keek schuin achterom naar hem, ze lachte. Met haar rode wangen, de mond, en de neus die kon krullen van het lachen. Zesentwintig afdrukken had hij gemaakt. 'Van alle kanten ben je er, Elisabeth,' mompelde hij, en hij zette het juwelendoosje met haar gehoorapparaatje naast de foto's neer.

Hij pakte zijn oranje zwemvest van de haak en trok dat aan. Hij pakte een zakdoek, vouwde die overdwars en knoopte hem om zijn voorhoofd. Eigenlijk moest hij nog even plassen, maar Wolfgang stond al klaar.

Korte broek, t-shirt, bergschoenen aan, rode zakdoek om het hoofd, zwemvest om. Aan zijn linkerschouder hing een tas met daarin behalve bearspray een onderwatercamera, een kompas en een wetsuit. Op het gras bij zijn rechtervoet lag de kano.

'Ik draag voor,' zei Wolfgang toen Andreas het trappetje van zijn cabin afliep. 'Voor is het zwaarst. Neem jij hem achter?'

Ze staken door een wolk van stof de grintweg over. Aan

hun linkerhand verdween een McErdall-vrachtwagen vol boomstammen de bocht om. Ze doorkruisten het weiland naar beneden, waar het gras overging in moeras met wuivende wilgenbossen en vogelkers zo ver je maar kon zien. Ze moesten met de boot op hun schouder door kronkelpaadjes, tussen dicht struikgewas, dode takken waar de boot achter bleef haken, over een bodem die spekglad en zacht was en waar je bij iedere stap die je zette, goed moest voelen of je voet stevig stond – anders was een verzwikte enkel het vrijwel zekere gevolg.

Na ongeveer een halfuur slingeren, zweten tot aan hun onderbroek toe, en zingen – 'harder zingen!' zei Wolfgang, 'dan horen de beren ons aankomen,' – kwamen ze aan de oever van de Horsefly. Andreas haalde de kano van zijn pijnlijke schouder en zakte neer op het strandje langs het water. Hij keek om zich heen. Op de witte en grijze kiezelstenen om hem heen lagen hopen zwarte drollen met pitten erin: beren. Daaromheen viskarkassen, sommige voor de helft opgegeten. Aan de overkant van de rivier sloeg een blauwe reiger traag zijn vleugels uit. Een troep eenden maakte zich snaterend uit de voeten, toen een nieuwe stofwolk verderop in het dal naderde. Twee witkopadelaars vlogen boven zijn hoofd, en verderop in een dode boom kraste een kolonie kraaien. Maar de meeste herrie maakten de zalmen.

In het diepere water sprongen ze op, in laagwater spartelden ze, sloegen elkaar met hun staart om de kop, rolden van hun buik op hun rug en weer terug. Er waren zalmen die nog springlevend waren, er waren er die onder de witte plekken zaten – de spikkels staken scherp af tegen hun oranjerode huid –, en er waren er die machteloos met de stroom meedreven of aan wal spoelden en daar nog wat met hun staart spartelden totdat ze stierven.

'Zie je dat?' vroeg Andreas. 'Het is ondoenlijk om ze te tellen, zo veel zalm. Het hele water ziet rood.'

Wolfgang legde de peddels in de kano en duwde de boot het water in, dwars over een groep spartelende vissen heen:

'Joseph zegt dat we er dit jaar een miljoen kunnen verwachten.'

Andreas adem stokte: een miljoen sockeyes. Dat betekende stank, een stank die over het hele dal hing – niet alleen maar als er slecht weer op komst was, maar dag en nacht, ochtend en avond. De vislucht drong zijn neusgaten binnen, kleefde vast aan zijn kleren, zijn handen, kroop onder zijn nagels, in zijn haren.

Hadden de vissen herinneringen aan de tocht die ze vier jaar geleden hadden afgelegd? Aan de stroomversnellingen die ze hadden gepasseerd, de aftakkingen die ze links hadden laten liggen, altijd maar mee met de stroom? Geen wetenschapper die het ooit had kunnen vaststellen. De vissen zwommen, omdat iets in hun kop dat zei. Ze moesten en zouden terug naar het kreekje bij de waterval om daar – alleen daar – hun eitjes te leggen.

Op weg naar die wieg verschoten de sockeyes van kleur: van muisgrijs in de oceaan werden ze fonkelend rood. Hoe dichter ze bij de plaats van bestemming waren, hoe roder hun huid. Hoe dichter ze bij de plaats van bestemming kwamen, hoe dichter ook de dood hen op de hielen zat.

'Sockeyes die eitjes gaan leggen, raken besmet door een fungus, een schimmel,' zei Wolfgang. 'Hoe meer witte spikkels je op hun lippen, hun wangen, hun rug en buik ziet, hoe sneller ze dood gaan.' Hij pakte een vis uit het water en toonde zijn vader de pluizige schimmelplekken op de knalrode huid: 'Kijk, daarom mag je ze ook niet meer vangen als ze rood worden. Dat vlees is niet meer te vreten. Die beesten zijn van binnen al helemaal verrot. Alleen hun eieren zijn nog goed.'

Ze stapten in de kano en duwden de boot met hun peddels af. Andreas zat voor en Wolfgang als roerganger achter. En dit was het beeld dat Andreas door de onderwatercamera zag.

Stroomopwaarts zwommen de sockeyes die nog vol eitjes zaten. Stroomafwaarts dreven hun soortgenoten. Zij hadden het werk gedaan, hun eitjes gelegd, en nu gingen ze dood.

31

Hij kon die nacht de slaap niet vatten – en de nacht daarna niet, en de nacht daarna ook niet. 's Ochtends als hij opstond voelde hij zich afgemat. Alles was zwaar en moe, alsof hij tegen een griep aanhikte. Wás het maar griep, dat zou de boel tenminste duidelijk maken. Zodra hij in bed stapte, begon zijn hart te bonzen, zijn bloed te stromen, alsof er van alles te doen was, alsof er gevaar dreigde en hij oplettend moest zijn en voorzichtig bij elke stap die hij zette.

Hij probeerde zichzelf te kalmeren. 'Er is niks aan de hand, alles komt goed,' zei hij bij zichzelf. Maar het feit dat er niks aan de hand was – hij luisterde naar de hoge roep van de uilen op jacht, hij hoorde de wind ruisen door de bomen, de kippen pruttelen op hun stok, en Daisy rommelen in haar hok – dat feit maakte zijn angst alleen maar groter. Als er verder niets aan de hand was, dan moest die slapeloosheid wel aan hem liggen. Maar hoe dan? Werd hij gek? Dement? Hij telde af wat hij die dag had gedaan.

Hij begreep niet waarom hij niet gewoon in slaap kon vallen, zoals iedereen om hem heen deed en zoals hijzelf al die jaren probleemloos had gedaan. 'Jij hoeft je kussen maar te zien,' zei Elisabeth en ze had glimlachend over zijn wang geaaid, 'of het is zover. Jouw trein naar dromenland staat altijd klaar.'

Maar nu stompte hij in zijn kussen, woelde zijn dekbed van zich af, stond op voor water, nog een keer plassen, een stukje lezen. Als hij eenmaal op zijn knieën zakte om onder het Mariabeeldje aan de muur te bidden, dan was het echt erg, dan had de angst hem volkomen in haar macht. De nacht was inderdaad zwart, zwarter dan de dag dacht. Maar godzijdank werd het altijd weer licht.

Uiteindelijk ging hij naar de huisarts in Williams Lake. Die luisterde naar zijn hart, onderzocht zijn ogen, mat zijn bloeddruk en prikte bloed. Toen alles in orde bleek, schreef de dokter slaappillen voor. 'Inslaappilletjes,' noemde hij ze. De dokter vroeg: 'Heeft u misschien last van spanningen de laatste tijd, meneer Landewee?'

Hij schudde met zijn hoofd: 'Nee, ook nooit last van gehad.'

Na het bezoek aan de dokter haalden ze de slaappillen op bij de apotheek en gingen daarna naar Saveway. Ze gingen inkopen doen voor het feest. Wolfgang parkeerde de auto en haalde een boodschappenkar. Andreas liep met de boodschappenlijsten vooruit.

Als het aan Wolfgang had gelegen, waren ze helemaal niet naar Safeway gegaan en hadden ze zich geen breuk gesjouwd aan flessen wijn en bier, steaks in mammoetverpakking, zakken bloem, reuzenblikken mais, peer en ananas, olie en azijn, melk, boter, zout en vijfenzeventig rollen wc-papier – want dat was nou typisch zo'n ding, zei zijn vader, waar je beter mee dan om verlegen kon zitten. Nee, als het aan Wolfgang lag, hadden ze het hele feest afgelast.

'Maak er toch niet zo'n erezaak van,' zei hij geërgerd, 'je kunt zo'n feest toch uitstellen als je je niet honderd procent voelt? Geen hond die het je kwalijk neemt, hoor.'

Maar Andreas zei koppig nee. 'Als ik negentig word, wil ik een feest.'

'Prima, jij je zin,' zei Wolfgang. 'Weet je al iets over Friedrich, Benno en Veronika? Ik moet toch weten op welke dag ze aankomen in Williams Lake? Want ík zal ze moeten afhalen. Ik laat jou niet meer achter het stuur, met jouw ogen.'

Andreas knikte.

'Waarom knik je nou?' vroeg Wolfgang. 'Heb je al wat van ze gehoord?'

'Nee,' antwoordde hij. 'Nog niks gehoord, maar dat komt wel!'

De slaappillen hielpen, maar of hij daar blij mee moest zijn, was de vraag. Want áls hij sliep, kreeg hij nachtmerries. Ze duurden kort, maar hij werd badend in het zweet wakker, zijn keel zo dichtgeknepen van de narigheid dat hij de eerste minuten alleen maar in het donker kon nahijgen.

Hij droomde dat hij achter de kassa van een schouwburg zat waar Elisabeth moest optreden, en dat er niemand kwam. Voor de kassa was een straatveger bezig – heel onpraktisch en raar stond hij het natgeregende trottoir te vegen. De man zei: 'Maar natuurlijk komt er niemand. Niemand wil dat liefje van de Führer toch meer horen zingen? Schluss damit. Je kunt je kassa beter sluiten, man.'

De straatveger zei het alsof het iets was wat iedereen wist – en Andreas droomde dat hij zich verbijsterd in zijn nauwe kassahokje afvroeg: wat heb ik gemist, wat heb ik in godsnaam gemist?

Of hij droomde dat hij met Friedrich in zo'n supersonische sneltrein zat waarmee je in drie uur van München naar Berlijn kunt reizen. Ze aten in de restauratiewagon een Strammer Max en dronken er een biertje bij. Uit de paddestoellampjes op de tafeltjes straalde blauw licht en de airconditioning blies koude lucht in zijn gezicht. Friedrich was aan het woord. Hij vertelde dat je nergens mooiere bergen had dan in het Ertsgebergte, met overal eekhoorntjes en fruitbomen die tot op de grond doorbogen van de vruchten. Hij vertelde hoe groot het Fremdenhaus was geweest en beschreef gedetailleerd alle plekken waar hij zich wel eens verstopte. Hij vertelde hoe verrukkelijk vrij en gelukkig hij op Hauenstein was. Friedrich zei: 'Hauenstein was het paradijs.'

En toen Friedrich dat had gezegd, kantelde de droom. Een groot verdriet overspoelde Andreas, want er was iets, maar wat? Het was een pakketje in een lichtblauw wollen dekentje dat hij op het bankje in de gang van het Fremden-haus had laten liggen. Hoe had hij zo stom kunnen zijn? De grenzen waren gesloten en hij kon niet meer terug.

32

Wolfgang tekende verveeld poppetjes op een papiertje, met rare koppen, grote oren, steekneuzen, schele ogen en halzen zo lang als dropveters. 'Goed, vandaag dus. Halfvijf.' Hij tikte met de achterkant van zijn balpen op het hout van de tafel.

Het regende de hele ochtend al. Alle schoorstenen van alle cabins op Black Creek rookten, maar de regen zorgde ervoor dat de rook laag bleef hangen – het halve dal was er vol van. Wolfgang stond op en liep naar het raam. Hij staarde naar de druipende slingers en lampionnen die tussen de bomen hingen. 'We hebben geen geluk met het weer,' zuchtte hij en gaapte.

Hij draaide zich om. Op tafel lagen geld, autopapieren, autosleutels, geweer voor het geval dat, en een fles mineraalwater met een paar zelfgebakken cakejes voor zijn broers en zus. De klok had alweer een tijd geleden halfdrie geslagen.

Wolfgang keek naar de klok. Om de een of andere reden kon hij het besluit om op te staan, naar de auto te lopen, de motor te starten en naar Williams Lake te rijden niet nemen.

Zijn vader zat star aan tafel. Zo zat hij al sinds het middageten – met de benen wijd, de buik slap over zijn broekriem hangend. Antwoorden rolden eenlettergrepig uit zijn mond. Wolfgang liep op zijn vader toe en wuifde met zijn hand voor diens ogen. Geen reactie. Hij tikte met zijn vingers tegen zijn vaders neus.

Andreas knipperde met zijn ogen. 'Ha fijn, jong, is alles goed?' vroeg hij, alsof hij net wakker werd en niet de hele tijd met wijdopen ogen aan tafel had gezeten. Hij raakte Wolfgangs arm aan en herhaalde: 'Fijn.'

'Zeg,' vroeg Wolfgang zacht, 'gaat het wel goed met je?'

Andreas ging rechtop zitten. Hernam zich, buik in, benen bij elkaar, schraapte zijn keel.

'Ja, natuurlijk,' antwoordde hij. 'Hoe dat zo?' Hij keek naar de middagkruimels op de vloer. 'Ik ga echt zo stofzuigen, hoor,' zei hij. 'Wees niet ongerust. Ik zal zorgen dat het hele huis kraakhelder is als jij terugkomt. De vaat gedaan, de bedden opgemaakt, de wc's schoon, bloemen in vazen.' Hij glimlachte: 'Ik kan nog wel wát, al denk jij dat ik uit de vorige eeuw stam.'

Hij stond op toen hij Wolfgang met de auto hoorde wegknarsen over het grint. Hij haalde Frelic te voorschijn, de stofzuiger die hij twee weken geleden had gekocht.

'Een wát heb je gekocht?' had Wolfgang gevraagd.

'Een Frelic,' herhaalde Andreas. 'Bulgaars fabrikaat. Volgens de man in de winkel is dit de Lada onder de stofzuigers. Hij gaat nooit stuk, is zuinig in gebruik en was behoorlijk afgeprijsd.'

Zo blij als hij aanvankelijk was met zijn aanschaf, zo snel kwam hij tot de ontdekking dat aan het Bulgaarse fabrikaat een paar bezwaren kleefden.

Wolfgang had hem al gewezen op het probleem van de reserveonderdelen: 'Waar haal je die vandaan? Uit Bulgarije? En hoe lang gaat een bestelling voor die Lada duren? Een halfjaar?' Wolfgang had zijn gezicht in Zacharias' vacht begraven van het lachen.

Naast de reserveonderdelen was er het probleem van Frelics zuigkracht. Die viel tegen. Frelic bezat lang niet de kracht die hun oude Siemens had gehad en die nu gedemonteerd in de gereedschapsschuur lag. Daarbij kwam dat wat Frelic aan zuigkracht miste, hij met geluid compenseerde.

Als Andreas de stekker in het stopcontact stak en met zijn voet op de aan-knop drukte, leek het alsof er een straaljager de huiskamer binnentaxiede. Frelic liep zich warm door eerst diep en sonoor te brullen, maar als hij op temperatuur was, veranderde zijn register. Steeds hoger en hoger klonk Frelic – net als een vrouw die je vertroetelt en vertroetelt, totdat ze – enfin, daar moest hij als oude man liever maar niet meer aan denken. Uiteindelijk produceerde Frelic alleen nog maar zo'n oorverdovend gegil dat Daisy en haar pups er met de staart tussen de benen vandoor gingen.

Het was dat de dichtstbijzijnde buren twee kilometer verderop woonden, anders had het klachten geregend. Maar nu kwam er geen klacht. En Andreas bedacht een manier om Frelic te weerstaan. Hij stuurde Wolfgang de deur uit, trok de zwarte skaileren koptelefoon los van de muziekversterker en zoog met de koptelefoon op zijn oren de keuken, de zithoek, de slaapkamer van Wolfgang en de gastenkamers voor Benno, Veronika en Friedrich, waar de frisse zeepjes en schone handdoeken al klaar lagen.

Het kostte hem twee uur. Toen tilde hij Frelic op en liep ermee naar zijn cabin. Hij hield de mond van de stofzuiger boven zijn boeken: Frelic sabbelde. Hij hield de mond van de stofzuiger onder zijn bed: Frelic likte aan de stofnesten. Hij hield de mond van de stofzuiger in de Bechstein die hij open had geklapt, en Frelic zei: 'Gloep.' Een muizennest dat tussen de snaren had gezeten was in de mond gezogen en zat daar muurvast.

Het snerpende gegil van Frelic ging nu over in een angstaanjagend gehuil en Andreas zag hoe de thermostaat van de stofzuiger omhoogschoot in het rood. Frelic zoog niets meer en Andreas, bang voor kortsluiting, trok haastig het snoer uit het stopcontact. Hij pakte een vork van het aanrecht en probeerde in de steel van de slang het muizennest stuk te prikken. Toen dat niet lukte dacht hij: water, een tuinslang met water erop, om die troep van binnen week te maken. Maar één blik door het raam naar buiten zei hem dat de regen nog steeds in sluiers naar beneden kwam. Andere keer dan maar, besloot hij.

Hij zette de stofzuiger in de hoek en probeerde met een zachte borstel en een doekje de zangbodem te reinigen. Maar dat lukte niet, en hij moest zijn vingers gebruiken om de keutels, de dode motten, vliegen, en verder al het andere ongerief dat zich de afgelopen jaren in het instrument had opgehoopt, weg te halen.

Waarom, vroeg hij zich af, waarom had hij er niet eerder aan gedacht om de Bechstein schoon te maken? Waarom had Wolfgang hem er niet aan helpen herinneren? Waarom ging alles de laatste tijd altijd op het laatste moment?

Hij legde zijn wang tegen het koele hout van de piano. Ach Elisabeth, dacht hij, hier op aarde is het zo koud en vol geesten. Waarom kon je me niet met je meenemen?

Hij ademde op het gepolitoerde hout en wreef met een doekje de condens weg. Hij haalde het koperpoets te voorschijn en poetste de pedalen, de wieltjes, de zegel aan de binnenkant van de piano. Hij poetste ook de plek boven de toetsen waar hij op die gewone zondagavond meer dan dertig jaar geleden had staan vijlen en figuurzagen, nadat Elisabeth zo hard in de kelder had gehuild.

Ze was een jubelende sopraan geweest, en toen Furtwängler haar als soliste bij de Staatsoper vroeg en later bij de Berliner Philharmoniker, moest de blik van de Führer wel op haar vallen. Want de muziek die zij zong, vond de Führer ook mooi: Wagner, Beethoven. Vooral Beethoven, dat was de beste componist van de wereld.

Toen de Führer haar in 1938 ter aanmoediging de Bechsteinvleugel schonk, was dat het kostbaarste dat ze had. Het cadeau uit Berlijn was heel lang het enige waar ze werkelijk om zou geven.

Het was kwart over zeven. De bus uit Vancouver had vast vertraging opgelopen – misschien een lekke band of olie op de weg bij Hell's Gate. Anders zou Wolfgang toch allang thuis zijn geweest. Hij liep naar buiten, naar het grote huis en stak alle lichten aan. Toen ging hij de cabins af en draaide de olielampen hoog. Hij controleerde het hout op de kachels en wat hij zag, stelde hem tevreden. Het had allemaal een bijzonder feestelijke glans. Sprookjesachtig mooi was het, ondanks die regen.

Hij ontkurkte twee flessen rode wijn, zette de kristallen glazen klaar en schudde een zak pinda's leeg op een porseleinen schaal. Hij keek weer op de klok. Het was pikdonker buiten. Hij beet op zijn nagelriemen.

'Ongerust zijn heeft geen zin,' zei hij bij zichzelf. 'Die jongens lopen echt niet in zeven sloten tegelijk. En anders is er altijd nog Veronika – juffrouw Wijsneus.' Hij propte een hand nootjes in zijn mond en nog een en nog een, totdat het schaaltje leeg was.

Hij ijsbeerde heen en weer. Doden, dacht hij. Ik moet de tijd doden. Maar met wat?

Hij klaarde op. Hij ging een stukje pianospelen. Hij zou zich comfortabel installeren op de kussens op zijn kruk, met zijn sprei om de schouders. Hij zou een akkoord aanslaan, en nog een, en nog een. Hij wist nu al wat hij ging spelen: de pianobewerking van de *Negende*. En als hij aan het deel kwam waar Elisabeth begon te zingen, dan zou hij niet doorspelen, maar stoppen. Dat zou geluk brengen. Precies bij de maat waar Elisabeth vroeger inzette, zou hij opstaan en naarbuiten lopen. Hij zou naar de top van de heuvel klimmen, over het slingerpad langs het kippenhok, de houtschuur, naar de open plek die hij in het bos had gekapt. Vanaf daar kon hij uitkijken over het hele dal. Dan, dat wist hij zeker, dan zou hij koplampen zien opdoemen in de donkere verte.

Ja, dacht hij, zo zal ik het doen.

NAWOORD

Deze roman is begonnen als een zoektocht naar de familie van mijn grootmoeder, een familie die mij nagenoeg onbekend was. Die zoektocht voerde mij van Nederland naar Duitsland, Tsjechië, Rusland, Canada en Bosnië. Talloos veel mensen zijn mij behulpzaam geweest bij het schrijven van dit boek.

Ten eerste mijn ouders, die me bij aanvang van informatie voorzagen en me in de eindfase van het boek altijd hun mooiste werkkamer ter beschikking stelden om me in alle rust te laten schrijven. Ik dank Fré Driesenaar en zijn vrouw Greetje, Ulrich en Slavka in Canada, familie in Duitsland en Nederland.

Mijn bijlezers Sacha Bronwasser, Hella Rottenberg en Bas Blokker hebben mij van meet af aan met hun kritische maar enthousiasmerende opmerkingen aangespoord geloof te hechten aan wat ik schreef. Mijn uitgever Christoph Buchwald behoedde mij met zijn scherp en empathisch commentaar voor menige uitglijder. Als laatste wil ik Max Blokker danken, die de allermooiste reisgenoot is geweest die ik me maar wensen kon.